CÓMO CONVIVIR CON HIJOS ADOLESCENTES

Dorothy Law Nolte y Rachel Harris

Cómo convivir con hijos adolescentes

Permaneciendo en sintonía con ellos
y proporcionándoles una verdadera
ayuda en sus vidas

URANO

Argentina - Chile - Colombia - España
Estados Unidos - México - Uruguay - Venezuela

Título original: *Teenagers Learn What They Live*
Editor original: Workman Publishing, Nueva York
Traducción: Camila Batlles Vinn

© 2002 *by* Dorothy Law Nolte and Rachel Harris
  Published *by* arrangement with Workman Publishing Company, New York
© 2005 de la traducción *by* Camila Batlles Vinn
© 2005 *by* Ediciones Urano, S. A.
  Aribau, 142, pral. – 08036 Barcelona
  www.mundourano.com
  www.edicionesurano.com

ISBN: 84-7953-563-6
Depósito legal: B. 18.185 - 2005

Fotocomposición: Ediciones Urano. S. A.
Impreso por Romanyà Valls, S. A. – Verdaguer, 1 – 08786 Capellades (Barcelona)

Impreso en España – *Printed in Spain*

A todos los adolescentes:
Que la luz y la inspiración os rodeen.
Dorothy Law Nolte

A Ashley, mi hija adolescente, y a todos sus amigos
por haberme enseñado tantas cosas.
Rachel Harris

Agradecimientos:

Deseamos expresar nuestra profunda gratitud
a nuestra editora, Margot Herrera, por sus ponderadas
opiniones, su sentido común y su sosegado talante.
Vaya también nuestro agradecimiento a Janet Hulstrand
por sus aportaciones editoriales y a nuestro agente,
Bob Silverstein.

Índice

Introducción

Cómo convivir con hijos adolescentes es la continuación de la filosofía sobre la educación de los hijos expresada en *Children Learn What They Live* [Los niños aprenden lo que viven], tanto en el poema como en el libro del mismo título. Nuestro mensaje es que los niños y los adolescentes aprenden de nuestro ejemplo, de lo que hacemos, no de lo que decimos. La forma en que vivimos nuestra vida, las decisiones que tomamos, nuestras aficiones y en especial la calidad de nuestras relaciones constituyen el legado más importante que le dejamos a la siguiente generación.

Nuestros adolescentes aprenden de nuestro ejemplo incluso cuando se rebelan contra nosotros. Son sobre todo sensibles y críticos con respecto a cualquier contradicción entre lo que decimos y lo que hacemos, y casi parecen disfrutar tomando nota de cualquier incoherencia. Asimismo, se muestran prácticamente alérgicos a nuestros sermones educativos, por bien intencionados que sean. Por consiguiente, no podemos transmitirles nuestros valores sólo con palabras, también debemos aleccionarlos con el ejemplo de nuestro comportamiento. El modelo que ofrecemos a nuestros adolescentes somos nosotros mismos.

Por más resistentes o maduros que parezcan nuestros adolescentes lo cierto es que todavía nos necesitan. Nuestros chicos necesitan nuestro tiempo, nuestra atención, nuestros esfuerzos, nuestros desvelos, y sí, incluso nuestros consejos, aunque no quieran reconocerlo. Debemos transmitirles el mensaje de que estaremos siempre disponibles para ellos, de que los apoyaremos tanto en las pequeñas interacciones cotidianas como en los momentos de crisis a lo largo de su adolescencia. Nunca son demasiado mayores para que les ofrezcamos nuestro cariño y apoyo. Es la base de toda relación entre padres e hijos.

Confiamos en que *Cómo convivir con hijos adolescentes* anime al lector a que se «convierta en el padre o la madre que siempre ha deseado ser», como decía Jack Canfield en su prólogo a *Children Learn What They Live*. Dicho esto, debemos reconocer que probablemente habrá momentos en que por más que se esfuerce en ser un buen padre o una buena madre, las cosas no saldrán como pretendía. Es lógico que los padres de adolescentes se sientan a veces desvalidos e impotentes por mucho que se esmeren en la educación de sus hijos.

Muchos padres pasan por momentos difíciles durante la adolescencia de sus hijos: una crisis, un año infernal o, en el mejor de los casos, una preocupación constante sobre riesgos y peligros reales. La mayoría de los adolescentes supera estos momentos difíciles adquiriendo una mayor madurez y una mayor sabiduría. Pero algunos no. Los padres deben decidir si es preciso acudir a profesionales en la materia, puesto que cada situación es compleja y singular. No obstante, podemos asegurarle que es preferible hacerlo cuanto antes. Si le preocupa la salud y el bienestar de su hijo adolescente, no dude en solicitar ayuda profesional, acudir a un psicoterapeuta o a un consejero en temas familiares. Este libro no pretende sustituir esa clase de ayuda.

Cómo convivir con hijos adolescentes se centra en las relaciones entre padres y adolescentes, no en los problemas. Debemos desarrollar una relación cálida, cariñosa y franca con nuestros hijos si queremos que sean sinceros con nosotros día a día. La mejor manera de influir en nuestros adolescentes durante estos años críticos es a través de nuestra relación con ellos. Cuanto mejor conectemos con ellos, más dispuestos se mostrarán a escucharnos y a tomar en cuenta nuestro punto de vista y nuestros consejos. Y debemos procurar hacerlo antes de que alcancen la pubertad y experimenten los cambios hormonales que conlleva. Debemos iniciar el viaje de la adolescencia con nuestros hijos convencidos de que son lo más importante para nosotros, que son lo prioritario en nuestra vida. Esos años representan nuestra última oportunidad de ayudarles a prepararse para su futuro como jóvenes adultos.

La adolescencia es una época de transformaciones tanto para los padres como para los jóvenes, así como para la relación entre unos y otros. Debemos conceder a nuestros adolescentes libertad y, al mismo tiempo, permanecer conectados con ellos, equilibrando con criterio estas energías contrapuestas según sus necesidades. Inevitablemente, en algunos momentos nos aferraremos a ellos con demasiada insistencia y en otros les concederemos una excesiva y prematura libertad.

Nuestros adolescentes necesitan ser más independientes y reforzar su sentido de identidad. Pero al mismo tiempo necesitan aprender de la interdependencia y de la realidad de que todos necesitamos depender unos de otros en las familias, las escuelas, las comunidades y la aldea global emergente.

La relación con nuestros adolescentes evoluciona hacia una relación con hijos adultos. Cuanto más respetemos el derecho de nuestros adolescentes a tomar sus propias decisiones en el proceso de convertirse en seres independientes, más nos respetarán nuestros adolescentes en la futura relación con ellos de adultos.

Sabemos que el complicado periplo de la adolescencia cuestiona la esencia de quiénes somos como personas, no sólo como padres. La forma en que reaccionamos a los inevitables altibajos en nuestra vida familiar cotidiana demuestra a nuestros adolescentes quiénes somos. Nosotros somos el mejor ejemplo que podemos ofrecer a nuestros adolescentes mientras desarrollan su identidad.

Confiamos en que este libro le inspire y le guíe en su relación con su hijo a través del viaje de la adolescencia.

Si los adolescentes viven con tensiones, aprenden a sentirse estresados

Quizás el estrés sea una parte inevitable de la vida. Vivimos en un mundo repleto de obligaciones profesionales, sociales y personales que nos obligan continuamente a correr de una tarea a otra.

La vida de nuestros adolescentes, con los deberes de la escuela, los deportes, las actividades extraescolares, las tareas domésticas y algún que otro trabajo puede ser igual de ajetreada. Nuestros adolescentes se sienten presionados por todas partes, porque se los obliga a alcanzar metas, a encajar entre los demás, a portarse bien, a correr riesgos, a competir y, por último, a comprenderse a sí mismos y aprender a comprender a los demás.

Nuestros adolescentes aprenden a afrontar las tensiones en sus vidas observando cómo nos enfrentamos nosotros a las nuestras. E incluso durante la adolescencia, cuando quizá parezca que ya no «contamos» tanto como antes, seguimos siendo los primeros maestros, y los más importantes, de nuestros hijos. Nuestra capacidad de compaginar con eficacia las distintas exigencias de nuestra propia vida es el modelo que ofrecemos a nuestros adolescentes.

Rebeca, de trece años, está preocupada por un proyecto de arte que debe presentar en su escuela. Hace tiempo que intenta que su madre le preste atención para hablarle de sus inquietudes, pero ella, que tiene que entregar un trabajo en una determinada fecha, realizar las tareas propias de una casa, la compra, tratar de sacar tiempo para acudir al gimnasio, por no hablar de atender al gato que está enfermo, no ha podido dedicarle ni un momento. Lo único que Rebeca ha conseguido es que su madre le aconseje irritada que no se deje estresar por las circunstancias antes de pasar a otra cosa.

Al igual que la mayoría de adolescentes, Rebeca cae en la cuenta de la contradicción entre el consejo de su madre y su conducta. Un día, salen juntas a hacer unos recados en coche y su madre la interroga, o mejor dicho, la atosiga, sobre una interminable lista de cosas que debe hacer: «¿Cuándo tienes que entregar ese ensayo sobre historia? ¿Has enviado una nota de agradecimiento a tía Martha? ¿Has vuelto a llamar a la señora Walsh para preguntarle si necesita una canguro este fin de semana?» Y, por supuesto, repite con frecuencia la muletilla: «Haz el favor de ordenar tu cuarto esta noche».

Rebeca, agobiada, mira distraídamente a través de la ventanilla del coche. A esas alturas ha desarrollado la habilidad de desconectarse de su madre, aunque las dos estén sentadas en el reducido espacio del coche. Su cuerpo está presente, pero su mente vaga libre, tarareando la letra de una canción *rap*, pensando en la ropa que se pondrá mañana para ir a la escuela o imaginando lo que le dirá a ese chico tan cachas cuando se lo encuentre en el pasillo. Por desgracia, su madre la ha perdido.

Como padres no solemos pensar que nuestras estresadas vidas sirven de ejemplo a nuestros hijos. Ni nos damos cuenta de hasta qué punto contribuimos a estresar a nuestros adolescentes. Más bien preferimos pensar en que hacemos todo cuanto podemos para procurarles lo que necesitan. Desde nuestro punto de vista, recordar a nuestros hijos sus responsabilidades sirve para ayudarlos a asumir el control de sus vidas. Pero debemos tener en cuenta que la forma en que vivimos puede hacer que se sientan arropados y comprendidos o, por el contrario, abrumados a la hora de enfrentarse a esos problemas.

Lo mejor sería que la madre de Rebeca se confesara a sí misma que es ella quien está estresada y luego reconociera las necesidades de su hija. Podría decirle: «Ahora mismo no puedo hablar contigo, cariño. ¿Qué te parece si charlamos un rato después de cenar?» Luego, la madre de Rebeca debe dedicar un buen rato aquella noche a hablar tranquilamente con su hija y a escuchar sus problemas. Asimismo, si la madre de Rebeca quiere que ésta haga una serie de cosas, es más eficaz que haga una lista para que su hija sepa lo que tiene que hacer y vaya tachando las cosas a medida que las haga.

Es importante que recordemos, sobre todo cuando sentimos que nuestros hijos adolescentes no nos hacen caso, que somos la influencia más importante en sus vidas. Es muy fácil perder esta perspectiva cuando parece que nuestros hijos nos ignoran o se rebelan contra nosotros. Pero lo cierto es que dejamos una impronta en nuestros adolescentes que emergerá cuando alcancen la madurez, se independicen y tengan que tomar decisiones con respecto a sus vidas. Entre tanto, debemos tener presente que les influye mucho más ver cómo vivimos nuestra vida que decirles cómo deben vivir la suya.

Los adolescentes también llevan una vida ajetreada

Nuestros adolescentes pueden sentirse tan agobiados como nosotros. Hacemos que nuestros hijos emprendan una serie de actividades cuando son unos niños pequeños y les obligamos a mantenerse constantemente ocupados durante la escuela primaria. Cuando llegan a la adolescencia, piensan que ésta es la única forma de vivir.

Nos lanzamos a esta desenfrenada actividad porque deseamos que nuestros hijos tengan la oportunidad de experimentar todas las opciones y sean capaces de enfrentarse a la competitividad. Como dijo un padre: «Si mi hijo no empieza a practicar el fútbol el primer año en que tiene oportunidad de hacerlo, cuando alcance un curso superior los otros chicos le sacarán ventaja». A veces pensamos que si nuestros adolescentes no entran en ese tráfago, se quedarán rezagados. Aunque el hecho de emprender una serie de actividades a edad temprana puede dar a los chicos la oportunidad de destacar en ciertas materias, algo que de otra forma no conseguirían, es importante mantener un equilibrio saludable entre las actividades y el ocio.

Natasha tiene catorce años y su jornada está repleta de actividades interesantes: «Asisto a clase de baile dos veces a la semana y a gimnasia los miércoles. Los viernes tengo clase de piano y luego ensayo con el coro. Formo parte del equipo de natación de la escuela y nadamos unas doce horas a la semana en la piscina. Creo que eso es todo, pero quizá me haya olvidado algo».

Su madre asiente con un gesto de la cabeza. «Has olvidado que llevas un año haciendo de canguro para los gemelos de dos años de la vecina».

Natasha es una chica muy organizada y competente, pero con su agenda electrónica y su móvil parece una mujer en miniatura. Tiene un aire de eficiencia que parece excesivo en una adolescente. ¿Adónde la llevará todo esto? ¿Se quemará de joven a consecuencia de este desenfrenado ritmo de vida, o seguirá añadiendo cada año de forma compulsiva más y más actividades? ¿Ha tenido tiempo de pensar en lo que hace y lo que desea hacer con su vida?

Unos padres que vivían en una zona residencial a las afueras de Connecticut se reunieron y decidieron que el exceso de actividades de sus hijos se estaba convirtiendo en un problema que afectaba a toda la comunidad. Emprendieron una campaña, a la que llamaron «Quedarse en casa», en la que animaban a todo el mundo a reservar una noche al mes para pasarla con la familia. Trabajaron conjuntamente con las escuelas, y pidieron a los maestros que no pusieran deberes a sus hijos esa noche. Alentaron a los padres y a los adolescentes a apagar los televisores y ordenadores personales para pasar una apacible velada juntos.

A través de este experimento, las familias redescubrieron el viejo placer de sentarse en torno a la mesa de la cocina para jugar una partida de cartas u otros juegos y a conversar mientras lo hacían. Fue un saludable recordatorio de que permanecer juntos como una familia y compartir un rato de diversión en casa también era una actividad importante, a la que merecía la pena dedicar tiempo. Si nos dejarnos «arrastrar por la corriente», nos arriesgamos a quedar atrapados en el desenfrenado ritmo de vida que parece haberse convertido en norma en nuestra sociedad. Debemos tomar la decisión de planificar nuestras vidas para abrir un paréntesis entre las actividades y el tiempo para relajarnos en familia. Si no nos apeamos nunca de la noria, corremos el riesgo de olvidar cómo se siente uno cuando no está estresado.

Planificar la universidad

De algún modo, la presión que nos lleva a hacer que nuestros hijos realicen demasiadas actividades proviene de nuestro deseo de ayudarles a tener un currículo que les permita estudiar en las mejores universidades. El concepto de currículo para los adolescentes es relativamente nuevo y se debe a la creciente competitividad del proceso de selección para entrar en una universidad.

En Estados Unidos, los padres a veces empiezan a planificar la solicitud de ingreso en una universidad para sus hijos incluso antes de que éstos asistan a la escuela primaria:

¿En qué actividades debe participar nuestro hijo para demostrar lo «hábil» que es? ¿Qué puede hacer nuestra hija de extraordinario para que tomen en cuenta su solicitud de ingreso? Este tipo de planificación no tarda en convertirse en una dinámica anual en la que el verano deja de ser la época de vacaciones y sirve para participar en diversos deportes, programas y otras actividades que engrosen el currículo para la solicitud de ingreso en la universidad.

Es difícil transmitir la intensa presión que esto ejerce sobre nuestros adolescentes. Sus años de adolescencia pueden llegar a estar dominados por el espectro de la competencia por ser admitido en la universidad, un proceso tan misterioso como injusto. No siempre está claro por qué las universidades más prestigiosas aceptan a ciertos adolescentes y rechazan a otros. Por consiguiente, para algunos chicos esos años de esfuerzo y estrés, planificación y sueños, desembocan en una tremenda decepción. Y nos encontramos entonces con chicos de diecisiete años, inteligentes, a punto de alcanzar la madurez, que sienten que les han fallado a sus padres, a sus maestros, a sus entrenadores deportivos y a sí mismos. ¿Qué tiene de malo esta escena?

Gael, una alumna de último curso de instituto, comprueba ansiosa el correo, esperando recibir un sobre grueso que anuncie que ha sido aceptada en la universidad que ha elegido. Pero eso no ocurre: ha sido rechazada por la universidad que había elegido desde el principio. Gael está muy disgustada, al igual que sus padres.

—¡Me parece increíble! —dice cuando por fin puede comentar su decepción después de pasar todo el día entre angustiadas lágrimas y el silencio.

—A mí también —responde su madre, apoyándose en la pared del cuarto de estar con los brazos cruzados. La mujer suspira, derrotada.

—Lo siento —murmura Gael mirando a su madre con expresión desconcertada.

¿Cómo acabará esta conversación? La madre, empeñada como está en que su hija ingrese en una determinada universidad, se siente tan trastornada como Gael. No es capaz de ofrecer a su hija una perspectiva más madura o de ayudarla a hallar el medio de encajar este disgusto y elegir otro sueño para el futuro. Gael no sólo tiene que superar su propia decepción, sino el hecho de saber que también ha decepcionado a su madre. Un problema adicional e innecesario que viene a perturbarla en unos momentos ya difíciles.

En ocasiones, tanto los padres como los chicos están tan obsesionados en que éstos sean admitidos en una determinada universidad que pierden de vista el propósito general y el hecho de que muchos caminos conducen al mismo resultado deseado: una buena educación y una preparación para el futuro.

Los padres tienen que dejar que sus adolescentes vivan sus propias vidas. Bastante tienen ellos con soportar la tensión inherente al proceso de selectividad. Nuestros hijos no necesitan que intensifiquemos esta tensión empeñándonos nosotros también en ello. Podemos animarles y aconsejarles, proporcionarles recursos, llevarlos a visitar distintas universidades, escucharles cuando nos hablan sobre sus ambiciones y ansiedades, leer sus ensayos y confiar en que todo vaya bien. Pero no debemos pretender que sean admitidos en una determinada universidad con el fin de realizar nuestros propios sueños.

Debemos estar ahí para arropar a nuestros adolescentes cuando se sientan decepcionados con este tema. Si la madre de Gael se hubiera implicado menos emocionalmente en el resultado, quizás habría respondido a su hija de forma distinta. ¿Cómo se desarrollaría entonces esa escena? Escenifiquémosla de nuevo:

—¡Me parece increíble! —dice Gael cuando por fin puede comentar su decepción después de pasar todo el día entre angustiadas lágrimas y silencio.

—Lo siento mucho, cariño —responde su madre, sentándose junto a ella y rodeándola con el brazo—. Sé lo mucho que lo deseabas.

Gael ahora dispone de la oportunidad que necesita para hablar de cómo se siente y expresar su decepción. Su madre la escucha con cariño y la abraza para demostrarle su apoyo. Su madre comprende que Gael tiene que superar su decepción antes de ponerse a analizar las opciones que le quedan. No presiona a su hija en esos momentos preguntándole cuál es la universidad que elegiría como segunda opción, sino que le concede el tiempo que necesita —en varias conversaciones, a lo largo de un determinado plazo de tiempo— para encajar su decepción.

Queremos que los años de instituto de nuestros adolescentes les brinden numerosas oportunidades de explorar sus aficiones y sueños, de descubrir qué les apasiona y qué procura una sensación de propósito a sus vidas. No queremos que se sientan tan presionados por el tema de la selectividad que empiecen a definirse a sí mismos no según sus sueños y pasiones, sino por la universidad en la que ingresen. Para guiarles en esa dirección, debemos asegurarnos de no perder nuestra propia perspectiva.

Nuestra prioridad son nuestros adolescentes

El mejor antídoto para hacer frente a los retos de la vida cotidiana es mantener una agenda equilibrada, basada en nuestras prioridades. Todos sabemos lo difícil que es. La forma más realista de conseguirlo es recordarnos constantemente que debemos mantener a nuestros adolescentes en el primer lugar de la lista, en la medida en que eso sea posible. Con frecuencia esto significa que debemos estar dispuestos a interrumpir lo que estamos haciendo para responder a sus preguntas. Por ejemplo, si nuestra actitud esquema normal consiste en desempeñar varias tareas a un tiempo —hablar por el móvil mientras conducimos, o preparar la cena mientras vemos las noticias por la televisión— damos a nuestros adolescentes escasas oportunidades de conversar con nosotros. Y cuando se les pregunta, los adolescentes dicen una y otra vez que lo que más desean de sus padres es que éstos pasen más tiempo con ellos, charlando relajadamente, y les presten atención.

Es necesario tener muy claras nuestras prioridades para poder responder a nuestros adolescentes cuando nos piden que les prestemos atención. Con frecuencia nos piden que les prestemos atención en el momento menos apropiado, sobre temas que a nosotros nos parecen relativamente insignificantes. Pero si no les respondemos cuando reclaman nuestra atención para hablar sobre «cosas insignificantes», no podemos censurarles por no conectar con nosotros cuando se plantean temas más complicados.

Mamá está trabajando en el ordenador cuando su hija Sumona, de dieciséis años, llega a casa inusitadamente temprano del centro comercial, adonde ha ido a comprar con unas amigas. Está eufórica porque un vestido que desea comprar desde hace meses está rebajado a un precio asequible para ella. Prescindiendo de que su madre está ocupada, Sumona se lanza a una detallada descripción de su «gran hallazgo».

—Es perfecto para el baile de graduación —dice casi cantando de alegría—, ¡y me queda fantástico!

Su madre deja lo que está haciendo y se sienta a la mesa de la cocina junto a Sumona, que está devorando su almuerzo a toda prisa antes de correr a reunirse de nuevo con sus amigas. Este rato compartido por madre e hija sólo dura diez minutos, pero en ese breve espacio de tiempo la madre de Sumona averigua muchas cosas de ella. Averigua que es una compradora prudente y una excelente planificadora (todavía faltan cinco meses para el baile de graduación), y lo que es más importante, averigua que Sumona aún necesita y desea su aprobación antes de hacer una compra importante.

Su madre es capaz de mantener claras sus prioridades y comprende que esos breves momentos que pasan juntas constituyen una oportunidad ideal para compartir un rato importante para las dos. A través de su respuesta, transmite a Sumona un mensaje tácito esencial: «Nunca estoy demasiado ocupada para prestarte la atención que deseas cuando la necesitas». La madre de Sumona comprende que es normal que los adolescentes se muestren eufóricos sobre los temas que les interesan, y a veces poco sensibles con respecto a las necesidades de los demás. Por tanto, en lugar de responder a la interrupción de su hija airadamente, o amonestarla sobre le necesidad de respetar su trabajo, comparte el entusiasmo de Sumona y decide acompañarla al centro comercial para ayudarla a tomar la decisión definitiva.

Gracias a este episodio, Sumona ha aprendido que puede obtener la atención de su madre siempre que desee hablar de algo importante, y que ella responderá a sus necesidades. Cuando Sumona llegue a casa después de una fiesta disgustada porque sus compañeros han insistido en que bebiera unas copas, o cuando tenga que resolver una situación peliaguda en la escuela, no dudará en comentarlo con su madre. Sabe que cuenta siempre con su apoyo.

Libertad para salir con los amigos

Aunque llevemos una vida superajetreada y estresada, debemos tener presente que nuestros adolescentes necesitan tiempo para relajarse. Debemos procurar no cargarles de trabajo ni imponerles siempre una agenda destinada a alcanzar metas. Al fin y al cabo, el principal deber de los adolescentes es descubrir quiénes son. Durante esa época exploran los conceptos de la amistad y el amor, sus talentos y sueños, la poesía y el fútbol. Ninguna otra meta es tan importante ni tendrá un mayor impacto sobre el resto de sus vidas. Debemos procurar que nuestros adolescentes dispongan del suficiente tiempo libre para salir con sus amigos y «no hacer nada» mientras descubren quiénes son y en qué quieren convertirse.

Grant, un chico de trece años, jugaba en dos equipos de fútbol americano, trabajaba como voluntario en el comedor para indigentes local y seguía sus estudios de violonchelo. Establecer la agenda de actividades de la familia era muy difícil, pues Grant tenía dos hermanos menores que practicaban varios deportes y otras actividades. Pero su madre, que había sido vicepresidenta de una empresa antes de tener hijos y era una mujer extraordinariamente organizada, lo consiguió. No obstante, había varios problemas: a veces papá se quejaba de tener que asistir a tantos partidos, o de no poder ir al partido que disputaba uno de sus hijos debido a problemas de horarios. Tanto él como su esposa deseaban apoyar a todos sus hijos en sus diversas actividades, pero era imposible.

Una noche, después de cenar, el padre planteó el tema de dónde pasarían ese año las vacaciones.

—¿No podríamos quedarnos en casa y no ir a ningún sitio? —saltó Grant.

Sus padres se quedaron asombrados. Habían previsto la acostumbrada discusión sobre montaña contra playa, pero no esta respuesta.

—Me gustaría tener la oportunidad de no hacer nada —continuó Grant—. Quizás ir al cine o algo así, pero dedicarme sobre todo a no hacer nada.

En aquel momento los padres de Grant comprendieron que sus hijos llevaban unas vidas demasiado ocupadas. Se habían esforzado en mantener este ajetreado ritmo de vida y resultaba que lo que Grant necesitaba era tiempo para recargar las pilas. Daba la sensación de que la familia se había montado en una noria que giraba a toda velocidad y no sabían cómo apearse. El sincero ruego de Grant les asombró e hizo comprender que no tenían por qué llevar un ritmo de vida tan agitado.

La madre y el padre comprendieron que debían tomar decisiones importantes sobre su estilo de vida cotidiano, no tan sólo sobre las vacaciones. Juntos empezaron a fijar con claridad unas prioridades y unos límites. Animaron a Grant a elegir el equipo de fútbol americano que fuera más importante para él y a dejar el otro. Grant decidió también realizar su trabajo de voluntariado durante fines de semana alternos, concediéndose tiempo de descanso en su apretada agenda. Aunque era el primero en reconocer que necesitaba disponer de más tiempo libre, le costaba tomar la decisión de renunciar a uno de los equipos de fútbol; no obstante, una vez que lo hizo, se sintió muy aliviado.

Como padres, debemos respetar el tiempo que necesitan nuestros adolescentes para descubrir su propia identidad. Lo que a nosotros nos parece una pérdida de tiempo, el no hacer nada, para ellos puede ser un tiempo muy importante para reflexionar, relajarse y averiguar el rumbo que desean tomar. Esto es fundamental en su desarrollo, y prepara a los adolescentes para las inevitables tensiones a las que se enfrentarán de jóvenes adultos. En cuestión de pocos años tendrán que tomar decisiones sobre la universidad, su carrera y sus relaciones amorosas que configurarán el resto de sus vidas. Cuanto más aprendan ahora acerca de sí mismos, más preparados estarán para tomar esas decisiones.

Cuando los chicos trabajan

Algunos adolescentes trabajan para redondear su paga, pero muchos tienen que hacerlo para ganarse el sustento o contribuir a los ingresos familiares, aunque eso afecte a su rendimiento en la escuela y limite su capacidad de participar en actividades extraescolares. Esos chicos no pueden permitirse el lujo de salir con los amigos y no hacer nada; han entrado en el mundo de la responsabilidad de los adultos y las presiones económicas a una edad precoz.

Otros adolescentes colaboran con la familia asumiendo en casa algunas tareas propias de los padres mientras ellos trabajan. A sus quince años, Leah es la mayor de cuatro hermanos. Su madre trabaja, cría sola a sus hijos y se esfuerza en procurarles un hogar digno y evitar que se metan en problemas. Cada día Leah va directamente a casa desde la escuela para asegurarse de que sus hermanos y su hermana más pequeños llegan bien y les ayuda a hacer los deberes. Cuando su madre vuelve, a las seis y media de la tarde, Leah ha ordenado la casa y preparado la cena. Por lo general se pone a hacer sus deberes a las ocho de la noche, pero a esa hora está muy cansada y le cuesta concentrarse.

Su madre comprende el sacrificio que su hija mayor debe hacer y procura ayudarla en la medida de lo posible, pero el horario de la semana no puede modificarse. Lo cierto es que hay algunas situaciones que obligan a los adolescentes a madurar deprisa y a perderse una parte de su infancia para asumir las tensiones y las responsabilidades del mundo de los adultos. Si es ésta nuestra situación, debemos tener presente que pese a las responsabilidades propias de adultos que asumen esos adolescentes, no dejan de ser nuestros hijos. Siempre que sea posible, debemos mostrarles con pequeños detalles que apreciamos lo que hacen y cuidar de ellos con cariño.

La víspera del decimosexto cumpleaños de Leah, su madre compra un pastel para celebrarlo. Los hermanos pequeños están informados de la sorpresa y han preparado unos regalitos para ella. Leah está encantada de que la mimen y de que su familia le ofrezca algo especial. Por maduros que parezcan algunos adolescentes, siguen queriendo que les mimemos y agasajemos el día de su cumpleaños.

A su madre le preocupa que Leah quede «atrapada» en el papel de cuidadora de sus hermanos. Por eso, cuando Leah cumple dieciséis años, y su hermano Sam está a punto de cumplir los trece, su madre piensa que ya es lo suficientemente mayor para empezar a compartir el cuidado de los dos niños pequeños, que asisten a la escuela primaria, con el fin de aliviar a Leah de algunas de sus tareas. Sam se hace cargo de sus hermanos pequeños dos días a la semana para que Leah pueda practicar después de clase su gran afición, tomar fotografías para el anuario de la escuela. La situación les beneficia a todos: Leah dispone de cierto tiempo libre y Sam se siente orgulloso de asumir nuevas responsabilidades, algo que considera una confirmación de su creciente madurez.

Enfrentarse a las presiones de los compañeros

Por la importancia que tiene para nuestros adolescentes la relación con sus compañeros, son vulnerables a multitud de problemas relacionados con la presión que ellos ejercen. Aunque los adolescentes suelen mostrarse poco propensos a comentar con sus padres los diversos dilemas a los que se enfrentan, en este tema necesitan nuestra ayuda, pues la perspectiva de un adulto les sirve de orientación.

Clyde, un estudiante de segundo año del instituto, saca notas muy altas en todos sus cursos de prácticas avanzadas y, además, tiene tiempo para ayudar al entrenador del equipo de baloncesto. Se da la circunstancia de que Clyde es también uno de los primeros chicos de su clase que cumple los dieciséis años, que se saca el permiso de conducir y que dispone de su propio coche. Pronto descubre que tiene más «amigos» de lo que jamás había imaginado. Unos chicos que conocía sólo de vista le llaman continuamente para invitarle a sus fiestas y, de paso, pedirle que les acompañe en su coche. Sus amigos íntimos también quieren que Clyde les acompañe en coche a las fiestas y a todas partes. Él no está preparado para esta repentina popularidad y las presiones que conlleva. Aunque sus amigos no le presionan para que haga nada malo, Clyde no sabe cómo afrontar su nueva posición social.

Clyde se resiente de la presión que ejercen sus padres para que siga estudiando con ahínco y de la que ejercen sus compañeros para que se muestre más sociable. Es un problema muy común entre adolescentes: los padres quieren que sean prudentes y trabajen duro, mientras que los amigos quieren que corran ciertos riesgos y asistan a todo tipo de fiestas y saraos.

Su padre comprende que Clyde se resienta de la presión de sus compañeros. Un día salen a dar una vuelta en coche, Clyde se sienta al volante y su padre se pone a recordar tiempos pasados: «Recuerdo lo entusiasmado que me sentí cuando conseguí el permiso de conducir». Tras lo cual hace una pausa. «Me abrió un mundo totalmente nuevo, pero al mismo tiempo me obligó a madurar rápidamente.»

El último comentario llama la atención de Clyde.

—¿A qué te refieres? —pregunta.

—Uno de mis amigos quería que le llevara a él y a su novia a un sitio —prosigue su padre—, pero a mí no me apetecía.

—¿Adónde quería que les llevaras? —pregunta Clyde con creciente curiosidad.

Después de dudar unos instantes, el padre de Clyde respira hondo.

—Pues a un motel —responde, tratando de expresarse con calma.

—Ya —murmura Clyde—. Te entiendo. Mis amigos siempre me piden que les haga favores, que les lleve en coche a sitios a los que no me apetece ir.

Llegados a este punto de la conversación, las opciones de su padre están claras. Puede empezar formulando preguntas incisivas, como un detective, para averiguar lo que hacen los amigos de Clyde, o puede darle consejos cortantes sobre cómo «decir no». Pero en lugar de eso, su padre le pregunta tranquilamente:

—Y ¿cómo resuelves el tema?

Esta pregunta le da a Clyde la oportunidad de comentar lo que le está pasando, sin tener la sensación de que su padre le está interrogando o presionando en algún sentido. Por su parte, el padre desea averiguar más cosas sobre su hijo, de modo que se limita a escuchar mientras Clyde conduce y habla con franqueza sobre algunas de las presiones a las que ha estado sometido.

Éstas son las charlas que nuestros adolescentes tienden a recordar. Son momentos que debemos reconocer como oportunidades para aproximarnos a nuestros jóvenes, dejar que nos conozcan de una forma distinta, como sus iguales, y ofrecerles la oportunidad de hablar sin interrumpirles. Cuando nuestros hijos comprenden que estamos dispuestos a escucharles, quizá nos sorprenda comprobar lo dispuestos que están ellos a explayarse. Debemos aprender a controlar nuestro impulso de ofrecerles lo que nosotros consideramos consejo y ellos suelen interpretar como más presión.

El estrés es contagioso

Cuando nuestros hijos adolescentes nos cuentan un problema, es importante que no reaccionemos con exageración a la forma excesivamente dramática con que nos lo plantean. Los adolescentes suelen ser muy emocionales, y hablar sobre los problemas normales de la adolescencia como si fueran el fin del mundo. Cuando lo hagan, debemos controlar nuestra ansiedad para no reaccionar de forma que empeoremos las cosas.

Cathy acaba de empezar el curso y está completamente estresada por la cantidad de deberes que le ponen en la escuela.

—Es el doble de lo que nos ponían el año pasado —le explica a su madre mientras preparan la cena—. No doy abasto.

Su madre la escucha en silencio mientras sigue trabajando, pero nota que se pone nerviosa mientras su hija le cuenta sus peores temores.

—No podré acabar todas las lecturas. Los otros chicos son mucho más inteligentes que yo. Hoy no he entendido una palabra de la clase de matemáticas y me da miedo preguntárselo al profesor.

Cathy se va alterando cada vez más hasta que su madre ya no puede contenerse y la interrumpe:

—¿Cómo que no eres tan inteligente como los otros chicos? ¡Es lo más estúpido que te he oído decir! Estás exagerando. Ya te adaptarás al instituto. Todos los chicos lo hacen.

Cathy se detiene, pero sólo unos segundos.

—No lo entiendes. ¡Nunca entiendes nada! —exclama. Sale corriendo de la cocina deshecha en lágrimas y se encierra en su habitación.

Su madre se queda sola en la cocina, con el rostro acalorado y el pulso latiéndole con fuerza. De inmediato comprende que ha metido la pata (por enésima vez), pero es demasiado tarde. Ha añadido más presión sobre Cathy al «contagiarse» de la ansiedad y el estrés que siente su hija.

Como padres, con frecuencia nos es muy difícil conservar la calma cuando vemos a nuestros adolescentes disgustados, sobre todo si su estrés se debe a algo que a nosotros nos resultó doloroso en nuestra adolescencia. Cuando la madre de Cathy era más joven se sentía insegura con respecto a sus estudios y las matemáticas eran para ella un suplicio. El estrés es particularmente contagioso cuando lo produce algo que a nosotros también nos preocupaba.

A la madre de Cathy le hubiera gustado percibir que se estaba poniendo nerviosa mientras escuchaba a su hija. Entonces habría podido calmarse, respirar hondo unas cuantas veces y tener presente que eso era algo momentáneo. Era preciso que se tranquilizara antes de tranquilizar a Cathy y ayudarla a resolver el problema.

Debemos comprender y aceptar que nuestros adolescentes atraviesan una época en que sus emociones están a flor de piel. Del mismo modo que los niños pequeños se caen continuamente y nosotros les animamos a levantarse de nuevo, nuestros adolescentes se hunden con frecuencia en un pozo de desesperación y debemos animarles a superar ese estado de ánimo y seguir adelante. Debemos ayudarles a pasar de sentirse atrapados en sus dramas emocionales a que expliquen qué creen que pueden hacer para resolverlos. Si la madre de Cathy hubiera seguido escuchándola con paciencia, emitiendo de vez en cuando algún que otro sonido tranquilizador, su hija quizá habría acabado diciendo: «Nos ponen tantos deberes que no sé por dónde empezar».

—Ésa es una buena pregunta —habría respondido quizá su madre—. ¿Cómo podemos decidir por dónde empezar?

Centrándose en una nueva estrategia, Cathy posiblemente habría decidido atacar en primer lugar el trabajo de biología.

—Es lo que me resulta más fácil, pero no tengo que presentarlo hasta final de semana.

—¿Qué es que lo que tienes que entregar mañana? —podría haberle preguntado su madre, ayudando a Cathy a adoptar un enfoque más eficaz.

De este modo habrían comenzado a resolver el problema poniendo fin a la crisis emocional, al menos de momento. Juntas habrían podido explorar diversas opciones, desde renunciar a una clase a contratar a un tutor.

El estrés durante una crisis

Enfrentarse al estrés durante una crisis en toda regla es cualitativamente distinto a enfrentarse a las tensiones cotidianas. Es mucho más intenso, lo cual hace que muchas veces nos resulte más difícil funcionar en nuestra vida cotidiana. Normalmente, los adolescentes reciben menos apoyo de sus padres durante una crisis familiar, justamente cuando más lo necesitan, debido a que éstos reaccionan ante la situación de forma negativa. Debemos emplear una gran dosis de comprensión para comunicarnos con nuestros hijos durante una crisis, sin abrumarlos con nuestros temores y responsabilidades de adultos. Deben sentirse al mismo tiempo informados y protegidos durante esos momentos. Requiere mucha mano izquierda, pero no es imposible.

La madre de Sonya, una chica de catorce años, regresa a casa un día con la mala noticia de que tienen que practicarle varias pruebas para comprobar si padece un cáncer. Sabe que la noticia afectará profundamente a Sonya, puesto que las dos están muy unidas desde que su padre se marchó de casa hace muchos años. Aunque Sonya no exterioriza mucho su reacción ante esta noticia, interiormente siente que su mundo se desmorona. De inmediato imagina lo peor y se pregunta cómo podrá vivir sin su madre y todas las pequeñas cosas que ésta hace por ella.

Pero Sonya no se lo dice. Prefiere meterse en su habitación para escuchar música, hablar con sus amigos por teléfono y mirar su programa favorito en la televisión. Sin embargo, a la mañana siguiente le cuesta levantarse de la cama y casi llega tarde a la escuela. Su madre, que entiende que no es un comportamiento habitual en Sonya, se muestra comprensiva y cariñosa con ella, ofreciéndole incluso llevarla al colegio en coche. Comprende que se trata de la reacción de su hija a la noticia de su grave enfermedad.

Durante las siguientes semanas, su madre mantiene a Sonya informada de los resultados de todas las pruebas médicas, relatándole siempre la noticia con calma y de forma objetiva. Atiende a las preguntas de Sonya y las responde lo más sinceramente posible.

—Tengo miedo, mami —dice Sonya después de una de sus conversaciones con su madre. Hace años que no la llamaba «mami».

—Lo sé, cariño. Yo también —contesta la madre—. Pero tengo la sensación de que todo saldrá bien.

La madre recurre a su hermana mayor y a sus mejores amigas en busca de apoyo emocional, contándoles sus temores y pidiéndoles que le presten toda la ayuda que necesita para superar esta crisis. Sabe que no puede proteger a Sonya de la amenaza real de su terrible enfermedad, pero puede protegerla de su propia reacción al estrés y de los problemas propios de una persona adulta. Sabe que debe ser fuerte para Sonya, y hacer acopio de la fuerza que necesita de otras personas, no de su hija.

El estrés de un divorcio

Cuando los padres se separan o divorcian, todos los miembros de la familia sufren un tremendo estrés. Con frecuencia se produce un conflicto entre los padres antes, durante y después del divorcio, y los adolescentes, angustiados por la lealtad que sienten hacia su padre y su madre, tienen la impresión de que su mundo se desmorona. Como los padres también se sienten trastornados debido a su divorcio, son incapaces de ofrecer a sus hijos el apoyo que necesitan. En ocasiones los padres ni siquiera recuerdan lo que su hijo les ha dicho la víspera. Pierden la paciencia con facilidad o estallan por cualquier menudencia. Lamentablemente, justo cuando el adolescente más necesita a su padre o a su madre, éstos son incapaces de apoyarle.

Los padres de Frank, un chico de dieciséis años, se hallaban en pleno proceso de divorcio, vivían separados y se peleaban a través de sus abogados por cuestiones económicas. Frank se mostraba distante e indiferente, como si el divorcio de sus padres no le afectara en absoluto. Pero una noche el chico, que era un conductor prudente, tuvo un pequeño accidente de tráfico, y aunque sólo rozó el guardabarros, el incidente le angustió. Para colmo, sus padres no eran capaces de hablar con él sobre esta crisis, y cuando Frank se lo contó, su madre se echó a llorar y su padre le echó una bronca.

En ocasiones toda la familia está demasiado estresada para afrontar una nueva crisis, aunque sea tan insignificante como un pequeño accidente de tráfico. Entonces necesitamos la ayuda y el respaldo de otros familiares, de amigos íntimos o de algún otro grupo de apoyo. Como padres, debemos reconocer cuándo hemos superado nuestros límites y ser lo suficientemente inteligentes para pedir ayuda cuando la necesitamos.

En este caso, la madre llamó a Elaine, su cuñada. Aunque la madre había estado muy unida a la hermana de su marido, apenas habían hablado desde la separación. Elaine y su marido siempre habían mostrado un cariño especial por Frank y enseguida comprendieron que el accidente de tráfico probablemente indicaba el trastorno que le había causado el divorcio de sus padres.

Elaine aconsejó a su hermano y a su cuñada que trataran de calmarse, y ella y su marido se ofrecieron para llevarse a Frank a pasar el fin de semana con ellos. El chico se mostró encantado de alejarse de sus padres, y aunque el fin de semana no habló mucho con sus tíos, antes de regresar a casa les dio las gracias y reconoció que no se había percatado de lo disgustado que estaba. Su tío le abrazó y le dijo que la peor época de su adolescencia fue durante el divorcio de sus padres. Frank le miró sorprendido y luego preguntó si podía volver a verlos.

Tanto su madre como su padre tenían a un tiempo sentimientos de fracaso y remordimientos por la forma en que habían respondido a Frank y a su accidente de tráfico. No obstante, se mostraron agradecidos y aliviados de que Elaine y su marido hubieran podido ayudar a la familia durante esos momentos tan difíciles. Los adolescentes necesitan contar con varios adultos que estén íntimamente implicados en sus vidas. Cuando nosotros estamos demasiado estresados para desempeñar debidamente nuestro papel de padres, lo mejor que podemos hacer es pedir ayuda.

Aprender a relajarse

Las personas muestran su estrés de distintas formas, que van desde dormir mucho a no dormir lo suficiente, desde comer en exceso a saltarse las comidas, desde mostrarse obsesivamente ordenado a tenerlo todo desordenado. Cada adolescente reacciona al estrés a su estilo. Como padres, debemos prestar atención al comportamiento de nuestros hijos y estar dispuestos a preguntarles qué les ocurre cuando creemos que algo no va bien. Cuanto más sepamos sobre lo que ocurre en sus vidas, más fácilmente comprenderemos lo que les disgusta.

Por lo demás, puesto que nadie puede evitar sentirse estresado, nuestros hijos deben aprender a superarlo como parte de su preparación para la vida. Deben reconocer los signos de su estrés desde un principio y aprender a calmarse para resolver su estrés de forma constructiva en lugar de hacerlo con ansiedad.

De nuevo, la forma más importante de enseñar a nuestros adolescentes a enfrentarse al estrés es a través de nuestro ejemplo. Nuestros hijos saben cuándo nos sentimos estresados y son expertos a la hora de interpretar nuestros estados de ánimo. Si nos mostramos irritables y malhumorados cuando nos sentimos estresados, éste será el ejemplo que les ofrezcamos.

La madre tenía que concluir una tarea urgente en la oficina, lo cual le exigía trabajar muchas horas durante un par de semanas, tanto por las noches como los fines de semana. Advirtió a su familia de antemano que tendrían que espabilarse y ayudarla más de lo habitual con las tareas domésticas. El padre se ofreció para traer la cena algunas noches esas semanas, y los hijos propusieron lavar los platos y recogerlo todo después de cenar para que no lo tuviera que hacer su madre. Ella explicó a su marido y a sus hijos exactamente lo que necesitaba mientras estuviera estresada debido al exceso de trabajo, y ellos se mostraron dispuestos a ayudarla en lo que fuera preciso.

Cuando la madre concluyó su proyecto de trabajo, volvió a estar disponible para su familia. Una noche Joyce, la hija de catorce años, le pidió que fuera a su habitación a la hora de acostarse. Encantada de compartir un rato de tranquilidad con su hija, ella le comentó con tono divertido:

—Hace mucho tiempo que no te arropo en la cama.

—Ya lo sé, mamá —respondió Joyce mientras su madre se sentaba en el borde de la cama y la arropaba. Después de una pausa, Joyce añadió—: Estoy preocupada por cosas de la escuela. Dentro de poco se celebrarán las pruebas de tenis y tengo que entregar por las mismas fechas un trabajo escrito trimestral. No sé cómo voy a arreglármelas.

—Ya —contestó su madre alisando las mantas—. Es mucha presión.

—Me cuesta concentrarme en clase porque no dejo de pensar en el partido de tenis —prosiguió Joyce—. Y en la pista de tenis no consigo concentrarme porque me preocupa no tener tiempo para terminar el trabajo trimestral.

—Te comprendo —respondió su madre—. Yo también pasé por eso cuando tuve que realizar mi proyecto en el trabajo. Y cuanto más me preocupaba, más me costaba concentrarme.

—Ya, ése es el problema —exclamó Joyce, aliviada de que su madre la comprendiera.

—¿Quieres saber cuál es mi secreto? —le preguntó su madre. Joyce aguardó impaciente a que se lo contara—. ¿Recuerdas que solía sentarme en mi butaca de lectura cada tarde antes de encender el ordenador? Hacía ejercicios de respiración antes de ponerme a trabajar, para aliviar la tensión y concentrarme en lo que tenía que hacer esa noche. ¿Quieres que te enseñe a hacerlos?

Joyce asintió con la cabeza y se arrebujó debajo de las mantas.

—Es muy fácil —dijo su madre—, y puedes hacerlos en cualquier sitio, en cualquier postura, incluso de pie. Pero como estás en la cama, te enseñaré a hacerlos tendida. —A continuación la madre de Joyce le explicó unos sencillos pasos—. Inspira aire mientras cuentas hasta cuatro; luego haz una pausa mientras cuentas hasta dos y retienes el aire. Expira el aire mientras cuentas hasta cuatro y haz otra pausa mientras cuentas hasta dos cuando hayas expulsado todo el aire. —Luego su madre le explicó que, al expirar el aire, uno debe imaginar que se desprende de los problemas que le preocupen en aquel momento.

Durante unos momentos madre e hija reposaron tranquilamente en silencio, ambas respirando y contando para sí mientras inspiraban y expulsaban el aire. Luego Joyce abrió los ojos y vio que su madre aún los tenía cerrados. Observó una gran serenidad en su rostro. Cuando le tocó suavemente la mano, ella abrió los ojos y sonrió.

—Gracias —dijo Joyce—. Creo que eso me ayudará mucho.

—Buenas noches —respondió su madre inclinándose para besar a Joyce en la frente.

A través del ejemplo y de la enseñanza directa, la madre de Joyce la ha ayudado a superar eficazmente el problema del estrés. Al aprender a enfrentarse a su estrés desde los primeros síntomas, Joyce conseguirá canalizar su energía de forma más constructiva y recuperará la capacidad de concentrarse y de establecer sus prioridades.

Asimismo, su madre ha mostrado a Joyce que ella es capaz de delegar temporalmente algunas de sus responsabilidades familiares, pidiendo a otros que la ayuden para poder concluir un trabajo en la fecha prevista. Es una lección clara sobre cómo afrontar el hecho de que no podemos tenerlo todo, todo el tiempo. Joyce tiene suerte de tener una madre que sabe reconocer sus limitaciones y resolver los problemas que eso supone de forma constructiva. Dentro de unos años, Joyce podrá beneficiarse de este ejemplo de cómo compaginar las exigencias del trabajo y la familia.

Los adolescentes jóvenes suelen mostrarse más receptivos a los consejos paternos que los mayores. Los adolescentes mayores pueden mostrarse entusiasmados por aprender técnicas de respiración beneficiosas, pero no si se las enseñan sus padres. Éste es otro motivo por el que es muy importante que haya numerosos adultos implicados en la vida de un adolescente dispuestos a brindarle su apoyo. Con frecuencia, los adolescentes se muestran más que dispuestos a aceptar el consejo de un maestro o un entrenador que les cae bien, y corren a casa a contarles a sus padres lo que han aprendido de ellos. En este caso, unos padres inteligentes escucharán a sus hijos, se mostrarán impresionados y no se les ocurrirá decir «eso yo ya lo sabía».

Los adolescentes aún necesitan nuestra aprobación

A medida que nuestros hijos atraviesan la fase de la adolescencia, su capacidad de enfrentarse al estrés aumenta. A poco que les animemos, idearán soluciones de lo más creativas que a nosotros jamás se nos hubieran ocurrido. Es importante que recordemos que se están preparando para un futuro que es suyo, no nuestro. Nuestra misión como padres consiste en reconocer su creciente capacidad para enfrentarse a las tensiones que se producen en sus vidas y respetar la forma en que lo hagan.

Podemos buscar oportunidades para felicitarlos por el modo en que se comportan y se relacionan con los demás en situaciones de estrés. Y nunca debemos olvidar que necesitan nuestra aprobación tanto como cuando eran unos niños, aunque no siempre lo demuestren.

Phil, estudiante de último curso de instituto, ha sido el director escénico de las obras que se representan en la escuela desde que era estudiante de segundo año. Poco a poco ha ido asumiendo más responsabilidad hasta realizar su trabajo casi a nivel profesional. Este año el musical que montarán en el instituto es una obra espectacular que cuenta con un importante presupuesto, mayor número de actores, unos decorados más complejos y más cambios de vestuario que otros años. Phil se encarga de supervisarlo todo, y lo hace perfectamente. Antes de que el director del departamento pierda la paciencia, Phil se apresura a calmar los ánimos. Realiza varias llamadas telefónicas para recordar a los actores el programa de ensayos y asegurarse de que todo salga a pedir de boca. Crea con su ordenador un documento en el que incluye un breve párrafo sobre cada uno de los actores que participan en la obra. Está en todas partes simultáneamente y además consigue sacar buenas notas y conservar su puesto en la lista de alumnos más destacados.

Sus padres nunca se han mostrado complacidos de la afición de su hijo por el teatro. Siempre han soñado que sería médico, aunque saben que Phil ha seguido derroteros muy distintos. No obstante, admiran el nivel de competencia de su hijo no sólo a la hora de superar su estrés, sino también de ayudar a otros a superar el suyo.

Al término de la función, la madre y el padre de Phil le escriben cada uno una nota en la que expresan lo orgullosos que se sienten de su habilidad como director escénico y valoran el modo en que ha afrontado su estrés y el de toda la compañía teatral.

La lectura de estas notas ayuda a Phil a comprender que sus padres tratan de apreciarlo por lo que es y lo que hace, aunque eso no concuerde con las esperanzas que tenían depositadas en él y sus sueños de que estudie la carrera de medicina.

Como padres, no debemos pretender que nuestros hijos cumplan nuestros sueños. Es preferible que nos centremos en aquello que les gusta y ha de servirles en el futuro más que en lo que queremos que hagan para complacernos. No debemos pedirles que cumplan nuestros sueños, sino los suyos.

De una forma u otra, nuestros adolescentes nos llevan consigo al abandonar el hogar para abrirse camino solos en el mundo. Llevan nuestras palabras y nuestra conducta grabadas en sus corazones y sus mentes, para bien o para mal, constantemente. Recuerdan con todo detalle la forma en que nosotros afrontamos las situaciones estresantes. Por otra parte, los consejos que les hayamos ofrecido sobre el modo de afrontar el estrés y el grado de confianza que tengamos en su capacidad de superarlo incidirá en la forma en que respondan a los problemas que se planteen en sus vidas. Y por más que de adolescentes se resistan a aceptar nuestro apoyo y consejo, seguirán aprendiendo de nosotros a lo largo de la adolescencia y de los años posteriores.

Si los adolescentes viven
con el fracaso, aprenden
a rendirse

La adolescencia es una época para explorar y experimentar. Nuestros hijos prueban distintos papeles y diversas actividades. Durante ese proceso, experimentan inevitablemente el éxito y el fracaso. Cuando se trata del fracaso, no queremos que renuncien a seguir explorando su propia identidad. Deseamos que superen la experiencia con su confianza en el futuro intacta y un realismo optimista sobre lo que pueden llegar a ser y lo que pueden hacer con sus vidas.

Si los adolescentes fracasan continuamente en demasiadas empresas, es posible que se desmoralicen y pierdan confianza en sí mismos. Quizá piensen que no están dotados para triunfar. Los adolescentes que piensan de ese modo se exponen a crecer convencidos de que son unos inútiles, de que les falta una cualidad esencial y que hagan lo que hagan están condenados al fracaso.

Cuando los adolescentes piensan que están predestinados a fracasar, pierden confianza en sí mismos y dejan de esforzarse. Renuncian a seguir poniendo a prueba sus facultades; les resulta demasiado doloroso seguir intentando triunfar para fracasar. Aunque los adolescentes no lo expresarían en estos términos, llegan a la conclusión de que la única forma de protegerse del fracaso es dejar de buscar el éxito.

Nuestra misión como padres consiste en identificar esa profecía negativa, que a la larga tiende a cumplirse, tan pronto como observemos los primeros indicios y ayudar a nuestros hijos a buscar un enfoque alternativo a la vida. Debemos ayudarles a afrontar esos sentimientos de fracaso y alentarles a persistir o a emprender una dirección nueva y más provechosa.

A tal fin, debemos estar al corriente de los altibajos cotidianos que se producen en sus vidas. Es la única forma de averiguar que las decepciones y las pérdidas normales de la adolescencia se están acumulando y nuestros hijos empiezan a sentir una abrumadora sensación de fracaso. Cada joven tiene un determinado nivel de tolerancia al fracaso, por lo que es importante saber cuándo nuestro hijo necesita ayuda o aliento y estar allí para ofrecérselo.

Permanecer conectados con nuestros hijos

Xavier y Carlos, estudiantes de secundaria, eran dos de los miembros más experimentados del equipo de debate de su escuela. Estaban a punto de dejar la escuela para pasar al instituto y confiaban en ganar el campeonato estatal, pero las cosas no iban bien. Aunque los resultados eran muy ajustados en cada torneo, perdían un debate tras otro y todo el equipo se sentía desalentado.

Xavier, convencido de que era imposible que el equipo ganara, empezó a replegarse en sí mismo y a plantearse si el año siguiente participaría en el equipo de debate del instituto. Carlos reaccionó de manera totalmente distinta: se sintió estimulado por aquel desafío y decidió superarlo. Dio con unos vídeos de debates universitarios en la biblioteca y se los llevó a casa para estudiarlos.

Estos dos chicos reaccionaron de un modo muy distinto ante la misma situación. Xavier necesitaba mucho apoyo y el aliento de los adultos para superar los fracasos sucesivos que experimentaba su equipo. Muchos adolescentes necesitan el apoyo y el consejo de adultos en sus vidas cuando se sienten fracasados, aunque rechacen las tentativas de ayuda iniciales de sus padres y de los demás.

El padre de Xavier era abogado, y seguía atentamente el resultado de los debates. Vio que su hijo empezaba a sentirse desanimado y comprendió que estaba a punto de capitular. Renunciar a una actividad en la adolescencia es distinto de perder interés en una afición durante los años de la escuela primaria. La adolescencia es el momento idóneo para explorar diversos papeles y profesiones de adulto. Es el momento de explorar posibilidades y nuevos caminos. El padre de Xavier sabía que la experiencia de sentirse derrotado y de renunciar a algo que nos interesa puede coartarnos prematuramente en nuestra adolescencia, y no quería que su hijo cayera en esa trampa. Así pues, decidió ofrecer ayuda a su hijo, a sabiendas de que se arriesgaba a que él la rechazara.

De regreso a casa después de otra derrota, el padre de Xavier comentó que habían estado a punto de ganarlo.

—Sí —farfulló Xavier.

—Perdisteis por pocos puntos —prosiguió su padre.

Xavier no respondió.

—Se me ha ocurrido una estrategia que quizás os ayude a ganar —dijo su padre.

De nuevo, Xavier no contestó. Su padre dejó el tema y los dos guardaron silencio durante el resto del trayecto a casa.

Pero al cabo de unos días, después de cenar, Xavier se acercó a su padre, que estaba sentado en una butaca leyendo el periódico.

—Vale, cuéntamelo —dijo Xavier, como si continuara la misma conversación. A su padre le llevó un minuto darse cuenta de que ésa era la oportunidad que había esperado el otro día, pero se apresuró a dejar el periódico y retomó la conversación en el punto en el que la habían interrumpido, como si tal cosa.

Las ideas del padre de Xavier no fueron la respuesta al problema del equipo, y los chicos siguieron cosechando una derrota tras otra. No obstante, sabiendo que contaba con el apoyo de su padre, Xavier decidió que no quería renunciar al debate. Al año siguiente intervino con éxito en el equipo del instituto. En el ínterin, aprendió una valiosa lección sobre persistencia y determinación frente al desánimo.

Los padres de Carlos también le apoyaron para que participara en el equipo de debate, pero su apoyo no fue fundamental para él. Poseía la resistencia necesaria para superar su desánimo pese a la nefasta temporada.

Como sabe todo padre que tiene más de un hijo, incluso los chicos de una misma familia pueden tener distintos grados de resistencia. Cuando un adolescente se siente desengañado, la participación activa de un padre o una madre puede ser decisiva. Es importante percatarse de cuándo un adolescente necesita un mayor apoyo y estar dispuesto a ayudarle. Permanecer atento a lo que sucede en las vidas de nuestros adolescentes es la clave para calcular el momento en que necesita ese apoyo. Si se lo ofrecemos en el momento idóneo, nuestro hijo aceptará nuestra ayuda y ésta le será muy beneficiosa. Si el padre de Xavier hubiera insistido cuando su hijo no estaba dispuesto a hablar del tema, sus palabras habrían caído en saco roto. Y si no se hubiera percatado de lo que sucedía hasta que su hijo hubiera renunciado a participar en el equipo de debate el año siguiente, probablemente habría sido demasiado tarde para ayudarle.

Cómo ayudar a los adolescentes a desarrollar expectativas realistas

A veces los padres se sorprenden al constatar que los adolescentes no parecen comprender la relación entre trabajo duro y éxito. Ciertamente, las imágenes de éxito tal como las presentan los medios de comunicación rara vez muestran los años de esfuerzo y práctica que los músicos, actores o atletas deben soportar antes de alcanzar el éxito «momentáneo». Al contemplar los excelentes resultados, algunos adolescentes, fácilmente impresionables, imaginan que el éxito se consigue de la noche a la mañana. Con frecuencia ignoran la larga historia de esfuerzo y persistencia que se oculta detrás, que Michael Jordan fue expulsado de su equipo de baloncesto en el instituto o que Julia Stiles no consiguió que la contrataran después de muchas de sus primeras audiciones. Unas pequeñas dosis de este tipo de información ayuda a los adolescentes a comprender que la perseverancia frente al fracaso constituye un ingrediente esencial del éxito de cualquier persona.

Allie, de trece años, aprendió a jugar al ajedrez durante un verano en las colonias. Se enamoró del juego, pero perdió la mayoría de partidas. Cuando sus padres fueron a buscarla al concluir las colonias, su principal tema de conversación era el torneo de ajedrez y su tristeza por haber perdido.

—Pero, Allie —dijo su padre—. Hay que practicar mucho para ganar al ajedrez.

—No es cierto —contestó Allie, irritada porque su padre no lo entendía—. Es que no estoy dotada para el ajedrez.

—Tu padre tiene razón —intervino la madre—. Cuantas más partidas juegues, más aprenderás acerca de la mecánica del juego. Así fue como aprendí yo.

Allie se mostró sorprendida de que su madre estuviera tan bien informada.

—¿Vosotros jugáis al ajedrez? —preguntó.

Sus padres se echaron a reír.

—Hace mucho que no jugamos —respondió su padre—. Tu madre siempre me ganaba —añadió. Allie estaba asombrada.

—Así es —apostilló su madre—. Mi abuelo me enseñó a jugar al ajedrez cuando yo era una niña. Solíamos jugar cuando llovía.

Aquel año Allie jugó al ajedrez con sus padres. Durante los primeros meses perdió muchas partidas y empezó a sentirse descorazonada, pero sus padres no estaban dispuestos a «dejar» que ganara. Por el contrario, la animaron a perseverar y a ganar por méritos propios, y después de cada partida comentaban las diversas estrategias para ganar. Cuando Allie logró por fin ganar a su padre por primera vez, sus padres le regalaron un programa informático de ajedrez. A Allie le llevó más tiempo derrotar a su madre, pero el verano siguiente obtuvo un excelente resultado en el torneo celebrado en las colonias y comprobó lo mucho que había adelantado en un año.

A veces olvidamos que nuestros adolescentes no ven las cosas como nosotros, sencillamente porque carecen de nuestra experiencia. La mayoría no han tenido tiempo de aprender que cualquier pequeño adelanto, aunque sea casi imperceptible, puede conducir a unas transformaciones espectaculares. Todavía no han desarrollado el necesario sentido de la paciencia y de la perspectiva a largo plazo para percatarse del importante vínculo entre el trabajo duro y el éxito.

Mostrar a nuestros adolescentes el valor de la persistencia

La forma en que persistimos frente al fracaso constituye un poderoso ejemplo para nuestros adolescentes. Por más que insistamos en el valor de la perseverancia, el ejemplo de cómo resolvemos nuestros propios problemas tendrá un impacto más profundo en nuestros hijos. Esto resulta especialmente difícil si no nos hemos criado con el apoyo necesario para superar nuestros sentimientos de fracaso y desaliento. En este caso, debemos hallar dentro de nosotros la determinación necesaria para mostrar a nuestros adolescentes el modo de desarrollarlo en sus vidas.

La madre de Charlotte, una chica de dieciséis años, ha decidido reformar la habitación de invitados. Se ha propuesto retirar el viejo papel de las paredes y pintar la habitación para la visita anual de su madre. Charlotte está muy ocupada con sus cosas y no le interesan los «trabajos manuales». Por lo demás, la visita de su abuela no la entusiasma porque es una persona muy criticona, que amarga la vida a todos los que la rodean.

—No sé por qué te molestas tanto por la abuela —le dice Charlotte a su madre—. No te lo agradecerá.

—Ya lo sé —responde su madre—. Siempre ha sido así. Voy a reformar la habitación para mí. Quiero sacar mi mesa de trabajo de la salita de la televisión e instalarla aquí para disponer de mi propio espacio.

—Pues la abuela ya ha empezado a quejarse, dice que no terminarás las reformas antes de que llegue y que tendrá que respirar el olor a pintura mientras duerme —le informa Charlotte a su madre.

De hecho, la madre de Charlotte no consigue terminar las reformas antes de que llegue la abuela. Es difícil retirar el papel de las paredes y el trabajo le lleva más tiempo de lo que había imaginado. La abuela llega en la fecha prevista y no deja de quejarse del desorden durante buena parte de su estancia. Por fin, seis semanas más tarde, la madre de Charlotte termina las reformas.

Charlotte está impresionada.

—Yo me hubiera rendido —comenta mientras admira la nueva habitación—. Me parece increíble que hayas terminado.

—Estuve tentada a rendirme en muchas ocasiones —confiesa su madre—. Pero me animaba observando los pequeños progresos que hacía cada semana. Lo más duro fue cuando la abuela estuvo aquí.

No es preciso que la madre de Charlotte sermonee a su hija sobre el valor del trabajo duro y la perseverancia. Su comportamiento es lo suficientemente elocuente, más poderoso que cualquier sermón. El hecho de haber completado el proyecto pese a la actitud negativa y los desagradables comentarios de su propia madre constituye una hazaña aún más meritoria. Las expectativas de la abuela sobre su fracaso no lograron arredrar a la madre de Charlotte. Éste es precisamente el tipo de ejemplo que debemos dar a nuestros adolescentes.

Considerar el fracaso una oportunidad para triunfar

Del mismo modo que no siempre conseguimos alcanzar nuestras metas, nuestros adolescentes no siempre conseguirán alcanzar las suyas, y menos aún satisfacer nuestras expectativas con respecto a ellos. La decepción y el sentimiento de fracaso constituyen una parte integrante de la vida. La cuestión es qué actitud debemos adoptar cuando nos enfrentamos a estas situaciones, y qué pasos debemos dar para responder a ellas. A veces la experiencia de fracasar en algo importante proporciona a nuestros adolescentes una valiosa oportunidad de responder ellos mismos a esas cuestiones. No deja de ser un aprendizaje, aunque sea a base de cometer errores.

Quizá no exista una mejor forma de explorar los sentimientos del éxito o el fracaso que a través del ritual propio de la adolescencia: exámenes del instituto. En Estados Unidos, para algunos adolescentes este proceso comienza con los PSAT (Prueba de Aptitud Escolar Preliminar) del séptimo curso. Aunque las instrucciones indican que no puedes «suspender» estas pruebas preliminares de ingreso a la universidad, todos los adolescentes conocen la sensación de fracaso que se experimenta si obtienes una nota baja. Para colmo, estos resultados duros, fríos y numéricos se propagan rápidamente, de forma que al final de la jornada todo el mundo sabe quién ha sacado una buena nota y quién no.

—¿Qué tal te ha ido? —pregunta su padre a Dean, un chico de dieciséis años, en cuanto éste llega a casa después de haberse presentado al examen. Dean le entrega los resultados de su prueba de aptitud escolar.

Es evidente que se siente decepcionado con los resultados obtenidos, además de nervioso por lo que dirá su padre. Normalmente, la primera reacción de éste es no decir nada —el «tratamiento silencioso»— o echarle la bronca. Pero en esta ocasión respira hondo y dice:

—Bien, dame un minuto para cambiarme de ropa y luego hablaremos de esto.

Dean empieza de inmediato a ofrecer explicaciones y excusas a cuál más endeble por los malos resultados que ha obtenido.

—No quiero escucharte —dice su padre—. El hecho es que no te preparaste como es debido. ¿Utilizaste siquiera el programa informático que te compramos?

Dean no puede alegar nada en su defensa. Sabe que su padre tiene razón y que él ha fallado.

—La cuestión es ¿que piensas hacer ahora? —le pregunta su padre mirándole a los ojos.

Hace bien en responsabilizar a Dean de las malas notas obtenidas en las pruebas preliminares de ingreso a la universidad. No cabe duda de que Dean podría haber estudiado más sin grandes esfuerzos. No obstante, su padre no insiste en ese punto. Después de haberlo dejado claro, pasa a otra cuestión y le pregunta cómo piensa prepararse para la próxima vez que se presente a los exámenes.

Al cabo de unos días, después de que tanto su padre como Dean se han calmado, vuelven a hablar del tema.

—Bien, ahora que ya sabemos la nota más baja que eres capaz de obtener —dice su padre con mejor humor—, me pregunto cuál es la nota más alta que puedes conseguir.

—Yo también —responde Dean—. Al menos tendré otra oportunidad para intentarlo.

—Cierto —dice su padre, y añade—: aunque no siempre será así.

—Ya lo sé —contesta Dean muy serio.

La humillante experiencia del fracaso puede espolear a algunos adolescentes y hacerles adoptar una actitud positiva. Parece como si tuvieran que tocar fondo antes de ponerse a estudiar con ahínco. En estos casos, la clave reside en responsabilizar al adolescente de su fracaso sin dejar de confiar en su capacidad de obtener mejores resultados la próxima vez.

Cuando todo lo demás falla...

No todo el mundo posee la determinación necesaria para triunfar. Algunos adolescentes superan su nivel de tolerancia al fracaso y tiran la toalla. Dejan de esforzarse, aseguran que les da lo mismo e incluso rechazan las ofertas de adultos de ayudarles. Cuando estos chicos pierden la esperanza resultan emocionalmente vulnerables, aunque no lo demuestren, y corren el riesgo de meterse en graves problemas. Es difícil conectar con estos adolescentes, sobre los cuales sus padres ya no ejercen influencia alguna. Cuando las cosas llegan a este punto, la mejor estrategia que pueden adoptar los padres es tratar de localizar a otro adulto capaz de conectar con el adolescente: un entrenador, un psicoterapeuta, un pariente, un maestro, un vecino o incluso el padre o la madre de uno de sus amigos. Es muy importante hallar a una persona capaz de conectar con un adolescente que se ha encerrado en sí mismo. La intervención de un adulto puede marcar una diferencia decisiva en la vida de ese chico.

Éste es uno de los motivos por lo que es importante mantener fuertes vínculos con todos los miembros de la familia y los amigos y utilizar los recursos que nos ofrece la comunidad para ayudar a educar a nuestros hijos. A veces los adolescentes simplemente necesitan más de lo que sus padres pueden darles. En estos casos, no podemos dejar que se hundan. Por desgracia, no existen suficientes mentores para satisfacer todas las necesidades de los adolescentes que corren peligro en nuestro mundo. Por lo demás, a medida que los adolescentes crecen, tienden a mostrarse más reacios a la hora de aceptar ayuda que los adolescentes más jóvenes. Por desgracia, algunos no aceptan nuestra ayuda por más que nos esforcemos en dársela.

En ocasiones lo mejor que podemos hacer como padres es intentar que nuestros hijos se relacionen con una serie de mentores, preferiblemente antes de que empiecen los problemas. Podemos organizar programas después de clase o por las tardes para nuestros jóvenes adolescentes, para que estén ocupados con actividades constructivas y bajo la influencia de adultos responsables y afectuosos. Cuanto mayor sea el número de adultos implicados en la vida de nuestros adolescentes durante estos años peligrosos, más posibilidades tendrán de superar esta etapa.

Tyrone, de trece años, era muy popular tanto entre sus compañeros como entre los maestros en la escuela, pero no era un buen estudiante. Tenía dificultades para leer, por lo que nunca quería hacer sus deberes; además, aseguraba que le traía sin cuidado. Su madre trabajaba seis días a la semana y su padre se ausentaba con frecuencia. De modo que Tyrone, que era hijo único, pasaba mucho tiempo solo. El único rato en que su madre y él hacían algo juntos era los domingos por la mañana, cuando iban a la iglesia.

El director del coro, que sabía que Tyrone tenía problemas en la escuela, se fijó en él. Logró convencerle para que se incorporara al coro de la iglesia y, para sorpresa de todos, ahí empezó a destacar. Cuando la voz de Tyrone cambió, desarrolló una hermosa y cálida voz de barítono y pasó a convertirse en el cantante principal de esa sección del coro.

A medida que transcurría su adolescencia, Tyrone seguía mostrándose desmotivado en la escuela y apenas se esforzaba en sacar buenas notas. Con frecuencia hacía los deberes durante las pausas en los ensayos del coro, que se habían ampliado a tres tardes a la semana. Bajo la atenta mirada del director, Tyrone empezó a dirigir el coro juvenil y a cantar *a capella* en el de los adultos.

Gracias a su éxito en el coro, Tyrone aprendió que la dedicación y la diligencia siempre dan buen resultado. Decidió cursar la carrera de música y comprendió que tendría que esforzarse más en la escuela para ingresar en la universidad. Con este propósito, Tyrone se aplicó en los estudios y sus notas mejoraron.

Antes de que interviniera el director del coro, Tyrone tenía muchas posibilidades de convertirse en un adolescente conflictivo. La sensibilidad del director ante las dotes y las necesidades de Tyrone marcó en él la diferencia entre triunfar y sentirse realizado en su vida y ser un fracasado.

Su vida, no la nuestra

Es muy importante que cuando estimulemos a nuestros adolescentes a triunfar lo hagamos de una forma que esté en consonancia con sus necesidades y sus talentos. Si comparamos constantemente a unos hermanos con otros o con los vecinos o con un inexistente adolescente ideal, pasaremos por alto lo más singular de ellos, y lo que pueden ofrecernos. Para sentirse satisfecho con la vida hay que poder seguir las aspiraciones y los talentos propios, por lo que es muy importante procurar a nuestros adolescentes la oportunidad de explorar lo que les interese, sin sentirse coartados por las absurdas expectativas de otros.

La familia de Pete le envió a una escuela privada muy estricta confiando en que así se prepararía para ingresar en una de las mejores universidades del país. Era una magnífica escuela, pero no era la adecuada para Pete. Desde un principio, se convirtió en el payaso de la clase, era el último en ocupar su asiento por la mañana y el primero en salir cuando sonaba el timbre al finalizar las clases. Pete era simpático y divertido, y los otros chicos le aceptaban tal cual. Al cabo de un tiempo, los maestros y los padres de Pete llegaron a la misma conclusión que sus compañeros: que Pete era un chico inteligente, pero demasiado activo y bullicioso para adaptarse al riguroso currículo académico.

Cuando inició el noveno curso, la presión académica empezó a aumentar y Pete tuvo que esforzarse mucho. En vista de que no podía competir con los otros académicamente, empezó a pensar que no «encajaba», que era «estúpido» y que todo era culpa suya.

Por fortuna, durante el primer año en el instituto de enseñanza secundaria, Pete bajó un día al sótano de la escuela y descubrió el taller de ebanistería. Allí emprendió un curso optativo en artes industriales. A medida que transcurrían los años, los proyectos de Pete aumentaban de tamaño, complejidad y belleza. Al poco tiempo los muebles que él diseñaba se empezaron a mostrar en las exposiciones de arte del instituto y a llenar la casa de sus padres.

Cuando terminó el último curso en el instituto, muchos de los amigos de Pete se habían inscrito en las universidades de élite que los padres de Pete habían soñado para su hijo. Él era el único de su clase que estudiaría en una escuela técnica. Pete y sus padres habían llegado a aceptar sus talentos y sus limitaciones. Debido a este cambio, se vio como un triunfador en el trabajo que amaba, en lugar de como un fracasado en un trabajo que odiaba. Después de las ceremonias de graduación, cuando el profesor de artes industriales subió al escenario para anunciar el premio al mejor alumno de esa materia, todos los asistentes se pusieron de pie. Los amigos, maestros y parientes de Pete le ofrecieron la única ovación de la jornada.

Saber cuándo cambiar de rumbo

En ocasiones lo más sensato es renunciar a una meta inalcanzable y sustituirla por otra más realista y adecuada. Algunos adolescentes ponen todo su corazón en sus sueños y terminan dándose de cabeza contra un muro inamovible. Debemos estar atentos a esa posibilidad, de forma que si se produce podamos redirigir las energías de nuestro hijo y ahorrarle fracasos inútiles.

Carly, una muchacha de trece años, había asistido a clases de ballet desde el tercer curso. Lamentablemente, no tenía la talla ni el peso idóneos para el ballet y, por más que se esforzara, jamás llegaría a ser una buena bailarina. Pero le encantaba bailar y siguió con las clases. No obstante, como la joven adolescente que era, la insatisfacción que le causaba el ballet empezaba a tener un efecto negativo sobre la imagen que tenía de sí misma.

—Soy la chica más gorda de la clase —le dijo a su madre una tarde después de la clase de ballet—, y la más lenta.

Su madre, ensimismada en sus propios pensamientos, le respondió distraídamente:

—Eso no es cierto, cariño.

Carly no volvió a decir palabra.

Es muy fácil no advertir lo que ocurre realmente en las vidas de nuestros adolescentes. La madre de Carly quería y se ocupaba de su hija, pero estaba demasiado enfrascada en sí misma, pendiente de lo que tenía que hacer esa tarde, para percatarse de la importancia del comentario de su hija. Carly asistía a clase de ballet dos o tres veces a la semana, por lo que el hecho de sentirse una y otra vez frustrada y fracasada le resultaba muy doloroso. Los adolescentes suelen ser muy vulnerables emocionalmente, de modo que tener que soportar críticas por algo de lo que no son culpables puede resultar muy perjudicial para su sentido de identidad.

Al cabo de unas semanas, Carly anunció un día a su madre, después de una clase, que dejaba el ballet. Su madre la miró asombrada.

—¿Cómo? ¿Después de practicarlo durante tantos años? —le preguntó—. ¡Y con lo bien que lo haces!

—¡No lo entiendes! —estalló Carly. Su madre había tenido un día complicado y estuvo a punto a gritar a su hija, pero se contuvo. Carly guardó silencio mientras su madre respiraba hondo y recuperaba la compostura—. No se me da bien —dijo Carly, pasando de la ira a las lágrimas—. Llevo practicando más años que mis compañeras, pero nunca seré una buena bailarina.

Su madre comprendió que Carly tenía razón, y que lo que necesitaba no era una expresión superficial de apoyo o aliento. ¡Debía de ser muy frustrante esforzarse durante tantos años y ver que otras compañeras lograban destacar más que ella!

—Lo siento —dijo su madre, sencilla y suavemente, abrazando a su hija.

Carly asintió con la cabeza y se relajó aliviada al comprobar que su madre la comprendía.

—El ballet no es lo que te conviene, pero ¿estás segura de que quieres renunciar a todo tipo de baile? —le preguntó su madre.

—La verdad es que no —confesó Carly.

—Quizá podrías practicar baile moderno o jazz —le propuso su madre.

—Sí —respondió Carly.

Cuando comprendió lo que le ocurría a su hija, vio que su decisión de abandonar las clases de ballet era acertada. Había disfrutado durante muchos años con esas clases, pero ya que la situación había cambiado, Carly tenía que cambiar también de actividad.

Es fácil que los adolescentes se sientan abrumados por sus emociones, sobre todo cuando creen que han fracasado en algo que es importante para ellos. A veces no son capaces de ver otras opciones. En estos casos podemos ayudarles conservando la calma y mostrándonos objetivos, formulando preguntas para comprender lo que les pasa, ofreciéndoles nuestra empatía y ayudándoles a hallar otras soluciones. Si la madre de Carly se hubiera dejado llevar en aquellos momentos por sus emociones y se hubiera enfadado con ella, el problema habría quedado eclipsado por el enfrentamiento entre madre e hija. La madre ayudó a Carly a comprender que cuando un esfuerzo persistente no da resultado, lo mejor es cambiar de rumbo en lugar de rendirse definitivamente.

No se trata de ganar

Los adolescentes son muy susceptibles a nuestro juicio sobre ellos, aunque dominan el arte de fingir que no se enteran o que no les importa lo que pensemos. Captan perfectamente nuestros sentimientos y saben cuándo nos sentimos decepcionados, por más que tratemos de ocultar nuestras verdaderas reacciones.

Olivia, una joven de diecisiete años, había sido nominada para recibir un premio de historia de ámbito estatal. La candidatura en sí misma representaba un gran honor, tanto si ganaba la competición estatal como si no. Por desgracia, los padres de Olivia estaban empeñados en que ganara. Querían presumir ante sus amigos del triunfo de su hija, aparte de que querían que Olivia alcanzara un nivel superior al que ellos habían conseguido en sus vidas. A veces los padres confunden sus esperanzas y sueños insatisfechos con lo que es mejor para sus hijos.

Los padres de Olivia le habían dicho lo orgullosos que se sentían de ella, pero organizaron tal enredo en torno al banquete en el que debía anuniciarse el nombre del ganador que la chica estuvo a punto de renunciar. A medida que se acercaba el día de la ceremonia, Olivia sintió que aumentaba su tensión, y eso le impedía disfrutar del honor de haber sido nominada.

Olivia no ganó el premio y al ver que sus padres se sentían profundamente decepcionados, por mucho que lo negaron enérgicamente, se sintió fracasada. Lo más triste de esa historia es que lo que debió ser un triunfo, Olivia lo vivió como un fracaso. Ocurre lo mismo cuando un chico llega a casa después de haber obtenido un notable en un examen y su padre le dice: «Si hubieras hecho eso o lo otro, habrías conseguido un sobresaliente». La decepción del padre merma el legítimo orgullo que debe sentir el adolescente. Si esto se repite con frecuencia, es posible que el adolescente deje de esforzarse en triunfar o desear complacer a su padre, o ambas cosas.

No es justo que esperemos que nuestros hijos ganen, que sean los mejores o que triunfen en todo. Con frecuencia el resultado no depende de ellos. Podemos confiar en que hagan cuanto puedan para conseguirlo, pero nuestras expectativas deben ser claras, en consonancia con las aficiones y las dotes de nuestros adolescentes y basarse en lo que ellos desean.

La forma en que transmitamos estas expectativas a nuestros hijos es fundamental. Si antes de un importante partido de hockey sobre hielo su padre le dice a Angelina, una chica de quince años: «Esta noche ve a por todas. ¡Puedes ganar!», quizá suene como una expresión de aliento, pero en realidad la está presionando. El equipo de Angelina tal vez gane, pero si ella misma no marca un tanto quizá se sienta fracasada. Por otra parte, es posible que Angelina juegue mejor que nunca, pero si el otro equipo dispone de una mejor defensa y el equipo de Angelina pierde, también se sentiría fracasada.

Si su padre le dijera simplemente «haz lo que puedas», expresaría confianza en la capacidad de Angelina y le daría libertad para esforzarse al máximo.

Los jóvenes son muy sensibles a nuestras expectativas, a la cualidad de nuestra atención y a nuestras palabras. A medida que crecen, debemos respetar su derecho a decidir lo que es importante para ellos y apoyarlos al máximo en cualquier ámbito que hayan elegido. Debemos transmitir a nuestros adolescentes mensajes potentes y claros de que confiamos en ellos y estamos ahí para arroparlos. Debemos procurar que escuchen unos mensajes que les infundan ánimo, que les inviten a triunfar en sus vidas.

Si los adolescentes viven con el rechazo, aprenden a sentirse perdidos

Debido a que los adolescentes por naturaleza suelen sentirse inseguros incluso en las mejores circunstancias, también se muestran exquisitamente sensibles al rechazo. Por supuesto, el rechazo también nos resulta doloroso, pero nosotros disponemos de la perspectiva de un adulto, obtenida a través de la experiencia, que nos permite contemplar el rechazo como algo temporal. A nuestros adolescentes, el rechazo puede parecerles el fin del mundo. No importa si proviene de sus padres, de sus compañeros o si tan sólo existe en su imaginación. El temor del adolescente a no ser lo suficientemente «guay», lo suficientemente «cachas» o lo que sea les resultará prácticamente insoportable.

Dado que nuestros adolescentes están desarrollando su sentido de identidad, un indicio de rechazo, o lo que ellos interpretan como una ofensa, en ocasiones les produce una intensa sensación de marginación. Si se sienten tan solos que no saben a quién recurrir, tal vez acaben sintiéndose perdidos. Mientras buscan alivio a este dolor emocional, suelen mostrarse muy vulnerables a la presión de sus compañeros, hasta el punto de exponerse a un peligro con tal de que los acepten. Por este motivo es preciso que los adolescentes consideren su hogar un «refugio seguro», donde sean aceptados incondicionalmente por lo que son. Debemos procurar que cuando regresen a casa se sientan relajados y sepan que pueden mostrarse tal como son, sin presiones. Necesitan gozar de un ambiente tranquilizador a fin de obtener la fuerza y la resistencia necesarias para afrontar los altibajos de sus vidas sin sentirse perdidos.

Sophie, de catorce años, es una adolescente de carácter reservado e intensamente emocional a la que le gusta leer poesía. Tiene una amiga íntima con la que va al cine, y su vida social se reduce a eso. Aparte de su amiga, no la llama nadie. Por el contrario, su madre es muy extravertida, es miembro de la asociación de padres y maestros y conoce a todo el mundo.

—¿Por qué no llamas a Linda para salir con ella? —le sugiere un día a Sophie. Siempre intenta animarla para que se relacione con más gente—. Seguro que es una chica estupenda, su madre es muy simpática.

—No lo creo —responde ella.

—¿No crees que es simpática o no crees que valga la pena llamarla? —le pregunta su madre, exasperada.

—Da lo mismo —contesta Sophie—. No voy a llamarla.

—Me gustaría que fueras más sociable, Sophie —dice su madre adoptando un tono de súplica—. Te divertirías más.

—Ya me divierto lo suficiente —replica ella—. Además, ¡yo no soy como tú! —Tras lo cual pone fin a la conversación y abandona enfadada la habitación.

Su madre se queda pasmada. Tan sólo intenta ayudar a su hija, y no comprende por qué se ha disgustado tanto. «Sabe» que tiene razón. Sophie se divertiría más si fuera más sociable.

Pero Sophie no puede hacerlo. No es su forma de ser, y no le interesa tener una vida social más intensa. Desarrolla las actividades que a ella le gustan, y no quiere que su madre la presione para que sea distinta a como es. Lo que su madre considera un intento bienintencionado de ayudarla, ella lo interpreta como una crítica y un rechazo.

Cuanto más aceptemos y valoremos los rasgos esenciales de la personalidad de nuestros adolescentes, más a gusto se sentirán con nosotros y más dispuestos estarán a pasar ratos en casa. Si las sugerencias que les ofrecemos les exigen que cambien su personalidad básica, es lógico que crean que les criticamos. Y puesto que su sentido de la propia identidad no está plenamente desarrollado y aún es muy frágil, se muestran profundamente sensibles a cualquier atisbo de rechazo por parte de sus padres.

Si a la madre le preocupa la vida social de Sophie, es preferible que hable con ella del tema a que dé por supuesto que algo no funciona. Podría preguntarle:

—¿Cómo te llevas con tus compañeros en la escuela? ¿Crees que tienes suficientes amigos?

Esto dará a Sophie la oportunidad de responder, con sinceridad, que se lleva muy bien con sus compañeros.

—¿No te gustaría salir más a menudo? —podría insistir su madre.

—Todo va bien, mamá, de veras —podría responder Sophie esbozando una sonrisa tranquilizadora.

Su madre debe aceptar la preferencia personal de Sophie de pasar buena parte de su tiempo a solas, practicando unas sosegadas aficiones intelectuales en lugar de cultivar una animada vida social. Podría preguntar a su hija qué está leyendo para averiguar y respetar lo que es importante para ella.

Debemos permanecer conectados con nuestros adolescentes. Al no aceptarlos como son, nos arriesgamos a perderlos y a que prefieran la compañía de sus colegas o que se encierren en un solitario aislamiento. En términos generales, las cosas nos irán mejor con ellos si nos mostramos sinceramente interesados en lo que hacen y no tratamos de presionarlos para que se conviertan en personas distintas.

Manejar el rechazo

Nadie sobrevive a la adolescencia, ni a la vida en general, sin experimentar alguna vez el rechazo. La aceptación que ofrecemos a nuestros adolescentes en casa les ayudará a ser más resistentes cuando se topen con el rechazo fuera de casa. Durante sus primeros años de adolescentes, podemos contrarrestar las experiencias negativas que sufran brindándoles mayor apoyo y mayor comprensión, asegurándoles que les aceptamos tal como son. Ciertamente, el proceso de ingreso en la universidad y la búsqueda de un trabajo incluye inevitablemente algún que otro rechazo. Pero confiemos en que llegado ese momento nuestros adolescentes hayan aprendido a asimilar las decepciones sin desmotivarse ni perder la confianza en sí mismos. Por supuesto, incluso entonces siguen necesitando nuestro apoyo.

Scott, un chico de trece años, se llevó un gran disgusto cuando rechazaron su preopuesta de ser consejero de sus compañeros en el instituto. Eligieron a su mejor amigo, y él no entendía el motivo, lo cual no hizo sino intensificar su disgusto. Nada de cuanto le dijera su madre servía para consolarle. Por fin, su padre decidió adoptar otro enfoque.

—¿Cuántas veces no has conseguido lo que pretendías? —preguntó a su hijo.

Después de reflexionar unos momentos, Scott respondió:

—No muchas.

—¿Te sientes rechazado en otros aspectos de tu vida, en casa, en la escuela, por tus amigos, por tu equipo de fútbol o cuando vas de colonias? —insistió el padre.

—No —reconoció Scott una y otra vez.

—¿Crees que el hecho de que te hayan rechazado en esta ocasión incidirá en lo que hagas en esos otros ámbitos?

—De acuerdo, papá, ya lo entiendo —respondió Scott, esbozando una breve sonrisa.

Y era cierto que había entendido lo que quería decir su padre. Comprendió que tenía que asumir un punto de vista distinto con respecto al rechazo que había sufrido en esta ocasión. Aún se sentía decepcionado, pero dejó de sentirse mal consigo mismo. Sabía que era tan sólo un pequeño contratiempo en una vida llena de cosas agradables.

Su padre se alegró de haber ayudado a su hijo a superar su decepción y a aprender a cambiar de perspectiva para contemplar la situación en su contexto. Fue una conversación breve, pero tuvo un impacto profundo en ambos. Scott sabía que su padre estaba realmente implicado en su vida, que le importaba lo que le ocurriera y que estaba dispuesto a ayudarle a enfrentarse a los problemas. Su padre comprendió que podía ser un elemento decisivo a la hora de ayudar a su hijo a desarrollar una actitud más madura. Esta interacción, insignificante en apariencia, constituyó una importante base para una relación positiva entre los dos a medida que se enfrentaban a los problemas más complejos de la adolescencia.

Preparados, listos...

Es muy importante fomentar una relación positiva con nuestros adolescentes al inicio de la pubertad. Debemos lograr que emprendan el difícil camino de la adolescencia sabiendo que tenemos una buena conexión con ellos y que son una prioridad en nuestra vida. No podemos dejar que inicien o recorran los años de la adolescencia sintiéndose perdidos o solos. Hay demasiado en juego.

Hoy en día las batallas comienzan muy pronto. Molly, una chica de doce años, y su madre han empezado a discutir sobre qué ropa puede ponerse para ir a la escuela y la frecuencia con que debe practicar el violín. Molly empieza a exhibir una rebeldía pura y dura con respecto a algunas normas de la casa; a veces mira a su madre como si no la viera y no hace el menor caso de lo que le dice. La madre empieza a creer que no tienen ningún control sobre su hija, y por eso se siente frustrada y enojada. Se cierra así un círculo negativo que sólo puede empeorar cuando Molly entre de lleno en la adolescencia.

Una tarde, después de varios días tensos que han culminado con un fuerte enfrentamiento entre las dos, la madre de Molly siente que ha llegado al límite de su paciencia. Se deja caer en una butaca frente a la televisión y evita no pensar en cómo serán los próximos seis años de convivencia con Molly. Se siente tan abrumada que se desconecta de su hija y deja de responderle. Molly sube corriendo a su habitación deshecha en lágrimas. Al cabo de unos minutos, el padre baja de su estudio, donde ha estado trabajando con el ordenador, y le entrega a su esposa una nota.

Molly ha enviado a su padre un fax desde el ordenador que tiene en su habitación pidiéndole ayuda. El fax dice: «Por favor, dile a mamá que me hable».

Por muy mal que se comporten nuestros adolescentes, lo cierto es que ansían permanecer conectados con nosotros. Por desgracia, a veces padres e hijos se encierran en un círculo vicioso de ira, críticas y rechazo, tratando de escapar de una situación que parece no tener salida. «Mi padre es un imbécil», dice el adolescente. El padre defiende la rigidez de su postura diciendo: «Debo hacerle comprender lo que hace mal para que aprenda». Y así continúa el interminable círculo. En estas situaciones, salen perdiendo tanto los padres como los adolescentes y, por desgracia, lo que se pierden son los unos a los otros.

Nuestros adolescentes atraviesan por una época en sus vidas muy volátil, rodeados de chicos volubles, en una atmósfera social llena de inseguridad, temor y multitud de maneras de descarrilarse. Si no queremos que se vean arrastrados por los cambios hormonales que les sacuden desde dentro y por la cultura de la adolescencia que les plantea continuos retos desde fuera, debemos hacer cuanto podamos para fomentar nuestra relación con ellos. Una de las cosas más crueles que podemos hacer es ignorarlos.

Por muy mal que se comporten nuestros adolescentes, debemos permanecer conectados con ellos. Sólo si mantenemos nuestra relación con ellos tendremos la oportunidad de guiarlos. No ganamos nada hurtándoles nuestro tiempo, nuestra atención o nuestro afecto. Por supuesto, los adolescentes necesitan experimentar cambios a medida que maduran, pero también nuestro amor, nuestro apoyo y nuestros consejos igual como cuando eran pequeños. Debemos mostrarnos flexibles para que nuestra relación con ellos evolucione al tiempo que cambian sus necesidades a medida que la adolescencia los acerca a la madurez.

Cuando nuestros adolescentes son gays...

Algunos chicos descubren en la adolescencia que son *gays*; algunos hace años que lo saben y otros aún no saben lo que son ni en qué se convertirán. La orientación sexual humana se mueve a lo largo de un continuo flexible, y nuestras identidades sexuales no son definidas por una sola experiencia ni un intenso enamoramiento. Es importante que sepamos, mientras nuestros adolescentes navegan por esta parte tan delicada y sensible de su desarrollo, que la orientación sexual no es una elección relacionada con el estilo vida, sino que forma parte de quiénes somos. Debemos crear un ambiente en el que lo último que preocupe a nuestros adolescentes sea si les aceptaremos tal como son. En fin de cuentas, ya es bastante duro descubrir cómo es uno.

Los adolescentes que no son claramente heterosexuales son muy vulnerables al rechazo y a las burlas de sus compañeros. Incluso pueden correr riesgos físicos. Necesitan todo el apoyo, y desde luego no necesitan que sus propias familias les rechacen. Por desgracia, algunos adolescentes *gays* y lesbianas sienten tal temor a ser rechazados que deciden vivir vidas secretas, ocultar sus auténticos sentimientos e identidades a sus familias hasta entrada la madurez.

Los padres reaccionan de diversa forma al averiguar que su hijo es homosexual. Algunos lo aceptan de inmediato; otros necesitan tiempo para adaptarse a esta situación. La mayoría de padres necesitan averiguar lo que el futuro puede deparar a sus hijos. Si están dispuestos a informarse sobre el mundo *gay* de sus hijos adolescentes, comprobarán que los adolescentes homosexuales tienen las mismas esperanzas y sueños que los adolescentes heterosexuales: desean hallar un amor verdadero, un trabajo que les satisfaga, éxito, una relación duradera y, quizás, hasta tener hijos.

Los padres que son incapaces de aceptar a un hijo adolescente abiertamente *gay* se exponen a perderlo. Y si estos adolescentes están tan preocupados por la reacción de sus padres que no pueden aceptar su propia identidad sexual, perderán una parte importante de sí mismos. Nosotros no podemos ni debemos permitir que nuestros hijos carguen con semejante responsabilidad.

Madeline sabía que siempre había sido «distinta». Desde la escuela primaria había tenido problemas para establecer y desarrollar amistades íntimas. Era una chica atractiva, atlética y muy inteligente, pero con frecuencia estaba sola. Sus padres no tenían ni idea de cuál era el problema, ni cómo podían ayudarla.

Cuando Madeline cumplió quince años, acudió a unas colonias de verano en un paraje inhóspito donde los monitores enseñaban a los adolescentes técnicas de supervivencia. Allí mantuvo un excelente trato con sus compañeros y se enamoró por primera vez en su vida... de otra chica. Madeline empezaba a comprender quién era y le ayudó mucho que la comunidad de las colonias de verano la aceptara plenamente a ella y a su nueva amiga. Madeline regresó a casa radiante. Trató de hablar con sus padres sobre sus experiencias, pero ellos no parecían querer escucharla, de modo que se abstuvo de explicarles nada acerca de su orientación sexual.

A medida que Madeline atravesaba la adolescencia, trabó amistad con varias lesbianas de otros institutos cercanos. Esto le permitió explorar sus relaciones con más discreción de lo que habría podido hacer en su ciudad natal, evitando tener que afrontar la desaprobación de sus padres. Durante su último año de estudios, se inscribió en una clase de arte y para el proyecto de fin de curso pintó un enorme cuadro abstracto al óleo rebosante de expresión emocional. Para acompañar su cuadro, y asegurarse de que la comprendieran, Madeline escribió una colección de poemas. En ellos hacía una descripción muy sincera de su trayectoria personal y constituyeron, esencialmente, su «salida del armario».

Su profesor de pintura seleccionó el proyecto de Madeline, el cuadro y los poemas, para exhibirlos en la exposición de arte de fin de curso. Sus padres, horrorizados, presionaron y amenazaron a Madeline hasta que ella accedió a no incluir los poemas. Ellos se mostraron inflexibles, pese a la angustia de Madeline y el apoyo de su profesor de pintura. No comprendían que, al censurar la expresión artística y la «salida del armario» de Madeline, rechazaban un aspecto central de la identidad de su hija.

Como padres, debemos mantener una perspectiva de largo alcance sobre nuestra relación con nuestros adolescentes. No tardarán en marcharse de casa y convertirse en adultos independientes. Las semillas de la relación que mantengamos de por vida con nuestros hijos mayores las plantamos durante su infancia y su adolescencia. Debemos aspirar a que esta relación esté basada en una historia de aliento y aceptación, no de control y rechazo.

La ropa: la declaración de independencia de los adolescentes

Conviene recordar que cuando rechazamos el aspecto de nuestros adolescentes, ellos pueden interpretarlo como un rechazo de quiénes son. Para muchos adolescentes, la imagen que proyectan suele ser una parte importantísima de su personalidad en desarrollo. Toda nuestra cultura se alimenta de la imagen y fomenta la creencia errónea de que «uno es como viste». Como adultos, sólo somos un poco menos susceptibles a la influencia de la poderosa industria de la moda que nuestros adolescentes. Y dado que ellos todavía no están seguros de quiénes son «por dentro», les resulta fácil desarrollar una identidad más nítida a través de la ropa que se ponen.

Las «camarillas» de chicos en los institutos son fácilmente reconocibles por su forma de vestir. Esto proporciona a los miembros de estos grupos una sensación de pertenencia. Unas sencillas frases de aliento por parte de los padres, como «hoy tienes un aspecto genial», no ayudará mucho a nuestros hijos durante su adolescencia. En fin de cuentas, a los adolescentes no les interesa la reacción de sus padres, sino la de los otros chicos. Con un enfoque adecuado, podemos utilizar este aspecto de la cultura de los adolescentes de forma positiva.

Jared, de trece años, padecía una leve minusvalía psíquica y sus padres le inscribieron en un instituto muy exigente. Sus expresiones faciales, su forma de hablar y su ligera cojera le daban un aspecto raro. Aunque se hallaba en el mejor programa docente para él, a sus padres les preocupaba el trato que recibía de sus compañeros.

El psiquiatra al que consultaron no se anduvo con rodeos: «Vístanle con la ropa de moda de Gap», les dijo. Su consejo sorprendió a los padres de Jared, pues al principio les pareció banal. Pero el médico les explicó: «Eso contribuirá a que los otros chicos no se fijen en el aspecto extraño de Jared y le acepten».

Los padres de Jared siguieron el consejo del psiquiatra, y acertaron. Vestido con la «ropa adecuada», a Jared le resultó más fácil encajar con los otros chicos, lo cual le simplificó mucho la vida. Sus padres decían que era el mejor consejo profesional que habían recibido, y el mejor dinero que habían invertido en su hijo.

Las batallas de la moda

Experimentar con su aspecto forma parte del descubrimiento de la identidad por parte de los adolescentes, por más que los resultados disgusten con frecuencia a los padres. Lo cierto es que las modas que los adolescentes adoran y los padres detestan sin duda definen el campo de batalla, ya se trate del peinado, la ropa, el maquillaje, el *piercing* o los tatuajes. Cuanto más enérgicamente rechazan los padres y tratan de prohibir ciertas modas, más importantes se vuelven éstas para los adolescentes. Por eso la mejor estrategia es guardarnos nuestras opiniones y procurar tener presente el aspecto que ofrecíamos nosotros en nuestra adolescencia, y cómo nos sentíamos cuando nuestros padres nos criticaban lo que nos poníamos.

Debemos tener en cuenta que la moda no es un problema vital, cosa que a veces olvidamos en el fragor de la batalla. Deberíamos reservar nuestras posturas más enérgicas como padres para temas más importantes y graves como el alcohol, las drogas, conducir y el sexo. Si tenemos esto presente, nos será más fácil tolerar las tendencias en materia de moda de nuestros adolescentes, por más que nos disgusten.

Ashley, una chica de dieciséis años, y su madre, las dos con una gran experiencia en ir de compras, habían llegado a un pacto muy eficaz. Cuando Ashley se probaba algo que a su madre no le gustaba, ésta decía sin perder la calma: «Eso no te sienta bien». Cuando Ashley era más joven, volvía a dejar automáticamente la prenda de marras en su lugar. Pero a los dieciséis años ya tenía sus propios gustos.

—Pues a mí me gusta —contestó admirando su imagen en el espejo, vestida con un *top* de color naranja muy ceñido y con un llamativo estampado. Su madre, horrorizada, utilizó su truco habitual para disuadirla, pero en esta ocasión le falló. Ashley se echó a reír, sin dejarse amedrentar, y declaró—: ¡Me lo compro!

La madre apenas pudo ocultar su disgusto, pero no dijo nada más. Sabía que privar a Ashley de su derecho a decidir por sí misma significaría privarla de su sentido de identidad. Los adolescentes necesitan la oportunidad de explorar y experimentar con su aspecto para descubrir quiénes son.

Lo que no debemos decir...

—Pareces una prostituta —dice una madre a su hija de dieciséis años, una de las estudiantes más destacadas y líder en su competitivo instituto.

—Chico, tienes aspecto de perdedor —comenta un padre, ambicioso ejecutivo, a su desaliñado hijo de catorce años.

«Me avergüenza que me vean contigo.» «Estás horrible.» «Como te hagas un tatuaje te echo de casa» o «cualquiera que desee un *piercing* en la oreja debe de estar loco». Aunque parezca increíble, son comentarios auténticos pronunciados por personas auténticas. Incluso conocemos a un padre que le arrancó la anilla de metal a su hija de la ceja.

Hasta que nuestros hijos hayan crecido y atravesado sanos y salvos la adolescencia, momento en que empezarán a desarrollar una mayor confianza en su propia identidad, utilizarán su apariencia para proclamar al mundo y a sí mismos quiénes son o quiénes aspiran a ser. Cuando nosotros rechazamos sus gustos en materia de moda, les rechazamos a ellos. Y si lo hacemos, ¿a quién recurrirán?

No existe una moda tan horrorosa como para provocar una ruptura en nuestra relación con nuestros adolescentes. Si bien podemos pedirles que se vistan adecuadamente para determinada ocasión, y confiar en que nos obedezcan algunas veces, debemos asimismo tener presente que no estamos solos. Todos los padres tienen los mismos problemas con sus adolescentes, y los que optan por centrarse en los temas más importantes son los que tienen mayores probabilidades de mantener una relación estrecha con sus hijos hasta que éstos alcancen la madurez.

Mi cuerpo, mi yo...

Los adolescentes son aún más susceptibles con respecto a su cuerpo que a su vestimenta. Tanto en el caso de los varones como de las mujeres, la imagen corporal constituye una parte importante de su sentido de identidad. Es cómo se ven a sí mismos, y esta imagen incluye cómo se sienten acerca de sí mismos. Aunque a todos nos preocupa nuestra imagen corporal, el tema es aún más importante para los adolescentes.

Nuestra cultura, dominada por los medios de comunicación, propone un patrón extremo de belleza, que sólo un pequeño porcentaje de gente puede alcanzar. Esto nos dificulta la vida a todos, y en especial a los adolescentes. La presión cultural sólo sirve para fomentar la autocrítica y el rechazo que los adolescentes se infligen a sí mismos: «Tengo los muslos demasiado gruesos», «soy un enclenque», «me sobra barriga», «mis pechos son demasiado pequeños (o demasiado grandes)», «¿por qué seré tan bajito?» La lista es interminable, pero el tema siempre es el mismo. Por el motivo que sea, nunca acabamos de gustarnos.

A fin de no fomentar ese rechazo, nosotros, como padres, debemos poner un cuidado especial en lo que decimos a nuestros hijos. Por ejemplo, si tenemos también problemas y pugnas con nuestra imagen corporal, debemos evitar sacar con frecuencia el tema del peso. Insistir en nuestra lista de defectos personales no proporciona a nuestros adolescentes un buen modelo para que mantengan una relación saludable con su cuerpo. Al margen de que nos sintamos satisfechos o no con nuestra imagen corporal, lo menos que podemos hacer es guardarnos para nosotros nuestros comentarios negativos. Nuestros hijos necesitan que les procuremos el modelo más positivo que podamos a fin de contrarrestar los mensajes negativos con que les bombardea la cultura que nos rodea.

Los adolescentes ya están lo suficientemente acomplejados por sus cuerpos. Sus organismos cambian drásticamente, empiezan a experimentar intensas sensaciones sexuales y toman conciencia de su propia sexualidad. Esto puede provocarles gran confusión y ansiedad. No necesitan que encima sus padres se preocupen pensando: «¿Llegará a ser tan gorda como yo?»

Llamar la atención sobre el cuerpo de un adolescente es muy peligroso. Debemos procurar no decir nada que pueda interpretarse como negativo, aunque sea en broma. Incluso un comentario, sobre todo de un padre hacia su hija adolescente, puede desencadenar un grave trastorno de la nutrición. En fin de cuentas, papá siempre será el primer hombre en la vida de la hija y sus opiniones son muy importantes para ella.

Amber, una joven de dieciocho años, se dispone a salir con unos amigos cuando su padre le pregunta si puede hablar en privado con ella.

—Desde luego, papá, ¿qué ocurre? —pregunta Amber.

En un intento equivocado de ayudar a su hija, el padre le dice:

—Me preocupa tu peso. Me parece que has engordado unos kilos en la universidad.

El padre de Amber tiene tendencia a la obesidad y le preocupa mucho que su hija engorde.

Amber se enfurece. El peso es un problema para ella, como para la mayoría de las chicas de su edad, y es consciente de que se ha engordado unos kilos. No necesita el comentario de su padre, y menos cuando se dispone a salir con unos amigos.

Por fortuna, Amber es lo bastante inteligente para saber que éste es el problema de su padre, no el suyo. Sabe que a su padre le preocupa ser obeso y también sabe que eso no tiene nada que ver con el hecho de que ella tenga que perder unos kilos. Si Amber no tuviera tan clara la cuestión, quizá se habría repetido las palabras de su padre de una forma personalmente destructiva.

Es mucho más constructivo que los padres ensalcen el aspecto de sus hijas. Esto proporciona a las chicas un modelo positivo que utilizar como pauta a la hora de elegir un novio y, llegado el momento, un marido.

Los amigos que eligen

Al igual que nuestros adolescentes adornan sus cuerpos sin tener en cuenta nuestros gustos, también salen con amigos que no nos gustan. En esta situación la sabiduría popular es acertada: cuanto más rechazamos a sus amigos, más se encariñan nuestros adolescentes con ellos. En fin de cuentas, los adolescentes deben separarse de sus padres como parte del importante proceso de establecer su identidad. ¿Qué mejor forma de hacerlo que elegir amigos que representen lo opuesto de lo que representan sus padres?

Cuando Rita cumplió trece años consiguió por fin ser aceptada en lo que ella consideraba el grupo más interesante de su instituto. Desgraciadamente, en ese grupo había algunas jóvenes muy poco aficionadas a estudiar, el tipo de chicas que se meten siempre en problemas o que se quedan en estado y abandonan los estudios. La vida social de Rita consistía en ir al cine o estar por la calle. A veces el grupo se reunía en una cafetería. Rita estaba encantada de formar parte de esta vida tan excitante. Sus padres no.

Rita quería invitar a sus amigas a dormir en su casa, pero no estaba segura de que sus padres se lo permitieran. Curiosamente, sus padres se mostraron muy amables, compraron comida especial para ellas, alquilaron un montón de vídeos y las acompañaron más tarde en coche a sus casas. La madre de Rita se mostró dispuesta a hablar con los padres de las otras chicas sobre logística, pero sólo llamó la madre de una de ellas. Todas las chicas se divirtieron tanto que expresaron el deseo de volver a casa de Rita a menudo, y los padres de ella no pusieron ningún inconveniente.

Aunque no se sentían demasiado satisfechos con las amigas de su hija, a través de su hospitalidad llegaron a conocerlas a todas por su nombre e incluso conocieron a los padres de algunas de ellas. De paso, su casa se convirtió en un lugar agradable donde reunirse. Por otra parte, ahora podían hablar de ellas como individuos en lugar de rechazar al grupo en su totalidad. Al reconocer los rasgos que gustaban a Rita de sus nuevas amigas, sus padres podían expresar sus temores en presencia de ella. Por ejemplo, su madre decía: «Mary me cae bien, pero temo que tiene problemas con los estudios». Sabiendo que su madre aceptaba a sus amigas, Rita se mostraba receptiva a sus comentarios.

Al cabo de un tiempo, los miembros del grupo empezaron a tirar cada cual por su lado; algunas chicas siguen manteniendo amistad con Rita y otras no. La cuestión es que ella es capaz de dejar que esas amistades sigan su curso natural, bajo la mirada afectuosa y atenta de sus padres. No se vio obligada a elegir a sus amigas pese a la oposición de sus padres, ni a pasar buena parte del tiempo fuera de casa para estar con ellas.

Respetar las relaciones amorosas

Para nuestros adolescentes, peor aun que rechacen a sus amigos es que rechacen a sus novios o novias. Los adolescentes suelen formar unos vínculos muy estrechos en sus relaciones amorosas y tienden a identificarse exageradamente con sus parejas, de forma que se toman muy a pecho los comentarios sobre su «media naranja». Cualquier crítica sobre la persona de la que están enamorados la interpretan como un rechazo de sí mismos, lo cual puede empujarles en la dirección que no queremos que tomen.

A veces nuestros adolescentes están más íntimamente implicados en sus relaciones sentimentales de lo que sospechamos o queremos reconocer. Tal vez consideramos la relación que mantienen en ese momento un capricho pasajero o un coqueteo sin importancia, pero lo cierto es que no podemos saberlo con certeza. Casi tres cuartas partes de los adolescentes americanos practican el sexo cuando se gradúan del instituto. Esos años de adolescencia constituyen una increíble mezcolanza de hormonas, amoríos, afán de independencia, música, pasión, curiosidad, soledad y conversaciones hasta el amanecer.

Como padres, con frecuencia somos los últimos en enterarnos de lo que hacen nuestros hijos. Por tanto, debemos poner cuidado en la forma en que reaccionamos ante los chicos y chicas con los que mantienen una relación íntima. Es muy fácil criticar las relaciones sentimentales de nuestros hijos sin comprender el impacto y el significado que tienen nuestras palabras.

—Ese chico ni siquiera ha sido capaz de mantener una conversación normal. Mascullaba y no me miraba a los ojos —se queja el padre de Laura del novio que su bonita y brillante hija de dieciséis años le ha presentado en el instituto durante la noche de los padres.

—Es que es tímido, papá —le explica ella—. Deja de meterte con él.

—¿Que no me meta con él? ¿Bromeas? ¿Quién es ese chico? ¿Y qué clase de nombre es Cody? —protesta el padre, que sigue con sus críticas en respuesta al desafío de su hija.

El padre de Laura no tiene ni la más remota idea de lo importante que Cody es para su hija. Cree que es otro de los muchos chicos con los que Laura se reúne en el centro comercial. Lo cierto es que llevan varios meses saliendo y están muy enamorados. A él le subleva que su hija defienda con tanto fervor a Cody, y por eso sospecha que es su novio.

Laura está enojada por los comentarios de su padre y dolida por la nula información que éste tiene sobre su vida y lo importante que Cody es para ella. Cuando nuestros adolescentes creen que no les comprendemos, empiezan a perder un importante punto de conexión con la familia y el hogar. No debemos dejar que se separen de nosotros por un sentimiento de frustración y antagonismo.

El padre de Laura pudo haberse guardado sus primeras impresiones negativas y limitarse a decir a su hija:

—Me alegro de conocer al chico con el que sales. ¿Cómo va vuestra relación?

Laura tal vez se hubiera sincerado con su padre en ese momento, o no, pero al menos habría sabido que a su padre le interesan sus amigos. Debemos informarnos de lo que hacen nuestros adolescentes de una forma muy práctica: averiguar con quién salen, con quién mantienen una relación sentimental y cómo se sienten consigo mismos. Si logramos permanecer conectados con nuestros hijos de esa forma durante su adolescencia, podremos ofrecerles la protección y la guía que necesitan para madurar.

Corazones rotos

Uno de los factores que puede precipitar que un adolescente se suicide es la ruptura de una relación sentimental. Aunque no todos los corazones rotos provocan una crisis de tal magnitud, debemos tomarnos siempre muy en serio las amenazas y las expresiones de sufrimiento emocional de nuestros adolescentes. De lo contrario, pueden sentirse perdidos y abandonados. Durante la adolescencia necesitan contar siempre con nuestro apoyo y nuestra comprensión.

Al margen de lo que opinemos sobre una determinada ruptura sentimental, debemos respetar y reconocer la intensidad de lo que experimenta nuestro hijo adolescente y brindarle apoyo y comprensión mientras trata de superar su dolor. En última instancia, la primera ruptura sentimental puede ser la experiencia más traumática que viva su hijo en toda su vida. Si restamos importancia a su sufrimiento añadiremos el rechazo familiar al rechazo sentimental.

Anthony, un chico de catorce años, tiene el corazón destrozado. Aunque él y Victoria apenas se besaron y sólo estuvieron juntos cuatro meses, ella ha sido el amor de su vida.

—Éramos almas gemelas —dice Anthony, que está inconsolable.

Consumido de dolor, autocompasión y añoranza, las calificaciones de Anthony en la escuela caen en picado. Entonces sus padres se dan cuenta de que su hijo está a punto de sufrir una depresión. Hasta ese momento creían que el problema se reducía a un «enamoramiento juvenil» e incluso les hacía gracia, y confiaban en que Anthony lo superaría rápidamente. Cuando comprenden la intensidad de sus sentimientos, ni su madre ni su padre saben qué decirle para consolarle. No obstante, deciden que sea su padre quien suba a la habitación a hablar con él.

El padre aborda el tema con sinceridad:

—Hijo, no sé qué decir para ayudarte, pero tu madre y yo queremos que sepas que estamos preocupados por ti.

—Lo sé, papá. Estoy bien —responde Anthony con tristeza.

—No sabíamos lo importante que era Victoria para ti —prosigue el padre—. ¿No podéis seguir siendo simplemente amigos?

Anthony alza la vista y mira a su padre para comprobar si habla en serio.

—¿Amigos? ¡Gracias por tu ayuda! —le espeta Anthony disgustado.

Al comprender que ha metido la pata, lo intenta de nuevo.

—Lo siento, Anthony —dice. Guarda silencio durante unos instantes, tratando de que se le ocurra algo que decir.

Por fin añade—: Recuerdo mi primera ruptura sentimental. Yo era algo mayor que tú, pero fue horrible. Tuve la sensación de que mi mundo se desplomaba.

—Sí, se pasa muy mal —confiesa Anthony.

Éste es el momento decisivo para el padre en la conversación. Puede seguir hablando sobre sus recuerdos de su primer amor mientras su hijo ni le escucha o procurar centrarse en Anthony.

—¿Qué puedo hacer para ayudarte? —le pregunta, resistiendo el deseo de rememorar y centrándose en su hijo.

—No lo sé —responde Anthony sinceramente. Tras lo cual agrega—: Pero no me sueltes la bronca por este informe. Ya sé que es impresentable.

Después de reflexionar unos momentos, su padre contesta:

—De acuerdo. Siempre y cuando dejes que te ayude a recuperar tu ritmo normal.

Después de esta conversación Anthony ya no se siente tan solo. Después de todo, tal vez su padre comprenda en parte lo que está pasando y al menos no recibirá una reprimenda por las malas notas. Anthony sabe que en esos momentos no soportaría más disgustos.

Los asuntos del corazón requieren ser tratados con gran delicadeza a cualquier edad. Los padres debemos mostrar tacto y prudencia, y aceptar la intensidad y la seriedad de los sentimientos de nuestros hijos adolescentes. No podemos permitir que se sientan solos con su sufrimiento, independientemente de cuál sea la causa de su dolor. Como quiera que durante la adolescencia las emociones se experimentan con mayor intensidad, nuestros hijos tienden a sentirse abrumados e imaginan que se sentirán así toda la vida. Debemos vigilar estrechamente su vida día a día para comprobar cómo se sienten. Aunque no podamos hacer nada para mejorarla, como nos ocurría a nosotros cuando éramos más jóvenes, al menos sabrán que no están solos.

Obsérvese que el padre de Anthony no le ha disculpado del todo con respecto a sus notas. Ha establecido unos mínimos al hacerle saber que aunque comprendía las circunstancias especiales y le ayudaría a superarlas, quería que recuperara su ritmo académico «normal». Mostrarnos sensibles a los sentimientos de rechazo de nuestros adolescentes no significa que debamos aceptar todo tipo de comportamientos, por mal que lo estén pasando. Siempre aceptaremos lo que nuestros hijos son y lo que sienten, pero tenemos derecho a rechazar un comportamiento intolerable.

Debemos sentar unos mínimos realistas. Las expectativas familiares demasiado ambiciosas sólo consiguen que los adolescentes no se sientan nunca bien consigo mismos y acaban por pasar de todo. Entonces es cuando los perdemos.

Ignorar es rechazar

Del mismo modo que un patrón de críticas, humillaciones e insultos puede hacer que nuestros adolescentes se sientan rechazados, sentirse ignorados produce en ellos el mismo efecto. Posiblemente la falta de reconocimiento sea el mayor rechazo que experimenten. Los adolescentes sienten que no importan a nadie o que ni siquiera existen cuando sus padres no les prestan la atención necesaria. En esta situación, algunos adolescentes incluso buscan métodos negativos de llamar la atención.

—Mi padre ni siquiera se enteraría de que estoy vivo si no tuviera que ir a recogerme a la comisaría —se queja Tom, con cierta arrogancia—. E incluso así, lo único que dice es: «La próxima vez, te dejo allí».

Tom jamás reconocería que se siente rechazado por su padre o que piensa que nadie le quiere. A los quince años, está demasiado «endurecido» para confesarlo. Pero si se le pregunta cómo quiere criar a su hijo algún día, demuestra tener sus propias ideas al respecto.

—Me gustaría hacer cosas con él —dice Tom, sin darse cuenta de lo transparentes que son sus deseos incumplidos—. Le llevaría a partidos de béisbol. Y también de acampada o algo por el estilo.

Por más agresivos que parezcan algunos adolescentes, conviene recordar que en muchos aspectos, debajo de sus fanfarronadas, siguen siendo unos críos emocionalmente vulnerables. Todo adolescente, por más escandaloso que sea su aspecto o su conducta, necesita todo el cariño y el reconocimiento que podamos ofrecerle.

El mismo interés debemos mostrar por los adolescentes que parezcan «demasiado buenos». Tal vez sean educados, estudiosos y vayan bien arreglados, pero a menos que les dediquemos el tiempo necesario no sabremos qué hay bajo esa apariencia. No podemos dar por supuesto que todo va sobre ruedas simplemente porque parezca que nuestros hijos no tienen problemas y no necesitan «una atención especial». Esos adolescentes pueden vivir atormentados por tensiones internas y necesitan hablar de ello con alguien de vez en cuando, a fin de aliviar esa tensión. Debemos preguntar a nuestros hijos cómo les van las cosas y estar dispuestos a escucharles cuando respondan.

A veces esto no es fácil, pues quizá trabajamos muchas horas para ganar un dinero extra para enviarlos a la universidad, o nos sentimos estresados en el trabajo. Pero aunque eso sea importante, debemos sacar tiempo para estar con nuestros hijos adolescentes. Las becas y los préstamos pueden suplir la falta de dinero, pero nada puede suplir el valioso tiempo que pasamos con nuestros hijos durante su adolescencia.

Los años de la adolescencia marcan el fin de nuestra convivencia como familia y nos dan una de las últimas oportunidades que tendremos de influir decisivamente en las vidas de nuestros hijos. Como padres debemos estar dispuestos a invertir tiempo y esfuerzos en nuestra relación con ellos, en la medida que nos lo permitan. Nuestro deber es estar siempre a su disposición, y el deber de nuestros hijos, hacerse independientes. Sin nuestra ayuda y cariño, nuestros hijos pueden extraviar el camino.

Permanecer conectados

Debemos hacer que nuestros adolescentes alcancen su independencia y mantengan al mismo tiempo un contacto real con la familia. Esa conexión en ocasiones deberá ser muy elástica para adaptarse a las tensiones y los problemas que forman parte de la adolescencia. Esto no es sencillo de lograr, sobre todo cuando estamos disgustados. La actitud de muchos padres oscila entre mostrarse preocupados por sus hijos adolescentes y extremadamente irritados con ellos.

Cuando caemos en un patrón de reactividad emocional, podemos perder esa flexibilidad necesaria para responder de la manera adecuada a nuestros hijos durante los años cambiantes de la adolescencia. Si no se sienten conectados con nosotros, pueden sentirse perdidos y solos. Esto sólo añade un intenso sufrimiento a nuestros adolescentes.

Como padres, debemos tener presente en todo momento que el fin de la adolescencia es que nuestros hijos se encuentren a sí mismos, descubran quiénes son y desarrollen un profundo sentido de identidad que les facilite desenvolverse en el mundo y en sus relaciones futuras de acuerdo con sus propias convicciones.

No es fácil ser adolescente o padre de un adolescente. Puede ser una década muy complicada para todos, y las emociones suelen desbordarse. Lo más importante es recordar que es esencial permanecer conectados como familia.

Emma y su madre utilizan una pequeña broma cuando la situación se pone tensa entre ellas y los ánimos se encrespan. Para aliviar la tensión, una de ellas le pregunta a la otra: «¿Me odias?» Tanto para la madre como para la hija, esta pregunta representa su peor pesadilla y sirve para recordarles rápidamente que por furiosas que estén en esos momentos, siguen queriéndose. Saben que mientras puedan asegurarse la una a la otra que se quieren, permanecerán conectadas y todo irá bien.

Si somos capaces de mantener la relación con nuestros adolescentes durante esos años turbulentos, tendremos menos probabilidades de perderlos. Y si ellos son capaces de permanecer conectados con nosotros, tendrán menos probabilidades de extraviarse.

Si los adolescentes viven con demasiadas normas, aprenden a saltárselas

Quizá creamos que podemos controlar a nuestros adolescentes «por su bien» con una larga lista de normas, pero no es así. A medida que pasan los años, se hacen más listos y hábiles a la hora de saltarse nuestras normas sin ni siquiera darse cuenta. Esto forma parte de su evolución. Debemos aceptar nuestra pérdida de poder a medida que nuestros hijos avanzan hacia una mayor autonomía e independencia. Si nos resistimos a este proceso y tratamos de mantener el control, sólo lograremos condenarnos a nosotros y a ellos a interminables batallas y a sentimientos de rechazo.

No obstante, es posible mantener una gran influencia sobre nuestros hijos durante toda su adolescencia, hasta que alcancen los primeros años de madurez. Esta influencia es fruto de nuestra relación con ellos, e incluso de nuestra capacidad de comprender y hablar abiertamente de los problemas. Es una calle de dos direcciones: cuanto más escuchemos con respeto a nuestros adolescentes, más nos escucharán ellos respetuosamente a nosotros.

Nuestra relación debe evolucionar a su ritmo a lo largo de esos años y responder al creciente afán de independencia de nuestros hijos. En ocasiones será difícil para nosotros como padres aceptar de buena gana que debemos dejarles libres, pero eso es justamente lo que debemos hacer durante estos años. Por supuesto, no queremos renunciar a nuestro

control sobre ellos, más aun cuando creemos que los protege-
mos. A veces nos cuesta comprender que nuestros hijos —parece que fue «ayer» cuando aprendieron a montar en bicicleta— son capaces de valerse por sí mismos en el mundo real.

El lapso de tiempo entre la infancia y la adolescencia es
una etapa decisiva para ellos, pero no para nosotros. Incluso
podemos negar que nuestros «bebés» están creciendo, porque eso significaría reconocer que nosotros también nos hacemos mayores. Pero tanto si nos percatamos de ello o no, lo
reconozcamos o no, nuestros adolescentes evolucionan rápidamente hacia la madurez, aprendiendo a conducir, ga-
nándose el sustento y alcanzado su libertad. Su futuro les llama, mientras que a veces nosotros nos quedamos atascados
en el pasado, tratando de recuperar el tiempo pegando las
fotos de nuestros hijos cuando eran bebés en los álbumes familiares.

El arte de ejercer de padre de un adolescente es una sutil
danza entre nuestra necesidad de aferrarnos a ellos y controlarlos y su necesidad de ser libres e independientes. Si
tratamos de coartar su libertad con demasiadas normas, sólo
crearemos un campo de batalla para su rebeldía. La gracia
está en compensar su creciente libertad con una mayor responsabilidad y avanzar juntos airosamente, paso a paso, con
su creciente madurez.

Anton, un chico de quine años, quería asistir a un concierto de *rock* con sus amigos, uno de los cuales tenía edad
para conducir. Sus padres sabían que durante el concierto
circularían drogas y alcohol y se negaron categóricamente a
dejarle ir. Por más que Anton rogó y suplicó, sus padres se
mostraron inflexibles en su decisión y sordos a sus súplicas.

Al cabo de unos meses Anton quedó con un amigo para ir
a dormir a su casa. Sus padres no dudaron en darle permiso:
era fin de semana y conocían al chico y les caía bien. Esa noche, los chicos asistieron a un concierto de *rock*. Se lo pasaron en grande, y los padres de Anton nunca se enteraron.

Los adolescentes son extraordinariamente hábiles a la hora de saltarse las normas impuestas por sus padres. Es imposible que sepamos en todo momento dónde están, con quién y qué hacen. Si tratamos de controlarlos con normas inflexibles que no admiten discusión desaprovecharemos la oportunidad de comunicarnos con ellos sobre los temas realmente importantes.

En este caso, tanto Anton como sus padres salieron perdiendo. Habría sido mejor que hubieran llegado a un pacto cómodo para ambas partes en lugar de inducir a Anton a engañarles con su intolerancia. De vez en cuando conviene recordar que es más importante que mantengamos una comunicación abierta con nuestros adolescentes que ejercer un control sobre ellos.

Los padres de Anton pudieron haberse ofrecido para llevar en coche a los chicos al concierto y de regreso a casa, o Anton pudo haber prometido mantenerse en contacto con sus padres a través del móvil. Esto al menos habría dejado abierta la posibilidad de que Anton compartiera con sus padres la experiencia del concierto, así como sus propias observaciones y decisiones sobre el consumo de drogas y alcohol. Pero como terminó engañándoles, a partir de ahora tendrá que tratar de resolver los problemas complicados que se le planteen por sí solo, sin la ayuda y los consejos de sus padres.

El propósito de las normas

A algunos nos cuesta aceptar el hecho de que ejercemos escaso control sobre nuestros hijos adolescentes. Si reaccionamos a esto endureciendo las normas, convirtiéndonos en detectives, fisgando en sus habitaciones y castigándolos cuando les «pillamos» cometiendo alguna trastada, ¿cómo incidirá eso en nuestra relación con nuestros adolescentes? ¿Conseguiremos con eso protegerlos?

Las normas sirven para ayudar a nuestros adolescentes a tomar decisiones acertadas, sobre todo en situaciones potencialmente peligrosas. Dado que, por lo general, no estaremos presentes para protegerlos en los momentos críticos, su suerte depende de su capacidad de tomar por sí mismos decisiones acertadas. Confiamos en que sean lo suficientemente fuertes e independientes para analizar los pros y los contras de una situación; sopesar los riesgos y los beneficios y valorar el resultado inmediato frente a las consecuencias a largo plazo, y que tomen las decisiones acertadas. Imponer a nuestros hijos normas autoritarias no les ayudará a desarrollar este nivel de madurez. Sólo podemos influir en nuestros adolescentes si mantenemos una comunicación abierta con ellos. Sólo a través de su relación con nosotros, de que les escuchemos con atención y les guiemos con cariño, conseguirán los adolescentes aprender paulatinamente a tomar ellos mismos decisiones acertadas.

Karen, una joven de dieciséis años, por fin aprobó el examen de conducir, después de haber suspendido dos veces la prueba de aparcar en paralelo. Todos sus amigos quisieron celebrarlo yendo a dar un paseo en coche con ella, pero los padres de Karen impusieron la norma de que no podía conducir acompañada por otros chicos hasta que pasaron tres meses como mínimo.

Karen y sus padres habían hablado sobre las razones de esa norma, puesto que conducir llevando a unos amigos en el coche podía distraerla, una situación peligrosa para una conductora sin experiencia. Karen comprendía el punto de vista de sus padres, pero no quería defraudar a sus amigos y creyó que podría resolver la situación. Sus padres le propusieron dar juntos una vuelta en coche para comprobar cómo reaccionaba a las distracciones cuando iba sentada al volante. Mientras se dirigían hacia el centro comercial, su padre encendió la radio, contó algunos chistes e hizo comentarios jocosos sobre los ocupantes de otros coches. La madre le preguntó qué vestido se pondría para el próximo baile en el instituto y los dos padres cuchichearon y se rieron entre sí. Después de casi saltarse un semáforo, Karen se detuvo junto al bordillo, visiblemente asustada.

—Vale —dijo volviéndose hacia sus padres, sin saber si enojarse con ellos o consigo misma—. Habéis ganado.

—No se trata de ganar, sino de evitar riesgos —respondió su madre—. Ningún conductor puede soportar tantas distracciones, y nos consta que tus amigos te distraerán mucho más que nosotros.

—Y ahora hay poco tráfico —apostilló el padre, nervioso—. ¿Imaginas lo que sería conducir en hora punta con el coche lleno de amigos?

Cuando sus amigos volvieron a proponerle dar un paseo en coche, Karen se negó, pero en esta ocasión la decisión la había tomado ella y no sus padres. Aunque ellos le procuraron una cómoda salida, Karen prefirió decir a sus amigos que sus padres se lo habían prohibido que confesarles que no estaba preparada para sentarse al volante con el coche lleno de chicos. En este caso, la norma de sus padres proporcionó a Karen la protección adicional que necesitaba para no sufrir un accidente y el plazo de tiempo necesario para convertirse en una conductora más experimentada.

Dejar espacio para la negociación

Cuanto más capaces sean nuestros adolescentes de participar en la elaboración de normas, más probabilidades habrá de que las sigan aunque no estemos presentes para aplicarlas. Las mejores normas son fruto de una comunicación abierta entre los padres y el adolescente, pues son pactos que todos están dispuestos a acatar. El hecho de comprender el punto de vista del otro y aclarar los conceptos profundamente arraigados contribuye a que tanto los padres como el adolescente sepan a qué atenerse.

Este proceso de comunicación incluye un elemento de negociación entre los padres y el adolescente, un auténtico reparto de poder que reconoce la perspectiva del adolescente al tiempo que respeta la firmeza del papel parental. Los padres y el adolescente deben saber que las normas son flexibles y susceptibles de ser revisadas, según cómo evolucione la situación a lo largo del tiempo, y que tendrán en cuenta y respetarán la creciente independencia y la madurez del adolescente. Cuando ambas partes acuerdan las normas, éstas funcionan como una red de seguridad y protegen al adolescente de innecesarios peligros y a los padres de preocupaciones innecesarias.

Michael, un chico de catorce años, quiere que sus padres le dejen salir hasta las doce de la noche, pero el toque de queda es a las once. Como cree que tiene más probabilidades de convencer a su padre, le comenta el tema una noche que regresan a casa después de un entrenamiento de baloncesto.

—A veces la película es más larga de lo normal y no sales del cine hasta las diez y media, y todos van a comerse un bocata, pero yo no puedo porque tengo que ir directamente a casa —se queja Michael.

Su padre le escucha con atención, y le comprende.

—Sé que no quieres dejar de salir con tus amigos y que te fastidia marcharte cuando la velada aún no ha terminado. Dime, ¿cuántas veces sales del cine más tarde de lo habitual? —pregunta, sabiendo que por lo general la sesión termina a las nueve y media.

—De vez en cuando —reconoce Michael.

—¿Qué te parece si averiguas a qué hora termina la sesión y cuando la película sea más larga de lo normal, ampliamos la hora en que debes regresar a casa? —le propone su padre. Está dando a Michael una mayor responsabilidad, asignándole la tarea de informarse del horario del cine y ofreciéndole al mismo tiempo mayor libertad.

—Sí, podría hacerlo. Pero todos los chicos regresan a casa más tarde que yo —dice Michael, que quiere conseguir más.

—Ya lo sé —responde su padre—. Les he visto en la calle frente al restaurante. No quiero que andes por las noches con un grupo de chicos que no tienen nada que hacer. Así es como los chicos se meten en problemas.

Michael sabe que ha conseguido todo lo que puede conseguir de su padre en este asalto, pero también que puede volver a plantear el tema más adelante. Sabe que su padre tiene ideas firmes sobre ciertas cosas, como salir de noche hasta tarde; también sabe que siempre está dispuesto a ir a recogerlo y a acompañar también a sus amigos a casa. De modo que decide dejar el tema de momento, ya que quizá pueda salir hasta más tarde cuando sea algo mayor.

En esta conversación, el padre de Michael ha reconocido lo que es importante para él, ha respetado la creciente capacidad de su hijo para organizarse de forma responsable y ha revisado una norma, concediéndole cierta flexibilidad y manteniendo unos límites precisos y sensatos. Mientras Michael crea que puede influir en su padre, seguirá planteando estas conversaciones. Cuando los adolescentes se sienten impotentes con respecto a la toma de decisiones familiares, empiezan a buscar el medio de saltarse las normas.

Buscar pelea

Diana, una chica de trece años, tenía que ordenar su habitación antes de salir los fines de semana. Su madre le había explicado esta norma a su hija más de una vez.

—No insisto en que te ocupes de tu habitación los días que vas al instituto, cuando estás demasiado ocupada para ordenarla. Pero cuando llega el fin de semana, ya no lo soporto. Creo que es justo que tú limpies tu habitación el viernes por la tarde.

Lamentablemente, era una norma unilateral, impuesta

por la madre. Diana no había accedido a ella. Así que, inevitablemente, los viernes después del instituto Diana siempre hallaba un motivo para librarse de esa obligación. Iba a casa de una amiga, se quedaba en el instituto para asistir a un partido de fútbol o iba a dar una vuelta por el centro comercial. Esa norma no funcionaba, y la irritación de la madre aumentaba cada semana.

Diana comprendía que era importante para su madre que limpiara su habitación, pero no lo era para ella y opinaba que debía tener su habitación como a ella le gustaba: desordenada.

—Ésta es mi casa —le dijo su madre por enésima vez cuando Diana expresó su opinión—. Y mientras vivas bajo mi techo, cumplirás mis normas.

De modo que cada jueves por la tarde, Diana ocultaba todos los objetos desperdigados por el suelo debajo de la cama y dentro del armario. Cuando su madre iba a echar un vistazo la felicitaba por el impecable estado de su habitación. Al cabo del tiempo, lógicamente, a medida que a Diana le resultaba cada vez más difícil hallar ropa limpia y otras cosas que necesitaba, se hizo evidente que esta norma no satisfacía ni a su madre ni a ella.

Para que las normas sean eficaces tienen que basarse en un consenso, un acuerdo mutuo y la voluntad de cumplirlas. Sin estos elementos, todos los castigos del mundo no conseguirán que un hijo adolescente colabore. Nuestros adolescentes se niegan a obedecer ciegamente una norma sólo «porque nosotros se lo ordenamos». Lo retrasan, alegan pretextos absurdos, «se olvidan», hallan la forma de hacer cosas a nuestras espaldas o sencillamente nos plantan cara.

Cuando una norma no funciona, debemos examinarla y quizá sustituirla por otra. Al comentar la situación con nuestro hijo adolescente, conviene formularle las siguientes preguntas: ¿Qué debemos hacer? ¿Cómo nos gustaría resolver esto? ¿Cómo podemos lograrlo?

Las cosas mejorarán mucho si, durante buena parte de esta conversación, los padres escuchan en lugar de hablar. Es inútil fingir que nos comunicamos con nuestros hijos cuando en realidad les estamos riñendo, sermoneando o tratando de controlar su conducta. Todos sabemos que nuestros hijos son supersensibles a estos intentos de controlarlos y que reaccionan poniéndose a la defensiva o mostrándose rebeldes.

Un día la madre de Diana decidió adoptar otro enfoque.

—¿Cuándo te gustaría limpiar tu habitación? —le preguntó.

—Me gustaría hacerlo una vez al mes —respondió Diana—. Y prefiero hacerlo cuando me apetezca, por ejemplo, un domingo por la tarde que esté lloviendo.

—Ya —contestó su madre. De pronto comprendió que era preferible dejar que fuera Diana quien decidiera el día y la hora que debía limpiar su habitación, y emitió un suspiro de resignación.

—Tú tienes el resto de la casa. Yo quiero tener mi pequeño rincón de la casa como a mí me apetezca —prosiguió Diana.

Su madre asintió con la cabeza.

—Tienes razón —dijo—. De acuerdo. Respetaré tu derecho a mantener tu habitación como quieras siempre y cuando tú respetes mi derecho a tener el resto de la casa limpia y ordenada, sin tus cachivaches diseminados por todas partes.

—¿Te refieres a mis preciosas pertenencias? —preguntó Diana en son de guasa.

—Eso, tus preciosas pertenencias —respondió su madre echándose a reír.

—Vale —dijo Diana sonriendo.

Durante los meses siguientes, el resto de la casa adquirió un aspecto mas pulcro mientras la habitación de Diana aparecía cada vez más desordenada. La madre tenía que hacer grandes esfuerzos para pasar por alto el estado de la habitación de su hija y morderse a menudo la lengua cuando la tentación de hacer un comentario crítico era casi irresistible. Por fin Diana comprendió por sí misma que no podía seguir viviendo en aquel caos y decidió remozar su habitación. Se deshizo de muchos objetos viejos e inservibles y reorganizó su armario ropero. Clavó pósters nuevos y colgó unas lucecitas navideñas, enlazadas con flores de seda, alrededor de las ventanas y la puerta. La habitación era claramente su obra maestra. A su madre no le entusiasmó que clavara chinchetas en las paredes, pero comprendió que era un pequeño precio que pagar. Se sentía orgullosa de los esfuerzos de Diana por diseñar su espacio personal, aunque a juicio de su madre en ocasiones aún estaba demasiado desordenado.

El estado de la habitación de un adolescente es un excelente tema para que los padres demuestren su flexibilidad y respeten el derecho de su hijo a decidir por sí mismo. En última instancia, el estado de una habitación carece de importancia comparado con los grandes problemas de la adolescencia: drogas, alcohol, conducir y sexo. Debemos renunciar a nuestro afán de controlar a nuestros adolescentes en estas cuestiones nimias y concentrarnos en las más importantes.

Por lo general, conviene que reprimamos nuestro deseo de «microdirigir» a nuestros adolescentes. Cuando estamos demasiado implicados en los pormenores de la vida de nuestros hijos, y no dejamos que hagan las cosas a su modo, les estamos «microdirigiendo». Nos excedemos cuando nos mostramos demasiado exigentes acerca de lo que dicen, de su apariencia o de su forma de vestir. A veces nuestras expectativas con respecto a nuestros hijos actúan como normas no pactadas, lo cual coloca a nuestros hijos en un dilema, porque es difícil mantener una comunicación cuando no se habla de las normas. Es como pelear contra un enemigo invisible.

Nuestros hijos saben cómo hacernos comprender que les controlamos excesivamente. «Ocúpate de tus cosas», «déjame en paz» o «dame un respiro» son algunas de las frases con las que nos indican que estamos demasiado encima de ellos. Cuando oigamos esas palabras, a menos que se trate de un asunto de vital importancia, haríamos bien en dar un paso atrás y replantearnos si el tema merece que nos peleemos con nuestros hijos.

¡No me atosigues!

Atosigar es uno de los síntomas más frecuentes de la microdirección y una costumbre habitual de los padres, aunque todos sabemos que no funciona. En ocasiones debemos hallar medios sutiles de recordar a nuestros adolescentes que existen responsabilidades importantes que es preciso cumplir, pero atosigarles no es la forma de conseguirlo.

Bill, de dieciséis años, quería inscribirse en un programa especial de ciencias informáticas durante el verano. Consciente de que se aproximaba la fecha límite para hacerlo, su madre le preguntó si necesitaba que le firmara la solicitud. Bill respondió con un murmullo ininteligible y su madre dejó el tema, pese a la tentación de seguir interrogándole. «¿Has hecho...? ¿Te has ocupado...? ¿Cuándo presentarás...?» No obstante, no quiso que su hijo cometiera un error del que se lamentaría más tarde, de modo que al cabo de un par de días intentó otro enfoque.

—No me gustaría que perdieras esta oportunidad de participar en ese cursillo de verano —le dijo—. Sé que te hace ilusión aprender más cosas sobre programación.

Esto le dio a Bill la ocasión de comportarse responsablemente antes de que fuera demasiado tarde, o de comunicar a su madre que ya no le interesaba seguir ese cursillo.

Cuando se trata de asuntos menos importantes, es mejor reírse y dejarlo correr. Cuando Greg, un chico de quince años, regresó a casa después de pasar la noche en casa de un amigo con el pelo recién teñido de color rojo vivo, su madre se quedó tan horrorizada que no supo qué decir. Cuando por fin pudo articular palabra, dijo sin perder los nervios:

—Supongo que acabaré acostumbrándome, aunque debo decir que me gusta más tu color de pelo natural.

No obtuvo respuesta de Greg, pero su madre era demasiado inteligente para provocar una confrontación. Comprendió que el color de pelo no era un tema tan importante y que en pocos años Greg se daría cuenta de qué era lo que le sentaba mejor. Su madre sabía que al respetar el derecho de Greg a elegir por sí mismo su estilo, era más probable que él respetara la decisión que ella tomara en temas importantes. Al pasar por alto las nimiedades, reconocemos el derecho de nuestros adolescentes a experimentar y descubrir sus propias decisiones. Esto forma parte del desarrollo de un adolescente y constituye una tarea de gran importancia.

Ayudar a nuestros adolescentes a tomar decisiones acertadas

En última instancia, el propósito de establecer normas externas es ayudar a nuestros adolescentes a desarrollar sus propias normas internas, de forma que las decisiones que tomen provengan de su interior, no de presiones externas. Aprender a guiarse desde el interior, ser capaz de tomar decisiones acertadas, independientemente de las normas parentales y, lo que es más importante, independientemente de la presión de los compañeros, es un proceso paulatino. Nuestros hijos necesitan que estemos allí, presentes pero en un discreto segundo plano en la medida de lo posible, mientras aprenden a tomar por sí mismos las decisiones que más les convienen.

Los padres de Roger no fumaban y tenían muy claro que no querían que Roger adoptara un hábito tan nocivo. La influencia que ejercían sobre su hijo era lo suficientemente poderosa como para que Roger resistiera la presión de sus compañeros y la facilidad con que podía conseguir tabaco hasta más o menos los quince años. Entonces, a medida que la presión de sus compañeros aumentaba, Roger empezó a desear probar un cigarrillo sólo una vez, puesto que muchos amigos suyos ya había empezado a fumar sistemáticamente.

Aunque los padres de Roger no sabían que había empezado a fumar, habían observado que otros chicos de su clase sí lo hacían. De modo que hablaron de ello con él.

—El otro día vi a Ned y a Curt en el centro —comentó su padre sin darle mayor importancia—. Estaban fumando.

—Ya lo sé —dijo Roger—. ¿Qué hicieron cuando les pillaste fumando?

—Bueno, a mí no me incumbe «pillarles fumando» —respondió su padre—, pero al saludarme escondieron sus cigarrillos a la espalda.

—Lamento que hayan empezado a fumar —terció la madre de Roger—. Es muy difícil perder el hábito cuando has empezado.

Roger guardó silencio, sin duda confiando en que sus padres cambiaran de tema.

Entonces su padre corrió un riesgo calculado.

—¿Sabías que yo había fumado? —le preguntó a Roger.

—¡No! —contestó Roger, sorprendido y aliviado de dejar de ser el centro de la conversación.

—Pues sí, un verano empecé a fumar y cuando se inició la temporada de baloncesto comprendí que tenía un problema. No conseguía ponerme en forma. De modo que lo dejé, de golpe. Fue bastante duro.

Después de esa conversación, Roger empezó a fijarse en los chicos que fumaban y en los que no. Observó que la mayoría de los atletas no fumaban, y que no lo hacía ninguno de los mejores. Roger decidió que él tampoco quería empezar a fumar.

Las decisiones realmente importantes, las que alterarán el curso de la vida de nuestros adolescentes, provendrán de su interior. Nosotros podemos sentar las bases, dándoles nuestro apoyo, compartiendo con ellos nuestros valores, creando normas que les sirvan de guía y comunicándonos con ellos en los temas importantes, pero en última instancia ellos mismos decidirán lo que quieren hacer. Muchas de esas decisiones las tomarán cuando salgan con sus amigos, cuando no podamos controlarlos. Debemos procurar que se sientan lo bastante seguros de sí mismos para resistir la presión de sus compañeros y afirmar su derecho a decidir por sí mismos. La capacidad de nuestros adolescentes de guiarse desde su interior, para reflexionar y llegar a sus propias conclusiones, independientemente de lo que hagan sus amigos, es lo que marcará de forma decisiva sus vidas.

Las normas deben evolucionar con el adolescente

A medida que nuestros adolescentes maduran y se hacen más responsables, nuestras normas deben ser lo suficientemente flexibles para reflejar la creciente independencia de nuestros hijos. Conviene tener presente que nosotros también debemos mostrarnos flexibles, pues con frecuencia somos los últimos en darnos cuenta de que nuestros hijos se hacen mayores. Esto se debe en parte a que la imagen que tenemos de ellos tiende a no evolucionar en ciertos aspectos, y en parte porque suelen reservar su peor comportamiento para nosotros.

Cuando Sally tenía quince años perdió la tarjeta de crédito de sus padres y temía decírselo. Por supuesto, sus padres se enteraron tan pronto como recibieron la factura con una lista de misteriosas compras y tuvieron que hablar con la policía y con el banco. A partir de entonces, los padres de Sally insisten en que pague todas sus compras al contado. Sally, que ahora tiene diecisiete años, ha empezado a viajar sola para visitar los campus de varias universidades y es una chica mucho más responsable.

—¿Sabéis una cosa? —les comenta con naturalidad una noche a la hora de la cena—. Creo que debería tener mi propia tarjeta de crédito.

Sus padres se miran, recordando el desastre ocasionado por la pérdida de la tarjeta de crédito.

Pero Sally prosigue sin dejarse amedrentar:

—Ya sé lo que estáis pensando, pero en los últimos dos años he aprendido a ser más responsable. Dentro de poco iré a la universidad y necesito mi propia tarjeta de crédito.

—Todavía faltan diez meses para que vayas a la universidad, Sally —se apresura a decir su madre.

—No se trata de eso —replica ella—. Soy una persona distinta a cuando perdí vuestra tarjeta. Comprendo que es preciso notificar cuanto antes la pérdida de una tarjeta. Y podéis fijar un límite.

Su madre y su padre no saben qué decir. Sally es una persona distinta, pero ellos no. Dos años a ella le parecen una eternidad, pero para sus padres parece que fue ayer. Tienen que ponerse al día y empezar a ver a su hija con ojos distintos.

Por fin su padre rompe el silencio.

—Danos una noche para hacernos a la idea y mañana volveremos a hablar de ello —dice.

Sally sonríe. Sabe que está preparada para obtener una mayor independencia, y confía en que sus padres lo comprendan también.

Nuestros adolescentes suelen madurar de golpe, como cuando eran unos niños pequeños y pasaban, casi de la noche a la mañana, de balbucir a articular frases completas. Un mes nuestros adolescentes se quejan disgustados: «No lograré aprobar este examen», y al mes siguiente empiezan a estudiar para ser voluntarios de urgencias médicas, aprendiendo a asistir a una parturienta o a una víctima de un ataque al corazón. Nosotros no cambiamos a un ritmo tan espectacular, y con frecuencia no nos fijamos en los cambios repentinos que dan. Debemos ser conscientes y sensibles a los saltos en el desarrollo de nuestros adolescentes para estar al día en su creciente capacidad de afrontar una mayor responsabilidad. Y nuestras normas deben ser lo bastante flexibles para que se ajusten a esas circunstancias nuevas. A menudo son ellos los que nos recuerdan que están preparados para asumir una mayor responsabilidad. Cuando lo hagan debemos escucharles con respeto y tener en cuenta que quizá no estemos prestando la debida atención a su rápido crecimiento.

Ayudar a nuestros adolescentes a aprender a gestionar la libertad

Los adolescentes son rebeldes por naturaleza. Ponen constantemente a prueba los límites, buscando la forma de saltarse las normas. Forma parte del desafío que representa la adolescencia. Y seamos sinceros, ¿no es cierto que algunos de los recuerdos más entrañables de nuestra adolescencia se refieren a la forma en que nos saltábamos las normas? ¿Cómo nos subíamos la falda antes de entrar en la escuela? ¿Cómo nos quitábamos una camisa dos tallas más grande para mostrar la camiseta ceñida que llevábamos debajo? ¿Cómo entrábamos y salíamos sigilosamente de nuestra casa sin despertar a nuestros padres? ¿O las locuras que cometíamos por pura diversión?

Pero algunas situaciones, que por lo general tienen que ver con la salud y la seguridad, son más serias. Cuando un adolescente rompe sistemáticamente ese tipo de normas, con frecuencia es un grito de auxilio. Me refiero a los chicos que hacen novillos continuamente, que tienen problemas con la policía, que se exponen ellos mismos o a otras personas a sufrir un percance. En estas situaciones, los padres deben solicitar la ayuda de un profesional que les ayude a comprender qué ocurre y hallar la forma de ayudar a sus hijos adolescentes.

Por desgracia, no siempre está claro cómo podemos ayudar a un adolescente con problemas. Los profesionales no tienen forzosamente la respuesta a todas las situaciones, lo cual hace que los padres se sientan confundidos y abrumados. A veces no existen pautas para las familias, y los padres no saben si seguir tratando de ayudar a un adolescente por las buenas o recurrir a métodos más severos y retirarle su apoyo. Incluso los profesionales pueden ofrecerles consejos dispares. Lo más tremendo es que a veces no funciona nada y la situación desemboca en tragedia. Por fortuna, en la mayoría de los casos el adolescente madura un poco y empieza a recobrar la sensatez antes de que las consecuencias sean demasiado graves. No siempre sabemos qué factor influye de manera decisiva en la situación. No obstante, el porcentaje de adolescentes que se meten en graves apuros es muy pequeño comparado con la mayoría que atraviesan la adolescencia sin mayores problemas y se convierten en adultos de provecho.

En el otro extremo están los adolescentes que parecen «demasiado buenos». Siempre dóciles y obedientes, pasan buena parte del tiempo solos o con la familia. Estos adolescentes no aprovechan el aprendizaje social que ofrece la adolescencia. Muchos de ellos tienen problemas más tarde, cuando se marchan de casa y se convierten en jóvenes demasiado aislados o demasiado desenfrenados.

En el instituto, Mary era una adolescente tímida y estudiosa. Su familia estaba muy unida y sus padres eran muy estrictos. Cuando Mary se trasladó a la universidad, donde no había reglas ni una vigilancia por parte de adultos, cambió radicalmente. Por primera vez en su vida empezó a asistir a fiestas, pero no estaba acostumbrada a afrontar la presión de sus compañeros ni a ingerir bebidas alcohólicas. Cuando llegó el día de Acción de Gracias Mary había perdido el control por completo y en las vacaciones de invierno recibió una suspensión disciplinaria de la universidad.

Por suerte para Mary, sus padres se mostraron más preocupados que enojados. La escucharon cuando les contó lo ocurrido durante los primeros meses en la universidad, una época en la que había tenido que desenvolverse sola por primera vez. Juntos decidieron que el próximo semestre Mary viviría en casa y asistiría a una universidad cercana. Acordaron que dispondría de la misma libertad que había tenido cuando residía en el campus universitario, pero que la ayudarían a que ella misma se impusiera unos límites para poder llevar a cabo sus estudios académicos. El hecho de vivir aquel semestre en casa de sus padres dio a Mary la oportunidad de aprender a equilibrar su vida. Sus padres no coartaron su libertad, pero su presencia y comunicación diaria la ayudaron a mantenerse centrada y aprender a manejar su nueva independencia.

Compartir nuestros valores

Los adolescentes no aprenden valores a partir de normas. Aprenden valores porque les hablamos sobre los principios en los que creemos profundamente y ven que vivimos de acuerdo a estos principios. No basta imponer la norma de no beber alcohol: ellos nos observan para comprobar si nosotros mismos consumimos alcohol o drogas.

Debemos mantener con ellos muchas charlas sobre el alcohol a lo largo de los años, llevando poco a poco la conversación a un territorio más serio a medida que nuestro hijo madura. Debemos empezar a hablar acerca de conducir bebido varios años antes de que empiecen a conducir. Debemos empezar a hablar sobre las fiestas en que se consume alcohol y se practica el sexo antes de que empiecen a asistir a las fiestas de adolescentes. Debemos procurar que sepan con claridad lo que opinamos sobre el hecho de beber alcohol en general, y en concreto sobre el hecho de que ellos beban. Debemos procurar que hablen con nosotros sobre lo que opinan cuando ven a otros chicos y personas adultas tomar bebidas alcohólicas. Ante todo, debemos procurar que acudan a nosotros para hacernos preguntas mientras toman sus propias decisiones sobre el hecho de consumir alcohol, drogas y conducir un vehículo. Decir «no» al alcohol o a las drogas no es sino un paso en un determinado momento de un proceso que se prolonga a lo largo de muchos años y depende de nuestra capacidad de escucharles. Nosotros influimos en nuestros adolescentes a través de nuestra relación con ellos y de una comunicación abierta.

Sarah, una joven de diecisiete años, se arregla apresuradamente para asistir a una fiesta. Cuando se dirige hacia la puerta su padre se despide de ella con un rápido abrazo.

—Sabes que siempre estoy dispuesto a ir a recogerte en coche —le recuerda cuando Sarah se dispone a salir—. No te subas a un coche si el que conduce ha bebido.

—Ya lo sé, papá —responde Sarah devolviéndole el abrazo, procurando no estropearse el maquillaje.

—Y también acompañaría a tus amigos a sus casas —añade su padre—. No os preocupéis por los coches. Ya nos ocuparemos de eso más tarde.

Sarah se detiene y mira a su padre sonriendo.

—¿Recuerdas la noche que viniste a recogernos a Annie y a mí a casa de Roger?

—Por supuesto —contesta su padre—, y menos mal que lo hice.

—Gracias, papá —dice Sarah—. Si te necesito te llamaré.

No basta con explicar a nuestros adolescentes que no deben conducir si beben alcohol. Debemos ofrecerles una alternativa sencilla y clara para las situaciones de riesgo. Con frecuencia esto significa estar dispuestos a sacrificarnos por ellos. Nuestros adolescentes aprenden de nuestra conducta, no de nuestros sermones. Con nuestra capacidad y voluntad de arroparlos, sobre todo cuando supone molestarnos en ir a recogerlos a horas intempestivas de la noche, les mostramos que les queremos. Ofreciéndoles continuamente cariño, tiempo y esfuerzos afianzamos las normas acordadas por ambas partes. Nuestros adolescentes aprenden sus valores al observar lo que hacemos, y por el ejemplo que les damos.

La eterna historia de Romeo y Julieta

Existe un motivo por el que esta historia de amor tiene una vigencia de siglos. Es la clásica historia de unos padres que se entrometen en la pasión romántica de sus hijos adolescentes y propician el desastre. Por más que lo sabemos, nos negamos a observar con los brazos cruzados cómo nuestros adolescentes salen con un grupo de chicos que no nos gustan o se enamoran de unas personas que ejercen una influencia negativa en ellos.

Todos sabemos que el hecho de insistir en demasiadas normas en estas situaciones sólo sirve para reforzar la resistencia de nuestros adolescentes, además de añadir romanticismo y dramatismo a su sensación de «nosotros contra ellos». Queremos vigilar y proteger las vidas de nuestros adolescentes, pero no podemos controlarlos, y debemos respetar su derecho a tomar sus propias decisiones. Es el típico dilema en el que se encuentran todos los padres durante la adolescencia de sus hijos.

¿Cuál es la solución a este conflicto? Lamentablemente, no existe una sola respuesta. Depende de la situación y de la familia, y a veces, por desgracia, nada funciona. Entonces lo único que podemos hacer es confiar en que la creciente madurez de nuestros hijos resuelva el problema.

Lorrayne, una muchacha de dieciséis años, estaba enamorada. El chico era tres años mayor que ella; había abandonado los estudios en la universidad y vivía en casa de sus padres a la espera de conseguir algún trabajo. Los padres de Lorrayne, los dos médicos, no estaban contentos con esa situación. Confiaban en que a su hija se le pasara rápidamente el enamoramiento y que no se quedara en estado o se fugara con ese chico. Les preocupaba que la relación durara hasta el otoño y perjudicara los estudios de Lorrayne. Habían empezado a observar que dedicaba demasiado tiempo y esfuerzos en ocuparse de su novio, tratando de fomentarle una mayor seguridad en sí mismo. No querían que cayera en la trampa de sacrificar su persona y sus ambiciones para cuidar de un alma extraviada.

Lo que preocupó más a los padres de Lorrayne fue el hecho de que su hija se pasara casi todo el verano en casa de los padres de su novio. Los jóvenes intuían que sólo los padres de él aceptaban su relación y se sentían más a gusto con ellos que con la familia de Lorrayne. Ella empezó a comentar en su casa lo moderna que vestía la madre de su novio o las frases ingeniosas que pronunciaba el padre. Hasta llegó a decir que se sentía más a gusto con los padres de él, porque eran más desenfadados y tolerantes que los suyos, que se mostraban estrictos y rígidos. Los padres de Lorrayne tuvieron la impresión de que perdían a su hija.

A los amigos de Lorrayne tampoco les gustaba el novio que ella había elegido, ni la cantidad de tiempo que pasaba con él. Pero se abstuvieron de decírselo, porque no querían que Lorrayne se enfadara con ellos. No obstante, en un momento de exasperación o en un arrebato de sinceridad, una de sus amigas le dijo por fin a Lorrayne lo que sus padres no se hubieran atrevido a decirle jamás:

—¿Por qué pasas tanto tiempo con ese tío? ¡Es un perdedor!

Lorrayne le contó a sus padres lo que le había dicho su amiga porque ya había decidido romper con el chico, y porque sus padres se habían abstenido de manifestar su opinión. Ella sabía que el chico no les caía bien, pero no habían organizado un drama al respecto ni la habían obligado a defenderle. Cuando Lorrayne les dio la noticia, sus padres tuvieron la prudencia de disimular su alivio, pero la felicitaron por haberse comportado con sensatez.

Ésta es una de las situaciones más clásicas y peliagudas en que se pueden encontrar los padres de adolescentes. Es cuando comprendemos con toda claridad el escaso control que ejercemos sobre nuestros hijos, y que podemos perderlos. Lo más difícil de esta situación es que a veces nuestra mejor estrategia es no hacer nada, sobre todo cuando ansiamos hacer algo, lo que sea con tal de atraer a nuestro hijo de nuevo al seno familiar. Lo cierto es que, llegados a este extremo, las normas no funcionan. Nos sentimos relativamente impotentes frente al poder y la pasión del enamoramiento adolescente. No queremos pensar siquiera en el aspecto sexual, aunque hayamos mantenido todas las conversaciones habidas y por haber sobre la necesidad de ser sexualmente responsable y prudente. Cuando comienza una relación amorosa complicada, nuestro único aliado es el tiempo. Sólo podemos confiar en que Romeo y Julieta acaben detestándose a los pocos meses y decidan regresar a sus respectivos hogares. Entonces debemos acogerlos con los brazos abiertos, sabiendo que han adquirido madurez y experiencia.

Confesar que nos hemos equivocado

Si somos sinceros con nosotros mismos, debemos reconocer que rompemos las reglas continuamente. Superamos el límite de velocidad cuando conducimos, hacemos llamadas telefónicas personales en el trabajo, no incluimos las propinas en la declaración de la renta y devolvemos artículos usados afirmando que están por estrenar. También rompemos «normas» más sutiles en el trato con las personas allegadas a nosotros: pasamos por alto aniversarios, olvidamos llamar a casa cuando nos retrasamos, hacemos comentarios hirientes sobre las personas que queremos y perdemos los nervios.

No somos modelos perfectos para nuestros adolescentes, ni es imprescindible que lo seamos. No obstante, debemos reconocer nuestros errores y disculparnos cuando metemos la pata. Piense en la última vez que un policía le detuvo mientras circulaba en coche y le preguntó: «¿Sabe por qué le he hecho parar?» Cuando un policía nos advierte de que hemos cometido una infracción, normalmente lo reconocemos sin mayor problema. Pues bien, debemos hacer lo mismo con nuestros adolescentes cuando «nos pillan *in fraganti*».

El padre llegó tarde a casa una noche para cenar, y al pasar por el garaje observó que el guardabarros del coche de la familia estaba abollado. Su tensión sanguínea y su mal humor aumentaron mientras se dirigía hacia el comedor. Tan pronto como entró, sin hacer ninguna pregunta, arremetió contra Nick, su hijo de dieciséis años, que estaba sentado a la mesa comiendo tranquilamente una abundante ración de puré de patatas. Nick y su madre alzaron la vista sorprendidos. No era normal que el padre perdiera los estribos de ese modo.

—He sido yo —dijo la madre con toda naturalidad, interrumpiendo al padre en plena frase.

—¿Qué es lo que dices? —preguntó el padre mirando a uno y a la otra.

—Que yo he abollado el guardabarros —repitió la madre. Nick sonrió.

El padre no sabía qué decir. De modo que la madre siguió explicando lo ocurrido, que el accidente no había sido culpa suya y que el seguro del otro conductor pagaría la reparación. El padre se fue calmando.

—Así que, papá... —empezó a decir Nick.

—Lo siento. Confieso haber perdido temporalmente la cabeza y haberme precipitado en mis conclusiones —respondió el padre sonriendo cariacontecido.

Nick encajó con elegancia el incidente, satisfecho de poder tomarle el pelo a su padre durante una buena temporada. El padre fue capaz de reírse de sí mismo por «haber perdido la chaveta», sabiendo que en lo referente a su relación con su hijo había salido ganando.

El ejemplo que damos a nuestros adolescentes es nuestra arma más poderosa, y lo bueno es que no tenemos que ser perfectos. No obstante, debemos tener en cuenta nuestras debilidades humanas para no exigirles a nuestros hijos que sean perfectos. El mejor modelo que podemos ofrecerles para que acepten la imperfección humana es responsabilizarnos de nuestras propias faltas y disculparnos respetuosamente.

Hacerles saber que les queremos

No podemos controlar a nuestros adolescentes mediante la imposición de reglas. Pero sí podemos influir en ellos a través de nuestra relación. Esa relación empieza en la infancia y la cultivamos a lo largo de la vida de nuestro hijo. Se basa en todos los momentos en que estamos ahí para arroparlos, y ellos, en su fuero interno, lo saben.

Esos momentos con frecuencia son impredecibles. Quizá cuando se produjo una crisis familiar, una enfermedad o un percance que nos hizo abandonar el trabajo para estar junto a nuestro hijo. Quizás una celebración especial, unas vacaciones o la ceremonia de concesión de un premio en la escuela que no estábamos dispuestos a perdernos por nada del mundo. Pero ante todo es la suma de todos esos momentos: llevarles en coche a la escuela, ir de compras, recoger las cosas después de cenar o ver juntos nuestro programa favorito en la televisión. O esos últimos momentos del día, cuando nuestros hijos se disponen a acostarse y nosotros nos quedamos unos instantes para susurrarles: «Te quiero. Que duermas bien».

Los padres que saben esto están siempre dispuestos a recoger a sus jóvenes hijos adolescentes en el centro comercial después de que hayan ido al cine por la noche y llevar a todos sus amigos a sus casas. Son los padres que se levantan de la cama a la una de la madrugada para compartir con su hijo mayor adolescente una taza de té, para charlar con él cuando llega a casa después de un baile en el instituto. Conocen a los profesores de su hijo y los sueños de éste. Y, de vez en cuando, hasta son capaces de comprar una camiseta o un CD que saben que les gusta.

Si los adolescentes viven con pocas normas, aprenden a ignorar las necesidades de los demás

Las normas contribuyen a guiar las interacciones entre las personas de una familia, una comunidad y el mundo en general. Las normas familiares enseñan a los hijos a reconocer y respetar las necesidades de los demás, y lo que se espera de ellos. Indican a nuestros adolescentes que les queremos y que dependemos de ellos. Si las normas son insuficientes, o demasiado relajadas, les enseñamos a ignorar nuestra necesidad de protegerlos, apoyarlos y guiarlos, y a contar con ellos como miembros que contribuyen al bienestar de la familia.

Si las normas familiares son insuficientes, es más difícil que aprendan a pensar en las necesidades de los demás; los límites son confusos y la responsabilidad dudosa. Necesitamos normas para convivir en familia y que nuestros adolescentes aprendan a tener en cuenta las necesidades de los demás de forma natural y espontánea.

A medida que su mundo se ensancha, los adolescentes deben adaptarse a él, someterse a las pautas legales y sociales de su comunidad y aceptar los límites de la libertad individual. Si los adolescentes aceptan y respetan las normas familiares, es más fácil que obedezcan las reglas de la comunidad. Crecen sabiendo que es importante respetar los derechos y las necesidades de los demás. Esto no siempre resulta fácil para ninguno de nosotros. Al vivir en una nueva comunidad global, aprendemos cómo establecer acuerdos internacionales destinados a proteger a los más vulnerables de la comunidad e incluso al mismo planeta. Las normas nos recuerdan, a todos los niveles, la importancia de tener en cuenta las necesidades de los demás. Debemos proporcionar a nuestros hijos las normas suficientes para que maduren y se conviertan en ciudadanos preocupados por el bienestar de la comunidad y el mundo.

Vivir, trabajar y compartir con los demás

Muchas normas familiares están destinadas a contribuir a que la vida fluya con suavidad en el hogar. Con frecuencia la forma en que abordamos la preparación de la comida y la limpieza constituye un banco de pruebas que demuestra la eficacia de las normas a la hora de ayudar a los miembros de la familia a colaborar. Tal vez esas normas no sean evidentes, porque en muchos casos son tácitas y los miembros de la familia las dan por sentadas. Sólo se hacen evidentes cuando son contrastadas con las normas de otras familias que abordan la cuestión de modo distinto. Algunas normas son tradiciones o simples hábitos, mientras que otras definen roles y responsabilidades. Los miembros de una familia saben lo que pueden esperar de los demás y que pueden contar con ellos. Las normas contribuyen a que todos colaboren con el fin de satisfacer sus necesidades y cumplir con las tareas domésticas.

Tina, una chica de trece años, tiene la responsabilidad de levantarse por la mañana con el tiempo suficiente para llegar a la escuela puntual. Antes de que su madre y ella pactaran esta norma, la madre de Tina tenía que subir la escalera varias veces cada mañana para despertarla, o gritar reiteradamente desde la planta baja para que se levantara. Esto no contribuía a reforzar el creciente sentido de independencia y responsabilidad de Tina, e irritaba mucho a su madre. Esa norma libera a Tina y a su madre de la lucha cotidiana, y da a la chica la oportunidad de ejercer y demostrar una mayor madurez. Asimismo, hace que comprenda que su madre tiene sus propias necesidades, aparte de un montón de cosas que hacer a primera hora de la mañana.

Sin normas, nuestros hijos no podrían aprender a convivir y colaborar con los demás. Aprender a colaborar con otros crea una sensación de confianza en el seno familiar y enseña a los adolescentes una lección vital sobre la forma en que la intimidad y el cariño se traducen de forma práctica a través de lo que hacemos en nuestra vida cotidiana.

La madre de Billy, un muchacho de trece años, hace tiempo que se esfuerza en inculcarle la responsabilidad de dar de comer al perro. Billy obedece sin rechistar cuando su madre se lo recuerda, e incluso se acuerda él mismo de hacerlo de vez en cuando, pero no de forma regular. A su madre le enoja que Billy no se responsabilice de forma que ella y el perro estén seguros de que cumplirá con esa tarea.

—¿Y si yo no te preparara la comida y no pudieras acceder tú mismo al frigorífico? —le pregunta a Billy un día, tratando de hacerle comprender que su perro le necesita.

—Lo sé, mamá. Pero me olvido —protesta Billy. Pero ésa no es una disculpa aceptable. Billy tiene la responsabilidad de acordarse de dar de comer al perro, no sólo de hacerlo cuando su madre se lo ordene.

Billy y su madre escenificarán esta escena varias veces hasta que él comprenda lo que significa que alguien dependa de él. Aprender a responsabilizarse de los demás es un proceso gradual a lo largo del cual se producen fallos inevitables. Y, por supuesto, algunos chicos tardarán más que otros en aprender a comportarse de forma responsable. Por fin Billy aprenderá, con ayuda de su madre, a fijarse en las señales que indican que su perro tiene hambre. Una noche en que se ha olvidado de dar de comer al perro, su madre le llama a la cocina para que observe al animal tumbado junto a su plato de comer, con aspecto triste. Billy se siente muy mal y capta de inmediato el mensaje.

No podemos esperar que nuestros adolescentes acepten un nuevo nivel de responsabilidad de golpe, y es inútil disgustarse con ellos por no hacerlo. Debemos tener presente que es un proceso de aprendizaje y que, de una forma u otra, pueden tardar una década en dominarlo.

Debemos enseñar a los adolescentes a reconocer las necesidades de los demás y el papel que deben asumir para contribuir a satisfacerlas. En este caso, la norma familiar «Billy es responsable de dar de comer al perro» tiene que ver con que Billy aprenda a participar plenamente en la vida familiar, no sólo a echar una mano en los quehaceres domésticos. Su madre tiene que dedicar más tiempo y esfuerzo en controlar que Billy se ocupe del perro que en dar de comer ella misma al animal, pero no se trata de eso. La madre tiene que adoptar de vez en cuando una perspectiva a largo plazo para no acabar rindiéndose y decir «será más rápido si lo hago yo misma». Billy debe aprender a asumir responsabilidades y conviene que se sienta un miembro productivo de la familia. Eso bien merece un esfuerzo.

«Haz el favor de llamarme...»

Cuando las normas son insuficientes, los adolescentes pueden sentirse confusos e indecisos sobre las responsabilidades que deben asumir. Asimismo, puede resultarles más difícil aprender a pensar en las necesidades de los demás y comprender lo que los demás necesitan de ellos. Todos necesitamos unas normas para convivir en familia. Esas pautas enseñan a nuestros hijos a ser considerados y también comprensivos con los demás.

Es muy difícil que nuestros hijos imaginen lo que llegamos a preocuparnos por ellos; por ejemplo, nuestra necesidad de saber dónde están es mucho mayor que su necesidad de llamar para comunicárnoslo. Pero si no establecemos unas normas sobre la obligación de que nos llamen, no sólo no tendremos idea de dónde están, sino que ellos no aprenderán a ser considerados y receptivos a las necesidades de los demás.

«Llama cuando llegues.» «Dime dónde estás.» «Llama si vas a tardar más de quince minutos.» Son peticiones que hacemos a nuestros hijos para que tengan la amabilidad de informarnos: «Haz el favor de decirme dónde estás para que no me preocupe». Debemos hacerles comprender que, cuando les pedimos que llamen, no se trata de coartar su libertad, sino de que tengan en cuenta nuestra necesidad de saber que están sanos y salvos.

Dado que los adolescentes suelen ser egocéntricos, tendremos que mostrarnos muy explícitos sobre esas peticiones. «Si no estás en casa a las once pensaré que te ha ocurrido algo, de modo que si vas a llegar tarde haz el favor de llamar» no es lo suficientemente explícito. Debemos decir: «Llámame si no vas a llegar a casa a las once y cuarto». A veces los adolescentes no saben qué es peor: si llamar y despertarnos o regresar tarde a casa. Como nunca han permanecido desvelados en la cama preocupados por un hijo, no saben lo que eso significa. Dígales exactamente lo que desea que hagan y asegúreles que no deben preocuparse por el hecho de despertarle.

Aunque dejemos muy clara esta norma, es inevitable que un día nos digan «me olvidé» o «no había teléfono para llamarte». O quizá sean sinceros: «No iba a levantarme en mitad de la película para llamarte». Para unos padres que se pasean nerviosos arriba y abajo, consultando el reloj cada dos por tres, procurando no imaginar los destellos de las luces del coche de la policía y la sala de urgencias de un hospital, la cachazuda respuesta de un adolescente de «me olvidé» a veces les hace perder los estribos. En esos momentos conviene recordar que permanecer despiertos hasta altas horas de la noche preocupados por nuestros hijos forma parte de la iniciación de ser el padre de un adolescente, al igual que las noches en vela formaban parte de ser un padre neófito.

Tanto si nuestros adolescentes obedecen nuestras normas «al pie de la letra» como si no, es preferible tener normas que no tenerlas. Éstas inciden en las decisiones que toman nuestros hijos cuando están fuera de casa. Las normas familiares les recuerdan su conexión con nosotros, y que tienen la responsabilidad de mostrarse considerados y llamar a casa.

El coraje de expresar lo que pensamos

No siempre es fácil establecer y mantener las normas. En ocasiones es tentador olvidarnos de ellas, confiando en que nuestros hijos maduren y superen esta fase. No obstante, es preciso tener en cuenta que si no expresamos nuestra opinión cuando una conducta nos parece intolerable, daremos la impresión de que la aceptamos.

Las chicas adolescentes tienen un don especial para mostrarse crueles por medio del «ninguneo». No suelen ser físicamente agresivas, como algunos chicos, pero dado que sentirse menospreciado por los compañeros es el peor castigo que puede sufrir un adolescente, el hecho de burlarse, ignorar o chismorrear sobre otros no es menos cruel.

Un día la madre de Dawn oyó unas risas procedentes del cuarto de estar y se alegró de que su hija quinceañera se divirtiera con su nueva amiga. Entonces oyó a la amiga de Dawn decir:

—La llamaremos y quedaremos con ella para comer, y luego no nos presentaremos.

La propuesta fue acogida con sonoras carcajadas.

La madre de Dawn comprendió inmediatamente lo que ocurría y decidió intervenir. Cuando entró en la habitación ambas jóvenes alzaron la vista.

—He oído lo que os lleváis entre manos y no me gusta —dijo la madre de Dawn.

—¿A qué te refieres? —preguntó Dawn con aire inocente.

—Es cruel llamar a una persona para burlarse de ella —afirmó la madre—. ¿Os gustaría que os lo hicieran a vosotras? ¿Os imagináis cómo os sentiríais?

Se produjo un tenso silencio.

—Hablaremos de ello cuando hayas reflexionado —agregó. Luego salió de la habitación, dejando la puerta abierta para poder oír a las jóvenes y evitar que siguieran tramando más trastadas.

Aquella noche, después de que la amiga de su hija se fuera a su casa, la madre de Dawn reanudó la conversación. Dawn se colocó a la defensiva.

—Venga, mamá, sólo estábamos jugando. Todo el mundo lo hace. ¡No tiene importancia!

—Sí que la tiene, Dawn —insistió la madre sin perder la calma—. La crueldad nunca está justificada, y lo que pensabais hacer era cruel.

La madre de Dawn pudo haber pasado por alto este incidente, para no avergonzar a su hija delante de su amiga. Inevitablemente, en ocasiones pasamos por alto cosas que sabemos que no debíamos haber pasado por alto. A veces requiere más tiempo, esfuerzos y coraje protestar sobre una conducta inaceptable y defender con firmeza lo que creemos justo. Si queremos que nuestros hijos aprendan a ser amables y comprensivos, debemos saber cómo se comportan y estar dispuestos a intervenir. Conviene recodar que esas ocasiones nos ofrecen la oportunidad de expresar nuestros valores y guiar el comportamiento de nuestros hijos. La mejor forma de traducir nuestros valores en una guía es actuar conforme a ellos.

Las normas significan que les queremos

Algunas de nuestras normas sirven para enseñar a nuestros hijos a ser considerados con los demás, pero muchas son una expresión de nuestro cariño hacia ellos. «Quiero que te acuestes a una hora razonable para que te levantes descansado y preparado para una jornada provechosa.» «Quiero que hagas los deberes antes de ver la televisión porque no me gustaría que tuvieras problemas en la escuela.» «No quiero que salgas en coche hasta altas horas de la noche porque deseo que regreses a casa sano y salvo.»

Los adolescentes suelen poner a prueba las normas que establecemos; forma parte del proceso de descubrir por sí mismos lo que es importante en la vida y definir quiénes son, al margen de sus familias. Una parte del reto en lo que a nosotros nos concierne, como padres, consiste en saber discernir cuándo adaptar las normas, cuándo obviarlas y cuándo debemos mostrarnos firmes con respecto a ellas.

Aunque es natural que los adolescentes se resistan a obedecerlas, saben que existen porque su bienestar nos importa y constituyen una forma de velar por ellos. Los adolescentes que tienen pocas normas pueden pensar que a sus padres no les importa dónde están, si han hecho los deberes o si permanecen fuera de casa hasta tarde. Esos adolescentes pueden ufanarse de la libertad de la que disfrutan, pero en el fondo quizá desearían tener más normas que seguir.

Jessica y Claire, las dos de trece años, acuden al centro comercial un viernes por la noche. Se han divertido juntas en el cine, se han comido un bocadillo y han visto a todos los que hay que ver al menos dos veces. Incluso han hecho algunas compras. A las once en punto, la hora de cierre del centro comercial, se presenta el padre de Claire para recogerla.

—¿Quieres que te llevemos a casa? —pregunta Claire a Jessica.

—No, iré caminando —responde Jessica, que no parece muy convencida.

Claire duda unos instantes. Sabe que Jessica vive a un par de kilómetros de allí.

—¿Estás segura? —pregunta de nuevo a su amiga.

Jessica se encoge de hombros y contesta:

—Estoy bien. Vete con tu padre. Yo no tengo que regresar a casa todavía.

Jessica necesita que sus padres le proporcionen una mayor estructura y orientación, para no estar vagando sola por las noches fuera de casa. Sin unas normas para orientarse, Jessica tiene que valerse por sí misma y tomar decisiones para las cuales es demasiado joven. Jessica, como todos los adolescentes, necesita normas que le indiquen: «Te queremos y queremos asegurarnos de que regresarás a casa sana y salva».

El padre de Claire intuye la incertidumbre de Jessica y reitera su oferta de acompañarla a casa. Jessica duda unos segundos, pero luego se sube al coche visiblemente aliviada. Cuando el padre de Claire se detiene frente a la casa de Jessica, comprueba que la luz exterior no está encendida y aguarda a que la joven haya entrado en su casa antes de arrancar. La conducta de su padre transmite a Claire un mensaje claro: «Me preocupo por ti y tus amigos, y estoy dispuesto a hacer lo que sea con tal de asegurarme de que todos llegáis a casa sanos y salvos». De paso enseña a Claire cómo ser una buena amiga, a preocuparse por las necesidades de los demás aunque ellos mismos no estén muy seguros de esas necesidades.

Es triste que algunos adolescentes crezcan sin que sus padres se preocupen de ellos. No obstante, prácticamente todos conocemos a jóvenes que se encuentran en esta situación. Cualquier gesto de afecto y amabilidad que podamos ofrecerles puede significar una diferencia en sus vidas.

Los adolescentes quieren normas

Los adolescentes quieren normas. Aunque casi nunca lo confiesan, es cierto. Son conscientes de que las normas les protegen y les ayudan a enfrentarse a situaciones que no saben cómo resolver. Cuando son incapaces de decir «no» a sus amigos, siempre pueden recurrir a las normas establecidas por sus padres.

Alex, una chica de quince años, soporta una carga académica más pesada que sus amigas, que quieren salir los fines de semana, inclusive la noche del viernes y el sábado. Alex necesita dedicar unas horas el fin de semana a estudiar, pero le cuesta decírselo a sus amigas. Un día pide a su madre que la ayude en esta cuestión.

—Mamá, cuando llame Alison, ¿podrías decirme, en voz alta, que no puedo salir?

—Claro —responde su madre, encantada de ayudar a su hija. Como madre que trabaja, sabe lo difícil que es hallar el equilibrio en todos los aspectos de la vida. A veces desearía contar con una oportuna disculpa para decir «no».

Las normas ayudan a los adolescentes a sentirse seguros durante una etapa de sus vidas que puede ser peligrosa. Como adultos sabemos cuáles son esos peligros: los accidentes de tráfico, el consumo de drogas, las enfermedades de transmisión sexual, una violación y otras desgracias. ¿Qué padre de un adolescente no se ha preocupado de esos desastres? Las normas ayudan a nuestros adolescentes a fijar los límites cuando ellos son incapaces de hacerlo, e incluso cuando se muestran ambivalentes al respecto.

Respetar la intimidad del otro

Las normas familiares deben cambiar a medida que los hijos cambian y maduran. Los adolescentes tienen necesidades de intimidad distintas que los chicos más jóvenes, y los padres deben estar pendientes de esos cambios que se producen en la evolución de sus hijos. Incluso los hermanos que se llevan pocos años entre sí tienen necesidades distintas y quieren otras normas. En este caso, debemos estar al tanto y procurar resolver y satisfacer las necesidades de todos.

Pam y Sue se llevan sólo dos años. Aunque están muy unidas, Pam, de catorce años, tiene la costumbre de tomar prestada la ropa de Sue, de dieciséis, sin su consentimiento, lo cual enfurece a Sue. Por más que ella se queje, Pam sigue cogiendo las prendas que quiere del ropero de Sue sin pedirle permiso.

Cuando eran más jóvenes, Pam y Sue lo compartían todo: los juguetes, los libros y la ropa. Pero al hacerse mayor, Sue no quiere compartir sus cosas ni que Pam fisgonee en su armario. Sue está pidiendo un cambio en las normas: quiere establecer límites más firmes en torno a su persona. Aunque Pam acepta esta nueva situación, persiste en su vieja costumbre de tomar las prendas que le apetecen del ropero de su hermana. Por fin Sue pide a su madre que la ayude.

Puesto que la madre ya ha hablado en varias ocasiones con Pam sobre el asunto, decide seguir una nueva táctica. Cada día, mientras Pam está en la escuela, le quita un par de prendas de su armario ropero. Al cabo de una semana, Pam empieza a notar que le faltan algunas cosas.

—¿Dónde están mis vaqueros? —grita una mañana—. ¿Y dónde está mi jersey granate?

Su madre y Sue están en la cocina, preparando apresuradamente el desayuno. Es viernes por la mañana y Pam está arriba, perpleja y sin saber qué ponerse para ir a la escuela ante la falta de prendas en su armario.

—Los he cogido yo, cariño —grita alegremente su madre en respuesta a la pregunta de Pam. Sue sonríe mientras se bebe el zumo de naranja. Pam baja corriendo la escalera.

—¿Qué? —pregunta incrédula, todavía en pijama.

—Los cogí yo —repite su madre, divirtiéndose de lo lindo—. Como tú te pones las prendas de Sue, decidí ponerme yo las tuyas.

Pam mira a Sue y luego a su madre.

—Vale, ya lo he captado —dice por fin—. No debo coger su ropa. ¿Ahora puedes devolverme la mía?

Sue y su madre confían en que esta experiencia constituya la oportunidad que Pam necesita para comprender que el ropero de su hermana es sagrado. Su madre confiesa a ambas jóvenes que ha cometido un fallo al no explicarles la necesidad de «pedir permiso antes de coger algo». Las chicas se muestran de acuerdo y Pam comprende ahora que es preferible respetar el nuevo acuerdo.

Muchas normas familiares sirven para aprender a respetar los límites y las pertenencias de cada miembro de la familia. Algunos adolescentes no comprenden esos límites hasta que alguien traspasa los suyos. A veces las palabras no bastan para hacer que se coloquen en la situación de otra persona. Si los adolescentes no aprenden este tipo de respeto en casa, es difícil que respeten la propiedad de otras personas cuando se independicen. Es preferible que aprendan a respetar lo ajeno en el entorno seguro y confortable del hogar.

Enseñar a respetar las normas con el ejemplo

Es importante que nuestros hijos vean que las normas también se aplican a nosotros. Si nos comportamos como si estuviéramos por encima de la ley, les enseñamos a ser desconsiderados y egoístas. Esto se aprecia con frecuencia en lo tocante a las normas que rigen la vida en comunidad. En lo referente a ser buenos ciudadanos, debemos ser modelos positivos para ellos.

Una de las ocasiones más habituales en que los adolescentes nos juzgan con respecto a las normas de la sociedad en general es mientras conducimos el coche. Piense en la cantidad de horas que su hijo ha observado sus hábitos como conductor. Por más que usted insista en la importancia de seguir las normas, cuando sus hijos cumplan dieciséis años tendrán grabados en su cerebro los hábitos de conductor que hayan observado en usted. La actitud que usted muestre ante otros conductores y ante las normas del tráfico enseñará a su hijo adolescente no sólo cómo conducir sino cómo comportarse ante las normas de la sociedad. A fin de cuentas, las normas de circulación están destinadas sobre todo a garantizar la seguridad de conductores y peatones, y nos conciernen a todos.

Una madre comprendió, cuando su hija iba a cumplir la edad en que podía obtener el permiso de conducir, que empezaba a darle lecciones «negativas» de conducir.

—Tú no hagas esto, ¿de acuerdo? —le decía cuando pasaba rápidamente con el semáforo en ámbar o doblaba una esquina a excesiva velocidad. Este tipo de enseñanzas —«no hagas lo que yo hago»— no son eficaces y pueden inspirar un cinismo indeseable en nuestros hijos.

Es más importante que nuestros adolescentes vean que respetamos el límite de velocidad que llegar a nuestro destino a la hora prevista. Es necesario mostrarles que nosotros también respetamos las normas y que debemos arrostrar las consecuencias por haberlas transgredido, como pagar una multa por dejar el coche mal aparcado o por saltarnos un semáforo.

Comprobar que todo el mundo debe respetar las normas ayuda a nuestros adolescentes a comprender que son una parte natural y normal de vivir en el mundo, no sólo algo que deben soportar hasta que puedan «librarse» de las que se les imponen en casa y en la escuela. También les ayuda comprobar que todos, adolescentes y adultos, viven con esas normas y las respetan para bien de todo el mundo.

Aprender de nuestros adolescentes

En ocasiones nuestros hijos son mejores modelos para nosotros que nosotros para ellos. Esto ocurre con más frecuencia de la que usted pueda imaginar, especialmente si usted está dispuesto a aceptar esta posibilidad y a fijarse en la buena conducta de su hijo. Incluso un adolescente muy joven puede mostrar momentos de insólita madurez y conciencia social. A veces son más respetuosos a la hora de cumplir las normas y se comportan mejor que nosotros. Debemos fijarnos en esta conducta de nuestros adolescentes y felicitarles por mostrar ese grado de respeto. No existe mayor alabanza que decirles: «Estoy impresionado por tu conducta. He aprendido mucho por tu forma de actuar ante esa situación».

Poco después de que se inaugurara un nuevo megasupermercado en una ciudad cercana, la madre de Carl, un chico de trece años, le llevó a visitarlo. La entrada del establecimiento les condujo directamente a la sección de la panadería en el momento preciso en que sacaban pan recién horneado. Ni la madre ni Carl pudieron resistirse: antes de depositar la barra de pan caliente en el carrito de la compra, arrancaron un trocito para probarlo. ¡Qué desilusión! El pan tenía un aspecto delicioso, pero estaba seco y soso. Cuando la madre se disponía a dejar la barra sobre un estante de la tienda, Carl dijo:

—No, mamá, eso no está bien. Debemos llevarlo de nuevo a la panadería y explicarles por qué no nos gusta.

La madre se detuvo con el carrito y miró a su hijo con renovado respeto.

—Tienes toda la razón —dijo, tragándose la vergüenza que le daba haber metido la pata—. Es una idea mucho mejor.

Más tarde, cuando atravesaban el aparcamiento para recoger el coche, la madre comentó con toda naturalidad:

—¿Sabes, Carl? Hoy he aprendido de ti una lección importante. La próxima vez que me vea en una situación semejante, expondré mis quejas al encargado del establecimiento.

Carl sonrió tímidamente, pero tomó nota de cada palabra.

Una red parental

Hay muchas razones por las que conviene trabar amistad con los padres de los amigos de nuestros hijos. Servirá para consolarnos mutuamente relatando las últimas trastadas cometidas por ellos («es increíble, el otro día mi hija...») y, además, si establecemos esa relación, no seremos tan reacios a telefonearlos a altas horas de la noche. Sabemos que nos comprenderán porque todos estamos en la misma situación. Aunque no siempre estemos presentes para controlar lo que hacen nuestros hijos, podremos colaborar con los padres de otros adolescentes para ocuparnos colectivamente de vigilarlos. De algún modo, todos nuestros adolescentes necesitan que nos responsabilicemos conjuntamente.

Los padres de Virginia van a ausentarse de la ciudad durante veinticuatro horas. Confían en que Virginia, una muchacha de diecisiete años, se porte bien durante ese breve plazo de tiempo. Al fin y al cabo, está casi a punto de ingresar en la universidad. Antes de partir, le dicen que sólo puede quedarse a dormir su mejor amiga, Kathy Thompson.

Si usted es padre de un adolescente, se imaginará los derroteros que toma esta historia. La noticia de «la fiesta de Virginia» se propaga por toda la escuela con pasmosa rapidez. Pero en este caso la historia presenta cierto matiz. Los padres de Virginia son amigos de los padres de Kathy, de modo que informan a éstos de sus planes y les piden que «echen un vistazo». Cuando los padres de Kathy pasan en coche frente a la casa de Virginia sobre las once y media de la noche, no les asombra ver docenas de coches aparcados en la entrada y todas las luces de la casa encendidas.

Los Thompson se lo toman con calma, pues recuerdan su propia adolescencia. Cuando entran por la puerta principal, mantienen un talante sosegado y afable. Como padres de una de ellos, conocen a muchos de los jóvenes presentes. Su objetivo principal es impedir que alguno de ellos regrese a casa conduciendo si ha bebido, y el segundo comunicar a los jóvenes que la fiesta ha terminado. Los Thompson se quedan hasta que todos se han marchado a casa, y dejan que Kathy y Virginia lo recojan todo.

Seamos sinceros. Nuestros adolescentes tienen más habilidad para engañarnos que nosotros para averiguar lo que hacen. Conviene que colaboremos con otros padres para formar una red de cooperación a fin de vigilarlos. Es útil conocer a los otros padres desde hace varios años. Pero si no los conocemos, nada nos impide coger el teléfono y explicarles nuestros temores. En la mayoría de los casos, los otros padres compartirán esos temores y agradecerán que nos hayamos puesto en contacto con ellos.

Las normas de la comunidad

Debemos procurar que nuestros adolescentes crezcan sintiéndose obligados a participar y contribuir con la comunidad. Esto significa algo más que limitarse a observar las normas. Significa comprender plenamente la naturaleza cooperativa de la comunidad y aceptar un grado de responsabilidad individual en defensa del bien de todos.

Si nuestros adolescentes viven con pocas normas dentro de la familia, pierden la oportunidad de aprender a tener en cuenta las necesidades de los demás y desarrollar una conciencia comunitaria. Quizá ni siquiera se percaten de la forma en que su conducta afecta a otras personas. Los adolescentes que no están acostumbrados a cumplir las normas tal vez piensen que «esto a mí no me concierne», «no pasa nada si me las salto una vez» o «no me pillarán». Los problemas abarcan desde robar en una tienda hasta destruir bienes ajenos o irrumpir en una propiedad privada. Las posibilidades son infinitas, e incluso los adolescentes que se portan bien pueden verse en apuros por pensar de esta forma.

Lawrence, un chico de diecisiete años, y un grupo de amigos de su equipo de fútbol decidieron una noche trasladar la mascota del instituto de la entrada principal del centro a la entrada del gimnasio. No lo hicieron de mala fe, simplemente se «divertían» y disfrutaban al pensar en el disgusto que se llevarían los de administración. Pero cuando la estaban trasladando la estatua empezó a resquebrajarse.

Los chicos no sabían qué hacer. Temían que si volvían a trasladarla a su lugar acabaría de romperse del todo. De modo que la depositaron en el suelo y huyeron.

A la directora le llevó dos días identificar a los chicos que habían organizado la trastada. Les suspendió e informó a los padres de lo sucedido. Aquella noche Lawrence tuvo que enfrentarse a su padre. Sabía que estaba en un apuro, pero seguía considerando el incidente una broma inofensiva que les había salido mal.

El padre de Lawrence empezó formulándole una sarta de airadas preguntas: «¿Por qué lo hiciste?» «¿Cómo se te ocurrió ese disparate?» «¿Cómo has podido ser tan estúpido?» Por fin, el hombre se calmó. Vio que no conseguía nada con esa táctica y que su hijo no soltaba prenda. De modo que probó otra.

—Sabes que la estatua pertenecía a todo el instituto —le dijo—. No sólo a la administración y menos aún al equipo de fútbol.

Lawrence guardó silencio. No había pensado en eso.

Su padre no pretendía tan sólo castigarle u obligarle a pagar los desperfectos, aunque en este caso las dos cosas estaban justificadas. Quería que Lawrence comprendiera que sus actos afectaban al conjunto de la comunidad; que lo que había ocurrido no les incumbía sólo a él y sus amigos.

Los padres de los chicos implicados reaccionaron de distintas formas. Unos lo consideraron una broma inofensiva; otros se lo tomaron más en serio y obligaron a sus hijos a compensar a la escuela con determinadas tareas. Después de hablar con su padre y con la directora, Lawrence terminó cavando zanjas para las tuberías de desagüe en el campo de atletismo, un trabajo que le proporcionó muchas horas para reflexionar sobre la necesidad de comportarse como miembro responsable de una comunidad.

Esta historia contiene una lección importante no sólo para los adolescentes, sino también para los adultos. Todos debemos concienciarnos y preocuparnos por la forma en que nuestros actos afectan a nuestro prójimo y extender luego esta preocupación a la comunidad. Todos estamos conectados: el combustible que utilizamos, la ropa que compramos y la comida que consumimos influye en el mundo entero. Al tiempo que esperamos que nuestros adolescentes aprendan a tener en cuenta nuestras necesidades y las de los demás, convendría que nos preguntáramos si nosotros tenemos en cuenta las necesidades de la comunidad global y del propio planeta. En última instancia, los adolescentes aprenden las mejores lecciones observando cómo vivimos nuestras vidas. Debemos procurar sentirnos orgullosos del ejemplo que les ofrecemos.

Si los adolescentes viven con promesas incumplidas, aprenden a sentirse decepcionados

Aunque nuestros adolescentes adquieren año tras año una mayor independencia, siguen dependiendo de nosotros. No suelen confesar que aún nos necesitan, pero así es. Necesitan saber que pueden contar con nosotros y que cumplimos nuestras promesas. Si rompemos nuestras promesas una y otra vez, se lo toman como algo personal, se sienten heridos y dejan de confiar en nosotros. Aunque los jóvenes pueden encajar alguna que otra decepción sin que eso les afecte negativamente, incumplir una y otra vez las promesas que les hacemos puede destruir nuestra relación con ellos. Se sentirán muy decepcionados por no poder contar con nosotros, por no poder fiarse de nosotros, por no sentirse seguros y a salvo con nosotros.

Nosotros también dependemos de nuestros adolescentes. Aprender a respetarnos mutuamente manteniendo nuestra palabra constituye una parte importante de aprender a convivir en familia, y a respetar las relaciones personales. Los padres y los adolescentes dependen unos de otros para comunicarse, para colaborar y para un millón de pequeñas cosas que hacen que la vida fluya con suavidad. Todos necesitamos saber que podemos confiar en que los otros cumplan lo prometido. Una larga lista de promesas incumplidas acaba provocando un alejamiento en el seno de la familia.

El padre de Joshua le ha prometido que asistirá a uno de sus partidos de baloncesto. Joshua estudia el último curso del instituto y es el capitán y uno de los mejores jugadores de un equipo ganador. Sabe que éste puede ser el punto álgido de su carrera como jugador de baloncesto, ya que el próximo curso entrará en la universidad y tendrá que competir con muchos otros jugadores más experimentados que él. Ésta es la temporada en que Joshua puede lucirse.

Pero su padre no asiste a un solo partido. Tiene toda la intención de hacerlo, pero siempre se produce algún imprevisto que se lo impide. Son unos imprevistos justificados en la planta industrial en la que el padre de Joshua desempeña el cargo de director gerente y, por tanto, es el responsable de cuanto ocurre. Pero no es menos cierto que el trabajo es su principal prioridad, y con frecuencia toma decisiones a expensas de su familia. Por desgracia, el mensaje que su padre transmite a Joshua es que, en última instancia, su trabajo es más importante para él que su hijo.

Cada vez que se pierde un partido de su hijo, el padre se disculpa con él y le explica lo ocurrido, pero al cabo de un tiempo Joshua deja de confiar en que su padre asista a algún partido. Es lo más fácil, de este modo no tendrá que perder el tiempo tratando de localizarle en las gradas del gimnasio ni tragarse una y otra vez su decepción al comprobar que no ha aparecido.

La carrera del padre va viento en popa y toda la familia se beneficia de una casa más grande, un coche más lujoso, dinero para enviar a Joshua a la universidad y unas vacaciones increíbles. No obstante, cuando Joshua ingresa en la universidad su padre se pregunta qué ha ocurrido para que se hayan distanciado tanto. Tiene la sensación de que ha perdido a Josh de repente.

Cuando los padres incumplen reiteradamente sus promesas, los hijos acaban perdiendo la fe en ellos. Aprenden a vivir con la decepción, lo cual a menudo conduce a una sensación de distanciamiento o alejamiento. No ocurre de golpe, sino paso a paso, a veces de manera imperceptible, de forma que a menudo el padre no se percata de lo que ocurre ni de la importancia hasta que es demasiado tarde. En ocasiones los padres no reparan en ello hasta que el hijo adolescente crece y se emancipa, e incluso entonces no comprenden qué han hecho para contribuir a ese alejamiento.

El padre de Josh pudo haber evitado esta triste consecuencia observando el patrón de su conducta y cómo afectaba a su hijo. Pudo haber delegado en un colaborador para que ocupara su puesto en la planta, explicándole: «Esta noche es el gran partido de mi hijo y debo estar ahí». No era necesario que asistiera a todos los partidos, pero sí a los suficientes para dejar bien claro que su prioridad principal era su hijo. Éste es el tipo de compromiso que influye de forma decisiva en la calidad de nuestra relación con nuestros adolescentes.

¿Puedo contar contigo?

La seguridad emocional es tan importante para un adolescente como para un niño de corta edad. Incluso cuando nuestros adolescentes nos apartan de su lado y afirman que ya no nos necesitan (a menudo ni siquiera quieren ser vistos con nosotros), siguen dependiendo de nuestro apoyo emocional. Nuestra presencia y el hecho de poder confiar en nosotros les confiere la fuerza y la estabilidad necesarias mientras exploran el mundo y empiezan a desarrollar su propia identidad. Para que nuestros hijos puedan dar el gigantesco salto al mundo como jóvenes adultos independientes, deben saber que pueden contar con nosotros en un millón de formas tangibles y fiarse de que cumplamos nuestras promesas.

Cuando decimos a nuestros adolescentes «iré a conocer a tu profesor», «asistiré a tu función» o «iré a recoger el libro que necesitas», debemos considerar el cumplimiento de esa promesa una prioridad. Porque lo importante no es el profesor, la función o el libro, sino la confianza. Se trata de nuestra relación con nuestros hijos y de ayudarles a establecer cimientos emocionales seguros en los que podrán apoyarse el resto de su vida. Debemos procurar que alcancen la madurez sabiendo que pueden depender de las personas que quieren.

La madre de Alicia, una muchacha de trece años, le había prometido recoger las medias negras que debía lucir en el concierto primaveral del coro, pero se olvidó. Alicia era la única que llevaba medias transparentes, y se sintió ridícula y acomplejada. Se sintió humillada y avergonzada, y culpó a su madre de ello. Cuando regresaron a casa en coche después del concierto, Alicia se desmoronó y rompió a llorar.

—¿Cómo pudiste olvidarte? —gritó entre sollozos.

—A mí me pareció que estabas muy elegante —respondió su madre sin perder los nervios.

Al oír esa respuesta el histerismo de Alicia fue a más.

—Mira, Alicia —dijo su madre al llegar a casa, a punto de perder la paciencia—, no tiene tanta importancia.

—¡Para mí sí! —le espetó Alicia mientras se apeaba apresuradamente del coche y subía la escalera hacia su habitación.

La madre no había caído en la cuenta de lo importante que era para Alicia ir correctamente vestida, pero eso era secundario. La madre no había cumplido su promesa y para colmo no había comprendido por qué era tan importante para su hija. De modo que Alicia había terminado sintiéndose decepcionada e incomprendida.

Cuando los adolescentes no pueden fiarse de que sus padres cumplan lo prometido, terminan sintiéndose solos en el mundo. Y cuando los adolescentes se sienten solos, recurren a su grupo de amigos con la intensidad de quien necesita una familia. No queremos que nuestros hijos dependan de otros adolescentes en este sentido. Sus amigos, algunos de los cuales no nos entusiasman, no pueden ofrecerles la acertada orientación y la protección que les ofrecen sus padres. Nuestros hijos nos necesitan, y nosotros debemos estar presentes para apoyarlos. Cuando les decepcionamos, debemos reconocer que sí es importante, disculparnos, prometer no volver a decepcionarles y cumplirlo.

Cumplir nuestras promesas

Algunas de las promesas que hacemos tienen que ver con el futuro. Pueden referirse a los privilegios que se obtienen con la madurez, como «cuando tengas dieciséis años podrás salir por las noches los fines de semana». La promesa de futuros privilegios puede hacer que nuestros adolescentes jóvenes se muestren más dispuestos a aceptar las imposiciones actuales. No obstante, si no cumplimos esas promesas, el adolescente se sentirá traicionado, por lo que no conviene hacer promesas a la ligera.

Los padres de Chris le habían dicho que, cuando cumpliera dieciséis años podría ir a los conciertos con sus amigos. Entre tanto, le llevaban a los conciertos en coche y le recogían en cuanto el concierto terminaba. Cuatro días después de su cumpleaños, Chris recordó a sus padres la promesa que le habían hecho.

—El viernes quiero ir al concierto con mis amigos —dijo—. Iremos con Ben en su coche.

Sus padres se enfrentaban a un dilema. Le habían hecho esa promesa hacía más de dos años, pero en aquellos momentos no sabían lo que les preocuparía ahora el hecho de que los adolescentes condujeran. Comprendían cuánto ansiaba Chris su libertad y sabían que le habían hecho una promesa importante, de modo que le expusieron sus inquietudes.

—No nos desdecimos de nuestra promesa —aseguró a Chris su padre—, pero nos preocupa tu seguridad.

Chris se tranquilizó al instante. Lo único que le importaba era ir al concierto con sus amigos.

—Queremos saber quién conducirá el coche, a qué hora terminará el concierto y a qué hora volverás a casa —le explicó su madre.

—De acuerdo —respondió Chris, que empezaba a entender la preocupación de sus padres. Apenas había pensado en ello; sólo se había imaginado montándose en el coche con sus amigos—. Ya me informaré —contestó.

A medida que se aproximaba la fecha del concierto, los padres de Chris procuraron no atosigarle. La víspera del concierto, Chris les explicó la logística. Sus padres suspiraron aliviados al enterarse de que el coche lo conduciría uno de los chicos mayores, que ya había ido al estadio en varias ocasiones. Pero aguardaron nerviosos hasta que Chris llegó, a la una de la mañana; sabían que era un trago que tenían que pasar y que a esas alturas debían dar libertad a su hijo y confiar en su capacidad de cuidar de sí mismo.

En este caso, tanto Chris como sus padres cumplieron sus promesas, y nadie se llevó una decepción. Así se fomenta la confianza mutua y el sentido de responsabilidad entre padres y adolescentes.

A la mañana siguiente, mejor dicho, por la tarde, cuando Chris se levantó, su madre le dijo:

—Me alegro de que te divirtieras y de que tu padre y yo hayamos visto que sabes cuidar de ti mismo.

Chris se limitó a sonreír.

—¿Hay zumo de naranja? —preguntó, bostezando.

No es justo cambiar las normas

En ocasiones deseamos renunciar a una promesa, porque nos parece increíble haberla hecho o porque supusimos equivocadamente que nuestro hijo sería más maduro a esa edad. Sea cual sea el motivo, queremos desdecirnos de nuestra palabra. A menos que se trate de un peligro vital, debemos cumplir nuestras promesas para no perjudicar nuestra relación con nuestros adolescentes. Renegar de una promesa que nuestros hijos esperan con ilusión es destructivo. Siempre podemos considerar esa promesa como una oportunidad para que padres y adolescentes aprendamos.

Los padres de Emily le habían prometido que cuando cumpliera dieciséis años le darían dinero para ropa y otros gastos y dejarían que ella misma lo administrara. Cuando Emily cumplió los dieciséis, sus padres cambiaron de opinión.

—Creemos que todavía no estás preparada —alegaron.

Emily se enfureció.

—¿Cómo sabéis que no soy capaz de administrar yo misma mi dinero si no me dais la oportunidad de demostrarlo?

Pero sus padres se mostraron inflexibles.

Frustrada, Emily se puso histérica.

—¡Me lo prometisteis! —Fueron sus últimas palabras antes de cerrar la puerta de su habitación de un portazo.

Los padres de Emily no entendían por qué se había disgustado tanto. Eran generosos a la hora de comprarle ropa y siempre le daban dinero para ir al cine y comprarse esa comida basura que ingería. No querían que se gastara toda su paga en una semana y luego les pidiera más dinero para pasar el mes.

Quizá los padres de Emily previeron acertadamente la incapacidad de su hija de administrar su dinero, pero habían prometido darle una oportunidad y tenían que cumplir lo prometido. En fin de cuentas, ¿qué era lo peor que podía ocurrir? Es posible que Emily se gastara todo el dinero antes de fin de mes y no pudiera ir al cine con sus amigas.

Y eso fue precisamente lo que ocurrió cuando los padres de Emily por fin capitularon, pero sólo ocurrió una vez. Después de tener que quedarse en casa varias noches mientras sus amigas iban al cine, Emily decidió hacer que el dinero le durara las cuatro semanas siguientes. Y puesto que sus padres le hablaron con calma y claridad cuando Emily sufrió su catástrofe financiera, ella no pudo enfadarse con ellos y atribuirles la culpa. Tuvo que enfrentarse al hecho de que había administrado mal su paga y escarmentar.

Los padres de Emily demostraron gran empatía y comprensión, pero no le dieron más dinero. Consideraron esa experiencia parte del proceso de aprendizaje de su hija. Salvarla con un préstamo o dinero extra habría entorpecido ese proceso. En lugar de ello, sus padres mantuvieron su promesa y obligaron a Emily a cumplir su parte del pacto. Al hacerlo, dejaron claro que el problema era entre Emily y su paga, no entre Emily y sus padres. Con frecuencia los adolescentes tratan de convertir un conflicto interno en un conflicto con sus padres.

Aunque el hecho de rescatar a Emily del problema que ella misma se había creado no la habría ayudado, tampoco lo habría hecho decirle «ya te lo advertí» o sermonearla. Es más eficaz mantenerse firmes a la vez que cariñosos y comprensivos que reaccionar de forma airada y autoritaria. No tenemos que pelearnos con nuestros hijos adolescentes para imponer los límites, tan sólo mantenernos firmes.

Cuando hacemos una promesa...

A veces los padres hacemos promesas precipitadas porque es lo más fácil en determinado momento. Joseph, un chico de trece años, atosigaba a su madre para que le llevara a la tienda de deportes. Su madre, atareada con sus propias prioridades y abrumada por la insistencia de Joseph, por fin accedió a llevarle a la tienda de deportes el fin de semana. En aquel momento la mujer le habría prometido prácticamente cualquier cosa con tal de quitárselo de encima. Ceder de esta forma puede provocar más tarde una decepción aún mayor. Es preferible decir «hablaremos de ello después de cenar» o «dame tiempo para reflexionar».

No obstante, la madre de Joseph se lo había prometido y el chico esperaba ilusionado con que llegara el sábado. Necesitaba comprarse unos calcetines de deporte y también quería mirar unas ruedas nuevas para su monopatín de las que había oído hablar. Pero cuando llegó el sábado, su madre tenía una larga lista de otras cosas que debía hacer. Si hubiera revisado su agenda con cuidado, no habría prometido a Joseph llevarlo a la tienda, porque sabía que tenía un fin de semana muy ajetreado.

Cuando prometemos algo precipitadamente porque nos sentimos presionados y luego no podemos cumplirlo, es lógico que nuestros adolescentes se sientan decepcionados. A Joseph le sentó mal que su madre no le llevara a la tienda de deportes, pero todavía le sentó peor pensar que no era tan importante para ella como la lista de recados que tenía que hacer. Los adolescentes se toman las cosas muy a pecho y Joseph no sólo se sintió decepcionado, sino profundamente herido.

Cuando nos decimos «no tengo tiempo para mirar ruedas de monopatines», debemos reconocer que esto no es sino una racionalización. Aquí lo importante no es el hecho de mirar ruedas de monopatines, sino dedicar un tiempo de calidad a nuestros hijos y cumplir las promesas que les hacemos. Puede que unas ruedas de monopatín no sean importantes para nosotros, pero quizá sean la principal prioridad para nuestro hijo. Y nuestros hijos deben saber que ellos son nuestra principal prioridad. Una forma de hacérselo saber es dedicarles nuestro tiempo y atención y tomarnos sus prioridades en serio.

Conviene tener en cuenta las decisiones que tomamos con respecto a nuestro tiempo, además de la forma en que comunicamos esas decisiones a nuestros adolescentes. La costumbre de prometer ahora y alegar excusas más tarde para no cumplir lo prometido sólo hará que nuestros hijos se sientan decepcionados con nosotros.

Supongamos que Joseph tuviera las dotes verbales y la perspectiva para expresarse como lo haría un adulto.

—Prometiste llevarme hoy a la tienda de deportes —habría recordado con calma a su madre.

—Lo sé, cariño —habría respondido ella apresuradamente—, pero hoy tengo muchas cosas que hacer. Quizá mañana...

—Sé que estás ocupada —proseguiría Joseph—, pero ésas son decisiones sobre lo que es importante para ti, y creo que tu hijo debería figurar en la lista de cosas importantes que tienes que hacer.

Este comentario habría dejado a la madre pasmada. Habría dejado de trajinar de un lado para otro y se habría detenido para reflexionar sobre lo que acababa de decir su hijo, quien habría aprovechado el momento para añadir:

—Y supongo que también es importante para ti cumplir tu palabra.

En la mayoría de los casos, este enfoque habría conseguido que su madre llevara a Joseph a la tienda de deportes para que admirara los nuevos modelos de ruedas para monopatines. Pero los jóvenes de trece años no saben hablar a sus padres de esta forma sosegada y racional. Lo cierto es que cuando están estresados o enojados, muchos padres no saben hablar con esa claridad y esa calma a sus hijos, ni tampoco entre sí. La mayoría de nosotros reaccionamos de un modo más emocional y decimos cosas en el fragor de la batalla de las que más tarde nos arrepentimos.

Lo más probable es que en este caso Joseph hubiera exclamado furioso: «¡Nunca haces lo que te pido!» A lo que su madre habría respondido indignada: «¿Cómo te atreves a decirme eso? ¡Toda mi vida gira alrededor de ti!» Y las acusaciones entre los dos se habrían intensificado, haciendo que la cuestión de las ruedas del monopatín se diluyera. En estos casos debemos frenar los fuegos artificiales emocionales y controlarnos. Como padres tenemos el deber de mantener un punto de vista maduro y centrarnos en el tema que nos ocupa. Cuando hacemos promesas que no podemos cumplir, debemos tomar la iniciativa de aplacar la decepción de nuestro hijo y hallar una solución creativa.

Las promesas de los adolescentes

Nuestros adolescentes también deben aprender a cumplir sus promesas. Es muy fácil para ellos adoptar la costumbre de acceder a lo que les pedimos para evitar que les atosiguemos y luego olvidar oportunamente que accedieron a hacerlo. Evitemos enseñarles a comportarse de ese modo con nuestro ejemplo.

—No volveré a hacerlo, mamá —promete Nathan, un joven de dieciséis años, con una sonrisa encantadora y exagerada sinceridad, después de dejar el coche en el garaje casi sin gasolina por tercera vez en un mes.

—Y esta vez tampoco lo harás —contesta su madre con una sonrisa no menos encantadora. Sabe que su hijo le prometería la luna con tal de evitar enfrentarse a una sencilla responsabilidad—. Saca el coche y llena el depósito.

—Pero, mamá, tengo que...

—Da lo mismo —responde su madre sin dejar de sonreír—. Sólo te llevará diez minutos. Hazlo ahora y nos olvidaremos del tema.

Esta conversación se desarrolla en un tono afable, pero Nathan sabe que no tiene más remedio que llevar el coche a la gasolinera y llenar el depósito.

No debemos permitir a nuestros adolescentes que se salgan con la suya en materia de promesas incumplidas o depósitos de gasolina vacíos. Conviene aclararles nuestras expectativas y pedirles explícitamente que se comporten como es debido. No podemos esperar que nuestros hijos nos adivinen el pensamiento, y es inútil emprender un interrogatorio emocional sobre por qué no hicieron lo que les pedimos. Es preferible ir al grano, hacerles saber lo que queremos y pasar a otra cosa.

Si expresa sus expectativas con claridad y las mantiene con firmeza, transmitirá a sus hijos adolescentes el mensaje de que deben cumplir su palabra. Debemos evitar que den por supuesto que siempre estaremos ahí para recoger los platos rotos por ellos. Una parte importante del desarrollo como individuos consiste en aprender a cumplir nuestras promesas y hacer lo que nos comprometemos a hacer. Así es como nuestros adolescentes desarrollarán su integridad y se convertirán en adultos maduros y responsables.

¡Me olvidé!

Por supuesto, todos rompemos de vez en cuando una promesa. Nadie es perfecto. Es la reiterada costumbre de romper las promesas que hacemos a nuestros hijos lo que puede hacer que se sientan profundamente decepcionados con nosotros. Si cometemos un error de vez en cuando podemos disculparnos, explicar lo ocurrido y tratar por todos los medios de subsanarlo. Ante todo, debemos marcarnos la prioridad de evitar que vuelva a suceder. Limitarnos a decir «lo siento, me olvidé» no basta. Con esa disculpa no reconocemos el contratiempo o el auténtico perjuicio que hemos causado a nuestro hijo adolescente con nuestra desconsideración hacia él.

La madre de Anna se olvidó de remitir su declaración de renta a la universidad para que renovaran la beca académica a su hija, a pesar de que ella se lo recordó en repetidas ocasiones.

—Descuida, cielo, la enviaré mañana —le prometió a su hija—. La tengo casi lista para echarla al correo.

Pero su madre no cumplió su palabra y Anna perdió la beca que necesitaba para continuar sus estudios.

Esto causó a Anna una profunda decepción que no logró superar. Aunque sabía que su madre no era de fiar, jamás había sospechado que incumpliría su promesa en una cuestión tan importante. Anna se vio entonces en la disyuntiva de dejar la universidad o acudir a la administración y explicarles el problema causado por su madre. Incapaz de enfrentarse a ninguna de esas opciones, cayó en un profundo estado de frustración e impotencia. Siempre había sido una adolescente triste y taciturna, y no pudo soportar esa decepción. Estaba tan disgustada que no podía conciliar el sueño ni concentrarse en sus estudios. Al fin dejó los estudios debido a una incapacidad médica: la depresión.

Esta historia es tan manifiestamente destructiva para madre e hija que cuesta creer que sea real. Pero lo es. Después de seis años, Anna todavía no se siente capaz de regresar a la universidad.

Incluso los adolescentes mayores necesitan depender de nosotros y saber que si les fallamos buscaremos la forma de enmendar el fallo. En este caso, la madre de Anna debió acudir a la administración de la universidad para rectificar ella misma la situación. El error fue suyo y debió ser ella quien enmendara las cosas. Al dejar que fuera Anna quien lo hiciera, soslayó su responsabilidad y depositó sobre su hija una carga demasiado pesada que ella no pudo soportar. Y aunque algunos chicos habrían sido capaces de superarlo y seguir adelante, no es justo pedirles que lo hagan.

Cuando el padre es el hijo

La costumbre de incumplir promesas puede ser un signo de irresponsabilidad parental. Tanto si eso se debe a un mal hábito, a la obsesión por el trabajo o sencillamente a inmadurez, lo cierto es que algunos padres decepcionan continuamente a sus hijos. Al cabo del tiempo los adolescentes se sienten tan desencantados que acaban esperando muy poco de la vida o tratan de compensar su decepción convirtiéndose en chicos supercompetentes que creen que deben ocuparse ellos mismos de todo. Ninguno de esos extremos es saludable.

Hacía tiempo que Brandon sabía que su madre tenía un problema con el alcohol. Vivían solos desde que él había cumplido diez años, y a los quince ya era un experto en cuidar de ella. Sabía que su madre no siempre se presentaría a las reuniones con los profesores aunque lo hubiera prometido, y rara vez acudía a los partidos de fútbol que él disputaba. Hacía tiempo que había renunciado a confiar en que su madre se enmendara y había aprendido a sobrevivir bastante bien por sus propios medios, asumiendo algunos de los papeles que solemos considerar propios de los padres, como preparar la comida y pagar las facturas.

En esta familia se había producido una inversión de papeles: Brandon se había convertido en el adulto de la familia y su madre en la hija. Esto beneficiaba a Brandon en muchos aspectos. Era un chico maduro, sabía administrar el dinero, hacía puntualmente sus deberes e incluso ocupaba cargos de líder en la escuela. Pero no gozaba de las diversiones normales de otros chicos de su edad. Era muy serio, un poco dominante y excesivamente perfeccionista. Sus amigos a veces se quejaban de que «no era divertido».

Alguien tenía que ser el adulto en la familia y evitar que se produjera el caos. Al asumir ese pepel, Brandon sacrificó su adolescencia. Pasó directamente de ser niño a ser adulto y soportar una pesada carga de responsabilidad.

Es prácticamente imposible que los adolescentes mantengan ese nivel de madurez y responsabilidad. Al cabo de un tiempo se cansan y ansían liberarse de esa carga. Cuando Brandon se marchó de casa para ir a la universidad, cambió radicalmente. Acometió la vida universitaria con el mismo empeño en lanzarse al desenfreno que había puesto antes en mantener el orden. Ahora eran sus amigos quienes tenían que acostarle después de las fiestas de los fines de semana, del mismo modo que él había tenido que acostar a su madre después de una de sus borracheras.

Los jóvenes deben centrarse en madurar durante sus años de adolescencia. Necesitan tiempo para experimentar, cometer errores y aprender de ellos. Necesitan además a su lado a adultos responsables que se preocupen de ellos, que les protejan y les guíen. Aquellos que se ven obligados a comportarse como adultos cuando no lo son pierden una parte de sí mismos. En ocasiones, cuando se presenta la oportunidad, pueden regresar al estadio de su evolución que «se habían saltado» y recuperarlo. Lamentablemente, esa falta de sincronía en el desarrollo normal de un joven suele tener consecuencias negativas. Si Brandon tiene suerte y sus amigos universitarios son amables con él, conseguirá completar su adolescencia sin mayores problemas.

Queremos que nuestros adolescentes sean capaces de crearse una vida adulta responsable en la que sus promesas tengan un auténtico significado. Durante esta fase, nosotros representamos para ellos el mundo de los adultos. Debemos mostrarles con nuestro ejemplo lo que significa cumplir nuestras promesas. Nuestros hijos deben comprender que ésta es la forma en que hay que comportarse en nuestro mundo, para que tengan un modelo de lo que significa ser adulto.

Por lo demás, conviene que sepan por experiencia propia lo que significa contar con que las personas que quieren cumplan su palabra. La sensación de seguridad que produce confiar en que cuando les decimos una cosa la cumplimos forma parte de sus cimientos emocionales. Éste es el ejemplo que seguirán cuando emprendan relaciones adultas.

Tal vez la promesa más importante que hacemos a nuestros hijos es cuando nacen. Cuando los sostenemos en brazos y les prometemos implícitamente amarlos y cuidar de ellos en todo momento hasta que alcancen la madurez. Debemos tener siempre muy presente esta promesa, y hacer cuanto sea posible por honrarla y cumplirla.

Si los adolescentes viven con respeto, aprenden a respetar a los demás

Es esencial respetar el derecho de un adolescente a ser como es. Recuerde que las principales tareas de los adolescentes consisten en explorar en su interior para descubrir quiénes son y permanecer conectados con nosotros. No queremos que se conviertan en nuestros clones, por más que tratemos de influir en ellos, de moldearlos y controlarlos. Queremos que tengan la oportunidad de dejar que sus cualidades emerjan y se desarrollen; queremos que hallen su propia voz y sean capaces de expresarse, y queremos que triunfen en la vida en aquellos aspectos en que nosotros fracasamos. Para que puedan conseguirlo, debemos respetar su derecho a ser distintos de nosotros.

En teoría es posible que aceptemos este principio, pero en la práctica no es tan fácil. En ocasiones las decisiones que toman nuestros hijos adolescentes nos dejan perplejos. Nos preocupa observar que cada vez son más diferentes de nosotros de lo que jamás habíamos imaginado. («¿Cómo es posible que no quieras ir al baile de fin de curso?» o «¿cómo que no quieres trabajar en el negocio familiar este verano?») A veces, cuando vemos que perdemos el control sobre sus decisiones, recurrimos a severas advertencias: «Estás cometiendo un grave error», o a alarmantes predicciones: «Algún día te arrepentirás».

Es difícil respetar el derecho de nuestros hijos adolescentes a afirmar su personalidad, tanto más cuanto que estamos convencidos de saber más que ellos debido a la experiencia y que «sólo deseamos lo mejor» para ellos. Pero debemos dejar de tratar de protegerles de todos los errores que nosotros cometimos en nuestra juventud, aparte de los que ellos mismos puedan cometer. Respetar a nuestros adolescentes significa darles la oportunidad de experimentar, de cometer sus propios errores y de aprender a partir de ellos, al igual que hicimos nosotros cuando éramos jóvenes.

Esto no significa que debamos aceptar todo lo que hagan ni abdicar de nuestra responsabilidad como padres de fijar normas, de exponerles nuestras expectativas y de definir unos límites. Significa comprender que nuestros adolescentes deben seguir su propio camino a través de la adolescencia, y nuestro deber es cuidar de ellos y estar siempre dispuestos a ofrecerles nuestro apoyo y nuestra guía.

Si nuestros hijos crecen en un hogar en el que se respetan su personalidad y la forma en que evolucionan sus vidas, desarrollarán de manera natural la misma capacidad de honrar a los demás y respetar sus derechos. Sabrán instintivamente que todos los seres humanos poseen derechos fundamentales, por diferente que sea su aspecto, sus creencias y sus costumbres, y que una parte importante de ser un ser humano consiste en reconocer, apreciar y respetar esas diferencias entre las personas.

Con el tiempo, aplicarán este honor y respeto a nosotros, sus padres. Si han crecido con respeto, es más probable que nuestros adolescentes nos respeten, incluso al tiempo que aceptan nuestras fragilidades y defectos personales. Comprenderán que también somos seres humanos, imperfectos pero bienintencionados, que hacemos cuanto podemos por ellos. Si nosotros les hemos respetado como individuos con una identidad propia, en el futuro ellos también nos respetarán a nosotros y a los demás.

Mostrarles cómo comportarse respetuosamente con los demás

Uno de los aspectos más complicados de ser padres es que somos modelos para nuestros hijos las veinticuatro horas del día, siete días a la semana. Nuestros hijos observan cómo tratamos a los demás, desde nuestros jefes y vecinos al cartero, al encargado de la gasolinera, al tendero y a la camarera. Ven cómo nos comportamos con otras personas mil veces a lo largo de los años y conocen nuestro estilo y nuestros patrones de conducta.

Por más que insistamos a nuestros adolescentes en la importancia de respetar a los demás, sigue siendo válido el viejo refrán que dice «los hechos son más elocuentes que las palabras». Si no tratamos a la gente con respeto, lo más probable es que ellos tampoco lo hagan.

Rob, un chico de trece años, detestaba salir a cenar con sus padres. Le avergonzaba la forma en que su padre se dirigía al camarero, y se sentía aliviado cuando salían del restaurante sin haberse tropezado con ninguna persona conocida. Cuando algo, por insignificante que fuera no lo complacía, su padre informaba groseramente al camarero para que «lo subsanara».

—Hace rato que esperamos que nos traiga más agua —decía su padre con sarcasmo—. Y unas rodajas de limón, si no es mucho pedir.

El camarero permanecía impasible, mientras Rob deseaba que se lo tragara la tierra. Su madre no podía decir nada; hacía tiempo que había renunciado a intervenir, y sus hermanas pequeñas se distraían con los juguetes que habían traído consigo.

Un día, en la cafetería del instituto, Rob se comportó de una forma poco habitual en él. Una camarera interpretó equivocadamente su petición y le echó salsa en las patatas cuando sólo la quería en la carne.

—¡No, en las patatas no! —exclamó Rob airado y a voz en cuello.

El chico que estaba junto a él se apartó y dijo:

—¡Calma, hombre!

Rob se sintió avergonzado.

—Lo siento —farfulló, mientras se sentaba apresuradamente. Le parecía increíble haberse comportado de esa forma.

Nuestros adolescentes no pueden evitar aprender de nosotros incluso cuando detestan nuestra conducta. Es evidente que Rob no se había propuesto imitar a su padre, pero las lecciones que les damos mediante nuestro comportamiento son muy poderosas. Rob se sintió horrorizado y avergonzado por haber reaccionado espontáneamente de una forma tan grosera, tal como lo hacía su padre.

Si queremos que nuestros hijos sean bien educados y considerados en su comportamiento diario con las personas con las que tratan, debemos tener siempre en cuenta el ejemplo que les damos. Limitarnos a decirles que deben ser respetuosos con los demás, sobre todo cuando nosotros no lo somos, es perder el tiempo. La próxima vez que usted se sienta irritado o enojado con alguien, piense en cómo le gustaría que su hijo se comportara en esas circunstancias. Luego respire hondo y responda con amabilidad.

El respeto en las relaciones

Conviene que nuestros adolescentes nos vean tratar a las personas que queremos con respeto, lo cual a veces requiere una buena dosis de autocontrol. En ocasiones podemos perder el genio y agredir verbalmente a nuestro cónyuge por diversos motivos. No importa lo enojados que nos sintamos o que creamos justificada nuestra indignación, una conducta irrespetuosa nunca es aceptable.

Nuestras pautas de comunicación, tanto las constructivas como las destructivas, se convierten en el modelo para nuestros adolescentes. Aunque estén encerrados en su habitación escuchando música con los auriculares puestos, captan el ambiente que reina en la casa. Por más que insistan en que cuando crezcan no quieren ser como nosotros, son muy susceptibles de repetir nuestra conducta, aunque la aborrezcan.

La madre de Anita, una joven de dieciséis años, hablaba siempre a gritos. Aunque no estuviera enfada, su primera reacción ante algo que la molestara era expresarlo a voz en cuello, de forma que reverberaba por toda la casa. Si estaba en la cocina, gritaba «¿quién ha cogido las tijeras?» en voz tan alta y con tanta vehemencia que toda la familia la oía aunque estuviera encendida la televisión. A su marido le «hablaba» en el mismo tono. «¿Has cambiado los neumáticos del coche o has vuelto a olvidarte?», le gritaba de un extremo de la casa al otro. Era la forma habitual que tenía la madre de Anita de entablar una conversación, alzando la voz y con tono de reproche. Con frecuencia el padre fingía no oírla.

Cuando Anita mantuvo su primera relación sentimental, ese patrón de comunicación asumió un nuevo significado. Anita y Phil llevaban saliendo juntos unos cuatro meses cuando empezaron a tener problemas. Phil comenzó a mostrarse reservado y a pasar más tiempo con los amigos, lo cual enojó a Anita. Ella le preguntó una y otra vez qué le ocurría.

Por fin, exasperado, Phil respondió:

—Me gusta salir contigo, pero no soporto que estés siempre chillando.

—¿A qué te refieres? —le preguntó Anita alzando la voz y con tono de reproche.

—Pues a que me hables así —se limitó a responder Phil.

—¿Cómo que así? —insistió Anita, que no tenía ni la más remota idea de cómo hablaba.

—Gritas como tu madre —dijo Phil.

Anita se quedó estupefacta. Pero comprendió de inmediato lo que quería decir Phil, y le dolió.

—Lo siento —musitó.

Fue el primer paso que dio Anita para aprender una nueva forma de comunicarse. Sabía que no quería ser una gritona como su madre, pero para ella gritar era lo más natural del mundo.

Anita podrá aprender a hablar a Phil de forma más respetuosa y considerada, pero requerirá tiempo, un examen de conciencia y mucha práctica por su parte, y paciencia y comprensión por parte de Phil.

Algunas de las lecciones más importantes sobre las relaciones humanas y la comunicación las reciben nuestros adolescentes en el hogar. Es ahí donde aprenden a tratar con los demás. No queremos que tengan que desprenderse de los malos hábitos que hayan aprendido de nosotros. Queremos que crezcan con un modelo de comunicación constructivo para que se relacionen con las personas que quieran de forma espontánea y natural, y para que las traten con respeto. Todos hemos aprendido hábitos buenos y malos de nuestros padres, y debemos tener en cuenta esas cualidades y esos defectos. Debemos mostrar a nuestros hijos la mejor manera de comunicarse con los demás, proporcionarles un modelo de relaciones adultas positivas.

Recordar que es su vida

Otra poderosa lección para enseñar a nuestros adolescentes a ser respetuosos es respetar su derecho a tomar sus propias decisiones. Esto puede ser extremadamente difícil cuando no estamos de acuerdo con ellos, cuando creemos que han cometido un error o experimentamos sus decisiones como una tragedia personal.

Jeffrey, un muchacho de trece años, era un pianista dotado del talento musical necesario para llegar a ser músico profesional, o quizá director de orquesta. Hacía ocho años que tocaba el piano y había empezado a estudiar los cursos superiores de teoría de la música. Pero siendo como era un adolescente, tenía otras aficiones y su propio criterio.

—Quiero dejar el piano —informó a sus padres—. No me apetece seguir estudiando. Quiero jugar al baloncesto —añadió, prescindiendo de la expresión de incredulidad de su madre—. Fijaos, puedo agarrar la pelota con una mano —dijo extendiendo sus largos dedos alrededor de ella.

—¡Qué lástima, qué forma de desperdiciar tu talento para la música! —protestaron sus padres.

Su madre se mostró muy disgustada. Había renunciado a su sueño de convertirse en concertista de piano en la universidad cuando comprendió lo dura que era la competencia. Sin darse cuenta, las dotes musicales de su hijo habían venido a representar una segunda oportunidad para ella. Aunque ocultó sus intensas emociones, pensó: «¿Cómo ha podido Jeffrey hacerme esto?»

Lo cierto es que los adolescentes hacen esas cosas con gran facilidad. Y en esos casos, es difícil mostrar respeto por sus decisiones. Pero por más que nos duela debemos dejar de lado nuestras ambiciones y deseos y escuchar atentamente lo que nuestros hijos nos están diciendo. En este caso, Jeffrey le decía a su madre con toda claridad: «La música no es mi sueño, es el tuyo».

—Si lo dejas, más tarde no podrás reanudar tus estudios al mismo nivel —dijo su madre con tono implorante. Comprendía que su hijo había tomado una decisión muy seria que afectaría al resto de su vida.

—Lo sé, mamá —respondió Jeffrey—, pero no me importa. No quiero seguir tocando el piano, ¿es que no lo entiendes?

Lo que para Jeffrey fue una decisión muy fácil de tomar, para su madre fue algo muy difícil de aceptar. La mujer buscó consuelo hablando de ello con su marido, sus amigas, los padres de otros jóvenes músicos y por último con el profesor de piano de Jeffrey. Éste también se mostró disgustado de que Jeffrey hubiera decidido dejar los estudios de música, pero ya había pasado por esta situación con chicos menos dotados.

—No basta con que tenga talento —explicó a la madre de Jeffrey—. Si carece de pasión, ambición y empeño, nunca llegará a ser concertista.

La madre de Jeffrey tardó casi un año en aceptar la decisión de su hijo. No se explicaba cómo Jeffrey podía animar entusiásticamente a sus compañeros de equipo durante un partido de baloncesto mientras él permanecía sentado en el banquillo, pero estaba claro que era feliz. Su madre comprendía que era su vida, no la de ella, de modo que se esforzó en respetar la decisión de su hijo y al fin consiguió olvidar lo que había ambicionado para él.

Jeffrey era consciente de lo difícil que era esto para su madre. Ella le preguntaba periódicamente si quería reanudar las clases de piano, e incluso invitó a cenar una noche a su antiguo profesor. Aunque los deseos de su madre estaban claros, Jeffrey le agradeció que no tratara de obligarle a continuar sus estudios de música, aunque sabía que hubiera sido inútil.

Nuestros adolescentes reconocen nuestra pugna y nuestro esfuerzo como padres por respetar sus decisiones aunque no lo confiesen abiertamente. Nosotros les mostramos nuestros sentimientos de forma sutil, y no tan sutil, sobre todo cuando nos revelamos en desacuerdo con ellos. Al respetar el derecho de nuestros adolescentes a tomar sus propias decisiones —especialmente cuando son difíciles de tomar— les enseñamos una aún más importante: que incluso cuando no se está de acuerdo con la decisión de otro, hay que respetarlo. Podemos respetar el derecho de las personas que queremos a decidir por sí mismas.

Esta lección les ayuda a poner los cimientos sobre los que descansarán todas las relaciones de su vida, incluso su relación con nosotros. Queremos gozar de una relación de respeto mutuo que dure toda la vida con nuestros hijos adultos. Sólo existe una forma de lograrlo: dejar que sean como son en lugar de tratar de convertirles en lo que querríamos que fueran.

Dejar que aprendan de sus errores

¿Y si la decisión de Jeffrey hubiera sido un error del que no se hubiera percatado, y arrepentido, hasta al cabo de unos años? Ansiamos proteger a nuestros adolescentes del dolor y el sufrimiento, y ofrecerles todas las oportunidades que podamos. Pero es imposible. La realidad para nosotros, incluidos nuestros hijos, es que debemos tomar las mejores decisiones que podamos con la información y los conocimientos de que dispongamos, y vivir con las consecuencias de nuestras decisiones. Confiamos en aprender de cada decisión que tomamos, y cuando comprendemos que nos hemos equivocado, nos resignamos y seguimos adelante.

En ocasiones es muy difícil permanecer cruzados de brazos mientras nuestros adolescentes superan el proceso de aprender de sus errores. Pero si intentamos «salvarlos» de sus errores constantemente, les enseñamos a no confiar en sus decisiones e impedimos que aprendan de sus experiencias. Quizá pensemos que les estamos ayudando, pero a la larga les perjudicamos. No existe una forma fácil e indolora de madurar. A veces nuestros hijos necesitan aprender a base de cometer errores, al igual que hicimos nosotros.

Morgan era una de las chicas mayores de su clase y una de las más inteligentes. Durante su penúltimo año de instituto, decidió entrar en la universidad, en un curso especial, y saltarse el último año de instituto. Su madre y su padre se mostraron en desacuerdo con esa idea, pues sabían lo difícil que era adaptarse a la universidad. Sabían que Morgan estaba preparada académicamente, pero les preocupaba que no lograra adaptarse desde el punto de vista social.

Pero Morgan estaba decidida: solicitó su ingreso y fue admitida en la universidad que eligió. Por desgracia, sufrió durante todo el primer año. No encajaba con las jóvenes que se alojaban en el mismo edificio que ella, odiaba a su compañera de habitación y tenía problemas para hacer amistades. No estaba preparada socialmente.

Fue una dura lección, de la que sus padres habían tratado de protegerla. Pero en última instancia habían comprendido que debían respetar la decisión de Morgan. Y cuando ocurrió lo que se temían, no le dijeron ni una sola vez: «Ya te lo advertimos». Se mostraron comprensivos y pacientes cuando les llamaba cada dos por tres profundamente afligida durante el primer año en la universidad, escuchando sus quejas y asegurándole que todo se resolvería.

Respetar el derecho de nuestros adolescentes a tomar sus propias decisiones supone con frecuencia abstenernos de intervenir, por mucho que nos cueste. Siempre habrá zonas oscuras en las que será difícil saber cuándo debemos insistir en que nuestros hijos se rindan a nuestro criterio o dejar que escarmienten. No existen pautas definidas que nos guíen en esta cuestión, pero está claro que debemos intervenir cuando las decisiones de nuestros adolescentes impliquen una conducta peligrosa. A menudo debemos tomar sobre la marcha una decisión que prevalezca sobre la de nuestros hijos, sin una información adecuada y basándonos únicamente en nuestra intuición.

Serena, una joven de quince años, llamó una noche a sus padres para comunicarles que un amigo la acompañaría a casa en coche y no sería necesario que fueran a recogerla.

—¿Quién conduce el coche? —preguntó su madre.

—Uno de los chicos mayores —respondió Serena con desenvoltura.

Ese dato a su madre no le bastó.

—No, Serena, quédate ahí hasta que vaya a recogerte.

—Pero, mamá —protestó la joven—, ningún otro padre vendrá a buscar a su hijo.

—No importa —respondió su madre con calma—. Llevaré a sus casas a todos los que quieran.

—De acuerdo. —Serena se sentía abochornada, pero sabía que si su madre se empeñaba en ir a recogerla no lograría impedírselo.

Para sorpresa de Serena, cuando su madre fue a buscarla había varios padres con sus coches aparcados frente a la casa, esperando a que salieran sus hijos. Fue una buena lección para Serena comprobar que su madre no era tan distinta de otras.

Cuando nuestros adolescentes toman decisiones dudosas basadas en un razonamiento inmaduro, debemos intervenir con decisión e imponer nuestro criterio racional. En esas situaciones, a menudo los adolescentes se sienten aliviados al comprobar que en ocasiones sus padres saben perfectamente lo que hacen, aunque no estén dispuestos a reconocerlo. Pero ellos no son quienes deben juzgar cuándo debemos o no intervenir. La toma de esas decisiones recae en nosotros.

Cuanto mejor sea nuestra relación con nuestros hijos, más información tendremos en la que basarnos para tomar esas decisiones sobre la marcha, y mayores serán las probabilidades de que sepamos cuándo debemos intervenir y cuándo es preferible que nos abstengamos. Si respetamos su derecho a tomar sus propias decisiones la mayor parte de las veces, ellos se mostrarán más receptivos al hecho de que hagamos valer nuestra autoridad, sobre todo en lo referente a su seguridad y bienestar. Ésta es otra razón por la que no debemos «malgastar» toda la buena voluntad que muestran nuestros hijos hacia nosotros peleándonos con ellos sobre temas que carecen de importancia, sobre cosas como la ropa que se ponen o la música que escuchan.

Respetar las creencias del otro

Aprender a respetarnos unos a otros, en especial cuando mantenemos criterios muy distintos, no siempre es fácil para los padres o los hijos adolescentes. A veces nos cuesta respetar sus valores cuando éstos chocan frontalmente con los nuestros. Es difícil no tomárselo como una ofensa personal; en fin de cuentas, ¿quién les ha criado? ¿Acaso sus valores no afectan a los nuestros?

A Daniel, un chico de dieciocho años, le entusiasmaba la idea de votar en las elecciones presidenciales. Pero su padre no estaba tan contento, pues conocía las opiniones políticas de Daniel y sabía que eran diametralmente opuestas a las suyas.

—Anularás mi voto con el tuyo —dijo su padre con aire de incredulidad.

—Así es —respondió Daniel, satisfecho de sí mismo.

—No puedes hacer eso —protestó su padre.

—Claro que puedo —contestó Daniel alegremente.

Su padre guardó silencio. Era evidente que su hijo tenía razón. Más tarde le dijo a su mujer:

—No sé si sabes que tenemos un traidor en casa.

—¡Te he oído! —gritó Daniel desde la habitación contigua.

Su padre respondió a Daniel a voz en cuello:

—De acuerdo, conozcamos el razonamiento en que se basa tu voto.

Daniel entró en la habitación de sus padres, más que dispuesto a responder a aquel reto. Tanto el padre como el hijo eran unos apasionados de la historia y seguían la política muy de cerca. La discusión que mantuvieron a continuación fue por momentos muy airada, pero cuando su padre escuchó los argumentos de Daniel no pudo por menos de respetar su razonamiento.

—No estoy de acuerdo con ninguna de tus conclusiones, Daniel, pero reconozco que me impresiona la profundidad de tu análisis —dijo sonriendo con tristeza. No pudo evitar añadir—: Pero no voy a prestarte el coche el día de las elecciones.

—Puede llevarse el mío —terció la madre, sonriendo. Tampoco estaba de acuerdo con las opiniones políticas de Daniel, pero se sentía orgullosa de que tuviera su propio criterio y se tomara en serio ir a votar.

Daniel es un adolescente afortunado. Tanto su padre como su madre respetan su madurez y su derecho a tener sus propias opiniones. Su padre sabe mostrarse en desacuerdo con él y mantener al mismo tiempo una buena relación padre-hijo, e incluso bromear sobre sus diferencias.

Cuanto más importantes y más firmes sean para nosotros nuestras creencias, más difícil nos resultará respetar el derecho de nuestros adolescentes a sostener criterios distintos de los nuestros y adoptar otros valores. Esto es especialmente difícil en los ámbitos de la política y la religión, en los que la gente suele opinar con vehemencia sobre lo que está «bien» y lo que está «mal».

En ocasiones consideramos que el interés de nuestros hijos por explorar distintas religiones es una ofensa personal contra nuestras preciadas creencias. Como es lógico, cuanto más nos resistamos a su derecho a explorar, más obligados se sentirán ellos a defenderlo. Por más que nos disgusten los escarceos políticos y religiosos de nuestros hijos, debemos escucharles, tomar en serio sus preguntas y respetar su derecho a sacar sus propias conclusiones.

Respetar los rasgos singulares de cada hijo

A medida que nuestros hijos se adentren en la adolescencia y se reafirmen en sus cualidades individuales y en sus rasgos personales, aparecerán con mayor claridad los ámbitos que suscitan más interés en ellos y las dotes que poseen. Debemos respetar esta singular combinación de cualidades y talentos, por más que nos sorprendan o resulten extraños.

Sherry, una joven de catorce años, era muy aficionada al hockey sobre hielo. Su madre se había criado en una población en la que no se practicaba este deporte, y mucho menos un equipo femenino. De modo que cuando Sherry trajo a casa todo el material que guardaba en la escuela, ella se quedó atónita. La chica se puso su peto protector para hacer de portera, entró muy ufana en la cocina y su madre apenas la reconoció.

De hecho, le costaba mostrar entusiasmo por la última afición de su hija, aunque había pasado muchas temporadas asistiendo a pruebas deportivas en las que participaba Sherry. Siempre permanecía alejada del terreno de juego, angustiada, temiendo que su hija sufriera un accidente y tuvieran que llevarla apresuradamente a urgencias. El padre de Sherry tampoco era muy aficionado a los deportes. Los dos se preguntaban de dónde había sacado Sherry su pasión y su agilidad, dado que ellos no estaban dotados para los deportes.

Un día Sherry anunció a sus padres eufórica:

—¡Nuestro equipo va a participar en la final estatal y quizá me propongan para jugar en uno de los grandes equipos!

Sus padres se quedaron pasmados. Los dos creían que la temporada de hockey sobre hielo había terminado, y que por fortuna su hija había salido indemne. Pero ella acababa de comunicarles que la temporada continuaría y a un nivel aún más competitivo que antes. Para ellos esa información equivalía a un mayor peligro, por lo que les resultaba difícil mostrarse entusiasmados.

Al observar su vacilación Sherry lo interpretó como una falta de interés.

—Podríais mostrar más alegría —comentó, sarcástica, para disimular su decepción.

Sus padres le expusieron sus temores, asegurándole que podía contar con su apoyo entusiástico. Tenían que aprender a ver la afición deportiva de Sherry a través de los ojos de ella y mostrarse más tolerantes. Respetar la pasión de su hija equivalía a comprender lo que el deporte significaba para ella y superar los temores que ellos sentían con respecto a su integridad física.

Honramos a nuestros adolescentes cuando respetamos y apreciamos lo que ellos valoran, aunque no estemos de acuerdo. Eso incluye la música que les gusta, al margen de lo que opinemos de ella. Conviene que de vez en cuando dediquemos cinco minutos a charlar con nuestros hijos y a escuchar su canción favorita, aunque nos resulte un suplicio. Asimismo, es un buen sistema para mantener abiertas las líneas de comunicación con ellos: después de sus amigos, la música es con lo que nuestros hijos se sienten más compenetrados. Si las letras de las canciones nos parecen ofensivas o soeces, podemos comentarlas con ellos después de haberlas escuchado. Al compartir su música con nosotros, nos demuestran que desean permanecer conectados y que les comprendamos.

Honrar a nuestros padres

Una de las quejas más habituales de los padres de adolescentes es que sus hijos se comportan de forma grosera e irrespetuosa con ellos. En ocasiones los adolescentes no hacen caso de sus padres cuando éstos les dicen algo, o les contestan mal, gritan y se comportan de forma irritante. Es una de las formas que los adolescentes tienen de expresar su ira hacia nosotros y desahogarse. También es una excelente táctica para distraer nuestra atención del asunto que nos ocupa en esos momentos. Podemos cometer la ingenuidad de reaccionar a la grosería de los hijos, con lo cual la situación degenera en una pelea y el tema que nos ocupaba queda sin resolver.

—No hables a tu madre en ese tono —advierte el padre a Jack, un chico de catorce años, provocando otra escaramuza en la continua «guerra mundial» de esta familia.

—Es que es una pelmaza —replica Jack con tono desafiante.

El padre y Jack están empatados, y no saben por dónde tirar. ¿Cómo se originó el conflicto? ¿Alguien lo recuerda? ¿Van a tratar de resolver el problema, sea cual fuere, o van a dejar que el tema degenere en otra ronda de insultos y castigos?

No ganamos nada enzarzándonos en este tipo de peleas para ver quién es más fuerte. Seamos realistas: por más que nos cueste aceptarlo, debemos tolerar que nuestros hijos nos monten de vez en cuando una escena emocional. Es inútil que perdamos los estribos cuando esto ocurre. Al fin y al cabo, somos adultos. Debemos procurar en la medida de lo posible concentrarnos en el problema que nos ocupa y hacer caso omiso de la momentánea grosería de nuestros hijos. Siempre podemos consolarnos pensando que otros padres de adolescentes tienen que soportar esas indignantes escenitas de sus hijos.

No obstante, si empiezan a amenazar con agredir físicamente a miembros de la familia o a otras personas, la historia es muy distinta. Jamás debemos tolerar un lenguaje o un comportamiento ofensivo o violento; cuando se produce es una clara indicación de que debemos acudir de inmediato a un profesional en busca de ayuda. El problema es de tal magnitud que no puede resolverlo únicamente la familia.

Debemos procurar que nuestros hijos nos traten con el respeto que merecemos por ser sus padres. Hay que tener en cuenta que aún les falta madurar para llegar a ese punto; desde luego, debemos exigirles un mínimo de respeto durante su adolescencia. Pero hay que pensar que el auténtico respeto no puede exigirse, y que éste a la larga es el único que cuenta. No podemos obligar a nuestros adolescentes a respetarnos, y si tratamos de hacerlo sólo conseguiremos en el mejor de los casos que nos traten con una fría corrección bajo la cual late el resentimiento y la falta de respeto.

El sistema más eficaz de enseñar a nuestros adolescentes a respetarnos es tratarles con respeto y mostrarnos respetuosos en nuestras relaciones. Recuerde que somos nosotros quienes debemos fijar las pautas de conducta en casa. A medida que nuestros hijos se adentren en la adolescencia, llegarán a vernos bajo un prisma distinto basado en cómo nos comportamos y quiénes somos. El auténtico respeto hacia nosotros se desarrollará y aumentará a lo largo del tiempo, cuando nuestros adolescentes se conviertan en jóvenes adultos y lleguen a conocernos como personas, no sólo como sus padres.

El divorcio representa un reto

Una de las situaciones en las que resulta más difícil ser un modelo de respeto para nuestros adolescentes es durante un divorcio. Es cuando los padres suelen comportarse mal, no sólo en relación con el otro cónyuge, sino también con los hijos. Es un problema tan común que los profesionales incluso le han puesto una etiqueta: función parental disminuida. Durante un divorcio, cuando existe tanta rabia entre los cónyuges, una de las tareas más difíciles es comportarse de la manera más conveniente para los hijos, incluidos los adolescentes.

La forma en que los padres se comportan durante un divorcio y en los años sucesivos enseña a los hijos de todas las edades más sobre el respeto y el honor que un millón de sermones sobre el tema. Esas lecciones son especialmente pertinentes para los adolescentes, que o bien empiezan a despertar al amor romántico o empiezan a organizar sus vidas en torno a unas relaciones íntimas.

El reto para unos padres divorciados consiste en respetarse mutuamente colaborando como co-padres y honrarse mutuamente procurando no menospreciarse uno al otro delante de sus hijos. Si existen problemas en la forma en que el ex cónyuge ejerce sus funciones de padre, nuestros adolescentes no tardarán en captarlo y sacar sus propias conclusiones sobre cómo relacionarse con ese padre. Entre tanto, debemos mordernos la lengua y abstenernos de obligar a nuestros hijos a que se decanten a un lado o al otro. Pedir a nuestros hijos que tomen partido les coloca en una tremenda situación emocional, lo cual no es justo para ellos. Hay que reconocer que no es fácil conseguirlo, pero cuanto más atrapados se vean nuestros adolescentes en esa situación, más les costará adaptarse a las realidades de un divorcio y mantener una buena relación con ambos padres.

Algunos califican el divorcio de una época de locura, y la locura temporal puede durar mucho más que el proceso legal. Los padres de Brian, un muchacho de dieciséis años, llevaban varios años divorciados cuando la madre acusó al padre de allanar su casa mientras ella estaba de vacaciones. Esto disgustó mucho a Brian, que no sabía qué pensar. La madre denunció el caso a la policía, enumerando una lista de objetos que faltaban de la casa, como un viejo *kit* de herramientas, un marco y unas cajas que contenían los antiguos documentos financieros que el padre había dejado olvidadas en el desván. No faltaba nada de valor. Cada padre contrató a un abogado y fueron a juicio.

—¿Qué otra persona iba a llevarse los trastos viejos de tu padre? —preguntó la madre a Brian.

—Está loca —le dijo su padre con calma.

El pobre Brian estaba atrapado entre los dos. Se resistía a creer que su padre llegara al extremo de allanar la casa de su madre y muy disgustado de pensar que su madre tuviera tan mala opinión de él.

Al cabo de unos meses, por Navidad, Brian y su madre se pusieron a decorar un gran árbol, como el que solían adquirir cada año, cuando de pronto se quedaron sin adornos. El árbol les parecía desnudo. Ambos lo contemplaron y luego se miraron, comprendiendo de golpe lo que significaba.

—Tu padre se llevó también los adornos del árbol de Navidad. No me he dado cuenta hasta ahora —dijo la madre.

Brian no dijo nada. Pero cuando visitó a su padre después de las vacaciones, vio los adornos navideños que faltaban colgados de su árbol. Brian no sabía qué decir ni qué hacer. Sabía que en realidad no era su batalla, pero le afectó personalmente y también afectó a la relación con su padre, que seguía insistiendo en que era inocente. Brian comprendió que no podía respetar a su padre ni confiar en él. Pero no podía decantarse completamente del lado de su madre, porque le parecía una deslealtad hacia su padre. Brian acabó perdiendo el respeto tanto por su madre como por su padre. Pensó que la mutua inquina que ambos sentían era más importante para ellos que el bienestar emocional de su hijo. ¿Ninguno de los dos había pensado en cómo su conducta le afectaría a él?

Por más intensa que sea la animosidad que rodea un divorcio, es esencial que ambos padres tengan presente que los adolescentes aprenderán lecciones vitales sobre relaciones durante este delicado proceso. Hay que reconocer que es muy difícil no perder nunca los estribos en ningún momento, especialmente en el fragor de la batalla. No obstante, debemos esforzarnos en tener en cuenta la influencia que nuestras palabras y acciones tendrán en nuestros hijos. Lo que hagamos en los momentos difíciles determinará si merecemos o no el profundo y eterno respeto de nuestros adolescentes. Es el tipo de respeto que incidirá en la relación que mantengamos toda la vida con nuestros hijos adultos.

Los adolescentes necesitan héroes y heroínas

Los adolescentes necesitan héroes y heroínas en sus vidas, modelos a los que respetar, que les estimulen e infundan deseos de imitarlos. Necesitan saber que las personas normales «como ellos» son capaces de perseverar, alcanzar sus objetivos y ser respetados por la comunidad. Esto les infunde esperanzas y un sentido de propósito y dirección.

Lamentablemente, los «héroes» que les propone nuestra sociedad suelen ser estrellas de cine, la televisión, la música y los deportes. Pero esos ídolos de los quinceañeros no siempre constituyen los mejores modelos que imitar, por decirlo con suavidad. Aparecen en la pantalla como artículos de consumo destinados a dar *glamour* al sexo y al dinero, y a menudo representan valores superficiales. Es preferible que los adolescentes adopten como modelos a personas que conocen. De este modo pueden contemplar los pasos que han dado sus héroes para alcanzar el éxito, la forma en que han superado los obstáculos y cómo han persistido en los momentos de desánimo.

Cuando Jasmine era una niña, su prima adolescente Savannah cuidaba de ella muchas tardes mientras su madre trabajaba. Jasmine iba a todas partes con Savannah y las amigas de ésta. Por desgracia, algunas de sus amigas tuvieron un hijo mientras todavía estudiaban en el instituto. Aunque esos embarazos adolescentes representan un problema tanto para las madres como para sus familias, siempre se organizaban fiestas y celebraciones llenas de regalos y felicitaciones para dar la bienvenida a esos bebés. Un día, durante una de esas fiestas, Jasmine preguntó a su prima:

—¿Tú no tienes un bebé, Savannah?

Savannah se echó a reír y respondió a Jasmine con un abrazo.

—Tú eres el único bebé que quiero tener en estos momentos. Tendré a mis bebés cuando me gradúe en la universidad y pueda cuidar de ellos personalmente.

Jasmine nunca olvidó esas palabras mientras observaba cómo Savannah progresaba en sus estudios universitarios. Puesto que Savannah tuvo que pagarse ella misma la matrícula, le llevó seis años en lugar de cuatro completar sus estudios. Pero nunca se quejó y persistió en su empeño. Cuando Jasmine alcanzó la adolescencia, asistió a la ceremonia de graduación de Savannah. Para entonces ya sabía cuáles eran sus propios objetivos: deseaba ser exactamente como su prima. Se sintió orgullosa al ver cómo Savannah atravesaba la tarima y sostenía en alto su diploma con expresión triunfante. Fue un momento imborrable que ayudó a Jasmine a superar los contratiempos con que se topó hasta obtener su diploma.

También existen héroes locales. A poco que nos fijemos y esforcemos podremos hallar ejemplos de hombres y mujeres que encarnan los valores que queremos inculcar a nuestros adolescentes. No se desanime si al hacerlo no obtiene una respuesta entusiasta de su hijo. Hágalo de todos modos. Ofrézcale ejemplos de modelos positivos entre las personas de su localidad que se han ganado el respeto de los demás.

—¿Te acuerdas del señor Thompson, el profesor que tuviste en tercer curso? —pregunta un día su madre a Caleb, un chico de quince años.

—Claro, ¿por qué me lo preguntas? —responde Caleb con cierta curiosidad.

—Acaban de concederle un premio por haber sido durante veinte años entrenador de las ligas infantiles. Han publicado su foto en el periódico.

—Sí, lo recuerdo muy bien.

Por más que nuestros adolescentes respondan con indiferencia, no dude que esas pequeñas dosis de información causan un impacto positivo en ellos. Historias como ésta son una manera más eficaz y agradable de influir en ellos que sermonearles sobre los valores. Debemos procurar que nuestros adolescentes escuchen mensajes que contrarresten, o cuando menos equilibren, el enorme impacto de la cultura *pop* que les rodea constantemente. Al mostrarles modelos positivos de nuestro entorno ayudamos a nuestros adolescentes a identificarse con héroes y heroínas reales que les estimularán de forma beneficiosa.

Estar siempre disponible para nuestros adolescentes

La adolescencia es ante todo una fase de crecimiento. Esos años constituyen una transición entre la infancia y la madurez joven. Nuestros hijos deben descubrir y aceptar sus dotes singulares y sus limitaciones reales. A media que avancen en esta fase, nuestra influencia sobre ellos disminuye, pero nunca desaparece. Debemos procurar que se conviertan en adultos que se respeten, que sepan en qué creen en su fuero interno y que den los pasos necesarios para realizar sus sueños. Dada la complejidad del mundo en que vivimos, no es empresa fácil.

A veces los padres tenemos la sensación de andar a tientas, sin saber exactamente lo que ocurre en las vidas de nuestros hijos. Por fortuna, la mayoría de los adolescentes atraviesan el campo minado que representa la adolescencia y salen indemnes. (Piense un minuto en algunas de las cosas que hizo usted sin que sus padres lo supieran.)

Siempre habrá aspectos de la vida de nuestros adolescentes que no conozcamos. No podemos controlar eso: nuestros adolescentes son muy hábiles a la hora de ocultarnos lo que no desean que averigüemos. No obstante, podemos y debemos animarles a que se respeten escuchando sus necesidades, cuidando de sí mismos y sintiéndose satisfechos de lo que hacen por ellos mismos.

Nuestros adolescentes se enfrentan a un abrumador cúmulo de decisiones difíciles todos los días, sobre cómo deben comportarse, lo que piensan y creen, con quiénes salen y qué nos cuentan a nosotros, sus padres, al respecto. Las elecciones que hagan tendrán un profundo impacto en la clase de persona en la que se convertirán. Debemos procurar que nuestros adolescentes dediquen tiempo a reflexionar sobre las decisiones que toman en sus jóvenes vidas y en el tipo de persona en la que se están convirtiendo. De este modo tendrán la oportunidad de convertirse en adultos que se respetan y son capaces de capear los temporales de la madurez.

Si los adolescentes viven con confianza, aprenden a decir la verdad

Podemos tener la certeza de que nuestros hijos harán algunas de las cosas que hacen la mayoría de los adolescentes normales. Pondrán a prueba sus límites, mentirán, tendrán arrebatos emocionales, experimentarán con drogas y alcohol, se enamorarán, ingerirán comida basura, se mostrarán insoportablemente egocéntricos, llegarán tarde por las noches, pasarán de nosotros, explorarán su sexualidad, conducirán a una velocidad excesiva, se pelearán con nosotros, se harán tatuajes o *piercings*, fumarán cigarrillos o porros, se olvidarán de llamarnos, sacarán malas notas, despilfarrarán su dinero, escucharán una música espantosa, copiarán en la escuela, se teñirán el pelo, emprenderán un negocio, se irán de vacaciones en coche y vivirán esos años de forma apasionada y a veces desenfrenada.

Debemos hacerles comprender que siempre pueden decirnos la verdad sobre lo que hacen, porque esto nos permite, en la medida de lo posible, protegerlos. Pero sabemos que nuestros adolescentes no siempre nos dirán la verdad. Los adolescentes son reservados por naturaleza. El proceso de hacerse independientes consiste en parte en no compartirlo todo con nosotros. Debemos respetar su derecho a tener una vida privada, y asegurarnos también de que no les ocurrirá nada malo. Por tanto, debemos confiar en su capacidad de discernir entre cuándo deben contarnos algo y cuándo pueden guardar un secreto.

Para que puedan hacerlo, deben sentirse lo bastante seguros como para confiarnos la verdad, sobre todo cuando deben tomar decisiones críticas. Es preciso que sepan que no nos pondremos histéricos, que no les avergonzaremos ni adoptaremos una actitud punitiva o arbitraria. Atosigarles continuamente no da resultado. Debemos confiar en su voluntad de fiarse de nosotros. Es imposible que sepamos lo que hacen en todo momento, a menos que contratemos a un detective privado para que les siga, y si nos vemos obligados a hacerlo, significará que les hemos perdido. Debemos poder confiar en ellos al igual que ellos deben poder confiar en nosotros.

Cuando nuestros hijos se fían de nosotros y nos cuentan lo que hacen, en primer lugar debemos felicitarles por tener la madurez de contárnoslo. Luego debemos estar a la altura de la confianza que han depositado en nosotros. Con frecuencia no nos gustará lo que nos cuentan, pero debemos tener presente que es preferible que sepamos lo que hacen a no saberlo. Debemos dejar de lado nuestro temor y nuestro disgusto y ayudar a nuestros adolescentes a reflexionar sobre la situación en que se encuentran y cómo pueden resolverla ellos mismos. Cuando nuestros hijos nos confían sus problemas, debemos considerarlo una oportunidad para enseñarles la forma de resolverlos eficazmente: calcular la magnitud del problema, explorar diversas opciones, elegir la forma de abordarlo y luego reflexionar sobre lo que han aprendido. Si nuestros adolescentes no se sienten lo suficientemente seguros para confiarnos la verdad, no asimilarán los consejos que les ofrezcamos para ayudarles a solventar los problemas de la vida cotidiana.

Luis, un chico de quince años, estaba un día en casa de Katherine y le contó que había visto a Rebecca, una amiga común, fumándose un cigarrillo. Esa misma tarde Katherine se lo contó de pasada a su madre y Luis se enfadó con ella.

—¿Por qué se lo has dicho? —le preguntó cuando la madre de Katherine no podía oírles. Luis opinaba que todos los padres eran espías del enemigo.

—Sé que mi madre no dirá una palabra —aseguró Katherine a Luis—. Se lo cuento todo.

—¿Y qué ha dicho? —preguntó Luis picado por la curiosidad.

—Nada. No le ha sorprendido —respondió Katherine—. Me ha preguntado qué opinaba sobre el tabaco, fumar y esas cosas.

—Ya —contestó Luis. Sabía que él no habría podido tener esa conversación con su madre, que ella le habría gritado y reprendido por tener esa clase de amistades.

Katherine y su madre gozan de una relación basada en un alto grado de confianza. Su madre no se asustó ante la noticia de que una amiga de su hija fumara. No hizo el papel de «policía», apresurándose a telefonear a la madre de la otra chica, ni dio por supuesto que Katherine también empezaría a fumar. Asimiló la noticia con toda naturalidad, dando a Katherine la oportunidad de comentárselo tranquilamente.

Hay ciertos límites a este nivel de confianza y confidencialidad. Si Katherine hubiera confiado a su madre algo que supusiera un grave riesgo (que una amiga le había dicho que quería suicidarse o que alguien que conocía consumía drogas), su madre habría tenido que hacer algo al respecto, explicando antes a Katherine que era su obligación. Cuando los adolescentes confían lo suficiente en nosotros para contarnos la verdad sobre una situación peligrosa, al mismo tiempo confían en que hagamos algo para protegerles a ellos y a sus amigos.

Cuanto más se fíen nuestros adolescentes de nosotros, más detalles nos revelarán sobre su vida y más eficazmente podremos intervenir en caso necesario. Si nuestros hijos no pueden confiarnos la verdad, no tendremos ni la más remota idea de lo que hacen. Los jóvenes son expertos a la hora de ocultar hechos, y lo hacen precisamente cuando creen que no tienen más remedio.

Rebecca, la amiga de Luis y Katherine, no tenía con su madre esa relación de confianza que tenía Katherine con la suya. Cuando llegó a casa una noche, su madre, que la recibió en la puerta, notó cierto olor y dijo:

—Apestas a humo de cigarrillo.

—Lo sé, mamá —respondió Rebecca—. Fue horrible. Prácticamente todos en la fiesta fumaban.

—¿Y tú fumaste? —preguntó su madre sin andarse con rodeos.

—Qué va. Tenía ganas de salir de allí —mintió Rebecca mirando a su madre a los ojos.

—Me alegro —dijo ella, aliviada. Puede que en su fuero interno sospechara que Rebecca mentía, pero como no tenía pruebas dejó el tema.

En ocasiones nuestros adolescentes son expertos a la hora de engañarnos. Podemos formularles las preguntas claras y directas y ellos no tienen el menor reparo en mentirnos mirándonos a los ojos. A menos que hayamos creado una relación con ellos en la que sepan que pueden confiarnos la verdad, es imposible que sepamos lo que hacen.

¿Somos capaces de encajar la verdad?

Si queremos que nuestros hijos sean sinceros con nosotros, debemos estar preparados para que en ocasiones nos cuenten una verdad que nos cueste encajar. Es asombroso la tranquilidad con que son capaces de describir situaciones realmente graves. En tal caso, debemos conservar la calma y tener presente que su voluntad de contarnos la verdad sobre una situación complicada significa que desean que les ayudemos a resolverla.

Al regresar a casa en coche del supermercado, la madre de Kelsey, una chica de quince años, le preguntó con naturalidad:

—¿Qué sabes sobre el consumo de drogas en la escuela?

Kelsey respondió con sinceridad:

—Hay de todo, desde heroína hasta éxtasis.

Su madre no estaba del todo preparada para oír esa respuesta, y menos aún para el tono indiferente con que contestó Kelsey. Sabía que había drogas en todas las escuelas, pero le disgustó que su propia hija se lo confirmara.

—Ya sabes que no quiero que pruebes esas cosas —dijo tratando de conservar la calma.

—Ya lo sé, ya lo sé —respondió Kelsey, y empezó a desconectarse de lo que le decía su madre.

—Pero lo que más importa es que podamos hablar siempre de este tema —añadió—. Hagas lo que hagas, quiero que sepas que siempre puedes acudir a mí.

A continuación se produjo un tenso silencio. La madre no sabía lo que pensaba Kelsey, pero esperó pacientemente.

Después de una pausa, Kelsey le preguntó:

—¿Recuerdas la fiesta a la que fui hace unas semanas? Una de las chicas tomaba drogas y tuvo una mala reacción.

—¿Qué ocurrió? —preguntó la madre con un tono preocupado. Esto condujo a una franca charla sobre las drogas, desde cómo decir «no» a qué hacer en una emergencia. Si la madre se hubiera asustado o le hubiera largado un sermón, Kelsey habría cerrado la boca de inmediato. El mero hecho de iniciar una conversación con una frase sobre su postura con respecto a las drogas casi había hecho que su hija se desconectara de ella. Al aclarar que lo más importante para ella era mantener una comunicación sincera con Kelsey, logró que prosiguiera la conversación.

La madre no puede confiar en que Kelsey no pruebe nunca las drogas. Existe un cincuenta por ciento de probabilidades de que su hija experimente algún día con alguna droga. Con esta conversación, la madre está fomentando la confianza necesaria para que Kelsey pueda decirle la verdad, tanto si experimenta con drogas como si no. Esta precaución puede salvarle en el futuro la vida.

Seamos realistas: no podemos controlar el comportamiento de nuestros hijos. Pero nuestra responsabilidad como padres es explicarles con claridad y firmeza nuestra postura sobre los riesgos que acechan a los adolescentes. Pero aún más importante es mantener la confianza necesaria para tener una comunicación sincera y abierta y una auténtica conexión con nuestros adolescentes y su mundo.

Nuestra primera prioridad es su seguridad

Nuestra primera prioridad es la seguridad de nuestros adolescentes. Al igual que acabamos confiando en que nuestros hijos más jóvenes miren a un lado y otro de la calle antes de cruzar, debemos confiar en que aprendan a cuidar de sí mismos en situaciones tan diversas como imprevisibles.

Todos nos preocupamos cuando nuestros hijos salen con amigos, cogen el coche, llegan tarde a casa o se olvidan de llamarnos. Y por desgracia tenemos sobrados motivos para preocuparnos. La adolescencia es una época peligrosa. No obstante, debemos aprender a confiar en que sus decisiones serán racionales. El problema es que este proceso de aprendizaje lleva tiempo, y antes de que nuestros adolescentes hayan alcanzado la madurez habrán tomado inevitablemente algunas decisiones nefastas, al igual que hicimos nosotros.

Un domingo a última hora de la tarde, Ritchie, un muchacho de trece años, entró corriendo en su casa.

—¿A qué no adivinas quién me ha traído en coche? —preguntó a su padre sin poder reprimir su entusiasmo.

—¿Quién?

—El hermano mayor de Sean —declaró Ritchie muy ufano—. ¡En su nuevo *jeep*!

—Ya —respondió su padre, percatándose lentamente del peligro potencial que eso encerraba.

—¡Ha sido genial! Escuchamos música todo el rato y yo me senté en el asiento del copiloto.

Conociendo como conocía los hábitos del hermano mayor de Sean, su padre le preguntó:

—¿Llevaba cerveza en el coche?

—No —contestó Ritchie—. Dejó la cerveza en casa.

—¿De modo que había bebido? —prosiguió su padre con calma.

—Sí, pero sólo bebió una cerveza. Vi la lata en la cocina.

—Pero ¿cómo sabes si era la primera o la quinta cerveza que se había tomado? —preguntó el padre.

Ritchie le miró un tanto irritado.

—Sólo recorrimos unos tres kilómetros, y el coche es nuevo de trinca —respondió con esa lógica inimitable y absurda de los adolescentes.

—Me alegro de que hayas regresado a casa sano y salvo —dijo su padre—. Has tenido suerte.

—¿Suerte? —preguntó Ritchie sin comprender.

El padre miró a su hijo con expresión seria.

—Te has subido a un coche conducido por un chico que había bebido —dijo—. Puede ocurrir un accidente en un trayecto de tres kilómetros, y de hecho la mayoría de los accidentes se producen a escasa distancia de donde viven las víctimas.

—Vamos, papá... —protestó Ritchie.

—No —le interrumpió su padre—. ¿Sabes cómo funciona lo de los «conductores designados»? —Cambió de tema y pilló a su hijo desprevenido. Ritchie le miró perplejo, pero dejó de defenderse y escuchó con curiosidad a su padre para averiguar adónde quería ir a parar—. No beben una gota de alcohol, porque a veces es muy difícil saber si alguien ha tomado una copa o cinco y si está en condiciones de conducir —le explicó su padre.

Ritchie empezaba a comprender. Con todo, insistió, aunque con menos vehemencia:

—Pero el *jeep* era nuevo.

—Ya lo sé, hijo —respondió su padre dándole una palmadita en el hombro y repitiendo—: Me alegro de que hayas regresado a casa sano y salvo.

Ritchie conocía la regla de «no conducir si has bebido». Lo que no sabía era que la situación en la que se había hallado encajaba en esa categoría. Era demasiado joven e inexperto y no se había dado cuenta de que la prohibición de beber significaba no beber una gota de alcohol. Debemos tener presente que los adolescentes tienen una mentalidad distinta de la nuestra y que debemos ayudarles a comprender ciertas cosas que nosotros damos por sentado. Si su padre le hubiera gritado o castigado no hubiera conseguido nada, salvo que a partir de entonces Ritchie se mostrara menos abierto y sincero con sus padres. En lugar de ello, su padre le ayudó a comprender la forma de aplicar la norma de no conducir bebido a la vida real, para que en el futuro sus decisiones fueran más acertadas. Esto le será muy útil cuando deje atrás la adolescencia y se enfrente una y otra vez a la norma de no conducir bebido.

Debemos procurar que nuestros adolescentes atraviesen la adolescencia sanos y salvos. Necesitan nuestra ayuda para aprender a tomar decisiones sensatas y racionales sobre su propia seguridad. Es inútil decirles que eviten situaciones que sabemos que es prácticamente imposible evitar. Si lo hacemos, nuestros hijos se sentirán tentados a ocultar lo ocurrido en lugar de pedirnos consejo sobre lo que deben hacer en caso de que vuelva a ocurrir. Por desgracia, la capacidad de nuestros hijos de pensar con racionalidad y madurez no se desarrolla lo suficientemente temprano para permitirles resolver situaciones complejas típicas de la adolescencia. Como padres, debemos empezar desde el inicio de la adolescencia a ayudarles a aprender a analizar las situaciones y tomar las decisiones más adecuadas.

Confidencias y confidencialidad

Cuando nuestros adolescentes nos cuentan la verdad sobre lo que ocurre en su mundo, de vez en cuando oímos informaciones sobre otros adolescentes que nos generan dilemas desconcertantes e incómodos desde el punto de vista moral. Por ejemplo, ¿qué debemos hacer si nuestro hijo adolescente nos cuenta que otro chico se dedica a robar en las tiendas o que bebe demasiado en las fiestas? Aunque son signos preocupantes, y cuestiones no baladíes, no representan un peligro de muerte. ¿Cómo saber cuándo debemos ser discretos y mantener la confidencialidad y cuándo debemos llamar a los padres del otro chico e informarles de un problema serio?

Si hemos mantenido una comunicación abierta y sincera con nuestros hijos, nos enfrentaremos a este dilema en más de una ocasión durante su adolescencia. Se trata de situaciones complejas, cada una de las cuales debe ser analizada por separado. No existen soluciones simples, y en ocasiones no estaremos seguros de haber tomado la decisión acertada. No obstante, cuando nos encontramos con este tipo de dilema, en realidad es una buena señal, pues significa que nuestros adolescentes confían en nosotros hasta el extremo de revelarnos las complicaciones que se les plantean y que están dispuestos a dejar que les aconsejemos.

Haley, una chica que estudiaba el último curso en el instituto, iba a asistir al baile de fin de curso con su novio, Dylan, con el cual mantenía una relación seria desde hacía un año. Haley dijo a su madre que se quedaría a dormir en casa de Carol, pero lo cierto era que ella y Dylan habían reservado una habitación en un hotel de la localidad, donde pensaban pasar la noche juntos después del baile de fin de curso.

Cuando la madre de Haley comentó a su hija que iba a telefonear a la madre de Carol para confirmar que podía quedarse a dormir en su casa y darle las gracias, a Haley le entró el pánico. Carol, que sabía que su madre entendería la situación, aseguró a Haley que guardaría su secreto.

A la madre de Carol no le hizo ninguna gracia verse en esa situación y explicó con calma a su hija por qué eso le planteaba un problema.

—¿De modo que quieres que mienta a la madre de Haley? —preguntó a Carol.

De pronto Haley empezó a comprender que la situación no era tan sencilla como había supuesto.

—No pensé en eso desde ese punto de vista —respondió.

—¿Qué iba a decirle a la madre de Haley cuando llamara por la mañana después del baile de fin de curso para hablar con su hija?

Carol no lo había previsto.

—¿Decirle que aún estamos dormidas? —sugirió sin mucha convicción. Pero comprendió que eso no funcionaría.

Madre e hija se miraron y soltaron una carcajada.

—¿Qué vamos a hacer? —preguntó la madre.

—No lo sé —confesó Carol.

Para la madre la relación más importante es la que mantiene con su hija. Desea conservar la confianza que Carol ha depositado en ella y la sinceridad que hay entre las dos. Sin embargo, no quiere mentir a la madre de Haley. Por lo demás, si su hija se encontrara en esa situación, no querría que la madre de otra chica le mintiera.

Al abstenerse de reaccionar exageradamente y ser capaz de comentar con tranquilidad la situación con Carol, su madre le ha enseñado cómo reflexionar sobre la forma en que los hechos pueden desarrollarse y reconocer el dilema moral que la situación encierra. Al afrontar juntas y abiertamente la situación, se convirtieron en un equipo. Mientras seguían hablando del tema, la madre pidió a Carol que pensara en cómo se había metido en ese dilema, recordándole con amabilidad y firmeza que había creado una situación incómoda al decir que su madre estaría dispuesta a mentir por Haley.

Carol aprendió mucho de este incidente; si la cosa hubiera terminado en una airada discusión entre su madre y ella, no habría tenido la oportunidad de reflexionar sobre su responsabilidad ni los aspectos morales de ésta.

—Éste es un problema de Haley, no tuyo —dijo la madre de Carol—. Di a Haley que no mentiré por ella.

La madre sabía que las intenciones de Carol de ayudar a su amiga eran nobles, pero no estaba dispuesta a mentir a otra madre sobre el paradero de su hija. Carol comprendió que se había equivocado al meterse en ese lío, y que su madre tenía razón al negarse a mentir a otra madre.

El auténtico conflicto que se plantea aquí es entre Haley y su madre. Al insistir en que diga la verdad, la madre de Carol la ayuda a librarse de una situación complicada y al mismo tiempo proporciona a su hija un excelente modelo de conducta honrada y responsable que imitar.

Todos nos enfrentamos a situaciones semejantes con nuestros hijos adolescentes, que nos plantean problemas complejos que no son sencillos de resolver. Debemos procurar que nuestros adolescentes desarrollen la capacidad de analizar esas situaciones y prever todas las posibles consecuencias y significados, sopesar lo que es más importante e identificar lo que creen que es justo. El mejor lugar para que aprendan a hacerlo es en casa.

La importancia de no interrumpir

Si queremos animar a nuestros adolescentes a contarnos sus cosas, debemos crear un ambiente receptivo en casa. Debemos procurar que sepan que pueden compartir sus preocupaciones con nosotros, informarnos de lo que hacen y, en términos generales, utilizarnos como cajas de resonancia. A fin de crear este ambiente abierto, debemos estar siempre disponibles para ellos y escucharles cuando les apetezca charlar.

Con frecuencia da la impresión de que suelen elegir el momento en que estamos muy atareados o medio dormidos para charlar con nosotros. En ocasiones estamos a punto de salir de casa o de echarnos a hacer la siesta cuando deciden abordar un tema importante de conversación. En la medida de lo posible, debemos dejar de lado nuestra propia agenda para conversar con ellos. Debemos prestar atención a nuestros hijos cuando están dispuestos a sincerarse con nosotros. Los adolescentes aprenden enseguida a captar cuándo sus padres están demasiado ocupados para atenderles, en cuyo caso plantean sus pensamientos, preguntas e historias a otras personas, por lo general sus amigos. Debemos hacer lo posible por animarlos a hablar con nosotros sobre las cosas que son importantes para ellos, aunque signifique sacrificarnos.

Cuando nuestros adolescentes empiecen a hacerlo, debemos escucharles con atención. Esto significa escuchar en silencio y con paciencia. Podemos hacerles algunas preguntas, pero no tantas que la conversación parezca un interrogatorio. Asimismo, debemos abstenernos de sacar conclusiones precipitadas, censurarles o reaccionar de forma exageradamente emocional antes de que nuestros hijos hayan terminado de hablar. Debemos conceder a nuestros adolescentes el tiempo necesario para que nos cuenten sus cosas a su modo, hallar las palabras adecuadas para expresar sus sentimientos y explicarnos lo que ocurre en sus vidas. Si somos capaces de escucharles en silencio, nuestros adolescentes llenarán las lagunas que se produzcan en la conversación con sus pensamientos, sentimientos, temores y aspiraciones. Eso es infinitamente mejor que llenar el silencio con sermones y consejos no solicitados.

—Cuando regresaba a casa en coche, un chico se detuvo con su coche junto al mío en el semáforo —explica Michelle, una joven de dieciséis años—. Entonces se arrimó al arcén, haciendo sonar el claxon para indicarme que me detuviera también. Yo me detuve...

—¿Qué hiciste? —la interrumpe su madre, horrorizada al pensar en lo que pudo haber ocurrido—.¡Te he dicho que no salgas nunca de la carretera!

El padre se mostró de acuerdo con la madre, y amenazó de inmediato a Michelle con prohibirle que saliera con el coche.

—En cualquier caso, no deberías conducir sola de noche por la carretera. Está claro que no eres lo suficientemente responsable.

Con ese tipo de reacción, ¿es posible que Michelle continúe relatando su historia con sinceridad? La joven trataba de explicar a sus padres una situación en la que se había visto implicada, pero ahora tenía el problema de tratar de aplacarlos, porque estaban histéricos.

—¿A que no sabéis quién era? —preguntó Michelle sonriendo, muy segura de sí misma—. Era Billy, un compañero de mi antigua escuela.

—¡Ah, de modo que era Billy! ¿Cómo está? —preguntó la madre—. ¿A qué instituto va? —Billy siempre le había caído bien.

Por desgracia, en realidad no se trataba de un antiguo compañero de escuela de Michelle, y aunque lo hubiera sido, los padres de Michelle no debieron haber perdido de vista el problema principal, que era la seguridad de su hija. Su precipitada reacción al episodio que les había relatado Michelle había interrumpido la importante conversación que deberían haber mantenido con ella. Hubiera sido mejor comentar cuál habría sido la decisión adecuada en semejante situación: «¿Qué otra cosa podías hacer en lugar de detenerte en el arcén? ¿Y si ese chico te hubiera amenazado con un arma? ¿Se te había ocurrido pensar en cómo escapar?»

Los adolescentes aún deben madurar psicológicamente en lo que respecta al pensamiento analítico y a la resolución de problemas. No podemos esperar que sean capaces de reflexionar como los adultos. Por eso debemos procurar que confíen en nosotros y nos cuenten sus cosas, para ofrecerles otra perspectiva y el beneficio de nuestra experiencia y nuestra madurez. Si los padres de Michelle la hubieran escuchado hasta el final, podrían haberla ayudado a comprender la gravedad del riesgo que había corrido y a explorar otras alternativas. Supongamos que hubieran escuchado toda la historia antes de reaccionar.

—Ese chico se apeó de su coche y se acercó a mi ventanilla. Era mucho mayor de lo que había creído —continuó Michelle—. Yo no sabía si bajar el cristal o no.

—¿Y qué hiciste? —preguntaría su madre, conteniendo el aliento. A los padres no nos resulta fácil escuchar estas historias. Es como si se hubieran cumplido nuestras peores pesadillas.

—Bajé un poco el cristal, pero mantuve el coche en marcha por si acaso —respondería Michelle. Al relatar así la historia, sentiría una desagradable sensación porque se habría dado cuenta del peligro al que se había expuesto.

—Eso no te habría servido de nada si ese chico te hubiera apuntado con una pistola —añadiría su padre.

Tras una pausa momentánea, Michelle diría:

—Charlamos durante unos minutos. Supongo que pensó que yo era mayor, pero le dije que estudiaba el penúltimo curso en el instituto. Entonces se marchó y yo me vine a casa.

—¿Te siguió hasta casa? —preguntaría su madre preocupada.

—Claro que no, mamá —contestaría Michelle irritada, reparando que no había pensado en esa posibilidad hasta entonces. Los tres guardarían un silencio tenso durante unos momentos.

—Supongo que tuve suerte —diría por fin Michelle.

Los adolescentes sólo asimilan una determinada cantidad de las cosas que les decimos de golpe. Los padres de Michelle debieron controlar su exagerada reacción y explicarle las nefastas consecuencias que su actitud habría podido tener en aquel momento. Michelle necesita tiempo para asimilar el hecho de que ha tomado una decisión equivocada y que tuvo suerte de no sufrir ningún percance. Sus padres debieron conservar la calma, tener presente que su hija había regresado sana y salva y, con suerte, con la posibilidad de sacar conclusiones positivas de la experiencia. Durante los días siguientes, sus padres pueden iniciar una conversación sobre el incidente, tanteando a Michelle para comprobar si está dispuesta a seguir hablando de él. Pueden preguntarle: «Sabiendo lo que sabes ahora, ¿cómo habrías resuelto la situación?» Esas preguntas ayudan a los adolescentes a prepararse para afrontar situaciones similares en el futuro. Pero lo más importante es que sepan que pueden contarnos la verdad y que estamos dispuestos a escucharles.

Cuando los jóvenes mienten

Casi de la noche a la mañana nuestros adolescentes se convierten en expertos a la hora de mentir y decir medias verdades, tergiversar los hechos, evitar preguntas, manipular y desviar la atención de un tema importante. Ansían sentirse independientes mucho antes de estar preparados para la responsabilidad que ello entraña. Mentir les ayuda a creer que son dueños de sus vidas, al margen de sus padres. En cierto aspecto, les permite «jugar» a ser independientes cuando en realidad no lo son. Aunque casi todos los adolescentes son unos consumados mentirosos, a veces les pillamos. En fin de cuentas, no sólo tenemos más experiencia que ellos, sino que también hemos sido adolescentes.

Conviene que no nos lo tomemos como algo personal cuando descubrimos que nuestros hijos nos han mentido. Con frecuencia, eso no significa que nos hayan traicionado. Los adolescentes desean reservarse una parte de sus vidas. Lo importante son las decisiones que toman sobre qué contarnos con sinceridad y en qué mentirnos.

—Llevas un jersey precioso. ¿Dónde lo has comprado? —le pregunta a Max, un chico de dieciséis años, su madre.

—En el centro comercial —responde Max.

¿Cómo va a saber su madre que no se trata del centro comercial local, sino de otro situado a una hora de distancia, en el cual, al menos teóricamente, las chicas son más guapas? Aunque la respuesta de Max no es exactamente una mentira, tampoco es la verdad. No es una media verdad sobre la que merezca la pena que nos peleemos con nuestros hijos. Al fin y al cabo, no implica ningún riesgo grave. Lo importante es que proporciona a Max la sensación de privacidad y autonomía que anhela.

Max trata de ampliar al máximo su independencia. Si hubiera pedido permiso a su madre para ir a un centro comercial situado a una hora de distancia, es posible que ella le hubiera respondido: «No es necesario que te desplaces hasta allí. Aquí tienes las mismas tiendas». Pero Max quería ir allí, ante todo por un afán de aventura. Necesitaba ir a aquel centro comercial para sentir que era capaz de ampliar las fronteras de su mundo y que lo hacía bien.

Suele ocurrir que cuanta más libertad insisten en pedir nuestros hijos, más nos resistimos nosotros a dársela, para protegerlos. Rara vez nuestra decisión de concederles un mayor margen de libertad coincide con el momento en que están preparados para obtener una mayor independencia y responsabilidad. Las más de las veces se produce un estresante tira y afloja. Durante esa fase, debemos aceptar que de vez en cuando nuestros adolescentes nos mientan, o en todo caso no nos digan toda la verdad, con el fin de conseguir mayor libertad. Mientras no corran un peligro grave, debemos aceptar esas tergiversaciones y verdades a medias, sabiendo que forman parte integrante de la adolescencia.

No obstante, cuando los adolescentes mienten para evitar que descubramos que han hecho algo que no debían y les castiguemos, la cuestión es muy distinta. En ocasiones no desean decepcionar a sus padres, o quizá quieren evitar que les atosiguemos o les hagamos responsables de sus actos. Se trata de una situación distinta, y debemos afrontar este tipo de mentiras de otra manera. A veces no se trata de mentiras, sino de una casi total ausencia de comunicación, y lo deberemos interpretar como una señal. Si nuestros adolescentes han dejado de hablar con nosotros, o si la mayoría de nuestras conversaciones consisten en «¿qué tal fue...?», seguido por un lacónico «bien» y un brusco cambio de tema, podemos tener la certeza de que no nos dicen la verdad sobre sus vidas. También resulta sospechoso que todas las historias que nos cuenten sean demasiado buenas para ser ciertas y tengamos la sensación de que han conseguido sortear todos los altibajos de la adolescencia.

Cuando pillaron a Sandy, la mejor amiga de Cassie, una muchacha de catorce años, robando en unos grandes almacenes, los padres de Cassie supusieron que su hija también lo hacía y aún no había tenido la mala fortuna de que la pillaran. Después de discutir si debían registrar su habitación o hablar primero con ella, decidieron hablar con su hija sin rodeos.

—Nos preocupa que puedas haber robado también en unos grandes almacenes con Sandy —dijo su padre, iniciando la conversación.

Cassie le miró con los ojos como platos.

—Por supuesto que no. ¿Cómo se os ha ocurrido pensar eso? —protestó.

—Las dos vais juntas a todas partes —señaló su madre—. ¿Es que no sabías lo que hacía Sandy?

—Sí, pero eso no significa nada —contestó Cassie un tanto molesta.

—¿Qué te parece si subimos los tres a tu habitación y echamos un vistazo? —preguntó su padre, y se levantó. La madre hizo lo mismo.

—¡No podéis hacer eso! —exclamó Cassie aterrorizada.

Sus padres la miraron con tristeza.

—Claro que podemos —respondió su madre con calma.

Y así fue como descubrieron la verdad. Los padres de Cassie hallaron una enorme cantidad de CD en su armario, y un montón de productos de maquillaje. Aunque Cassie les prometió no volver a hacerlo jamás, sus padres sabían que no podían confiar en su palabra. Sabían que los tres necesitaban ayuda para afrontar la situación y que Cassie se enmendara.

Cuando los padres descubren que sus hijos les mienten sistemáticamente, en relación con una conducta de alto riesgo, deben buscar inmediatamente ayuda profesional. Esos problemas rara vez desaparecen solos, y tratar de fingir que lo harán sólo conduce a problemas más serios en el futuro. En ocasiones lo mejor que podemos hacer como padres es reconocer que necesitamos ayuda para tratar con nuestros hijos adolescentes.

Mantenernos en contacto con otros padres

Los adolescentes suelen decir a sus padres que hacen tan sólo «lo que hacen los demás» e insisten en que ellos son los únicos que les imponen ciertos límites. No obstante, cuando los padres se reúnen para contrastar opiniones, a menudo comprueban que sus preocupaciones y normas con respecto a los hijos son muy parecidas. Nosotros, como padres, debemos compartir información con otros padres para ayudarnos mutuamente a hallar la mejor forma de proteger a todos los jóvenes de la comunidad durante el complicado proceso de la adolescencia.

Los padres de Mark, un chico de quince años, se enteraron de que se había celebrado una fiesta en casa de otro chico mientras los padres estaban ausentes. Los jóvenes habían ingerido una gran cantidad de alcohol y habían dejado la casa patas arriba.

—¿Fuiste a la fiesta que se celebró el sábado? —le preguntaron sus padres.

—No, estuve en casa de Joe —respondió Mark—. A la otra fiesta asistieron chicos mayores que yo.

Como la madre de Mark tenía ciertas sospechas, llamó a

algunos padres de los otros chicos. Y averiguó que tanto Joe como Mark habían asistido a la fiesta, aunque poco rato.

Los padres de Mark le dijeron lo que habían averiguado.

—Nos han contado que tú y Joe estuvisteis en la fiesta la otra noche —le dijo su madre.

—¿Quién os lo ha contado? —preguntó Mark, incrédulo.

—Eso no importa. Lo que nos importa es que sabemos dónde estuviste y que no fuiste sincero con nosotros —respondió ella.

—Pero no sabíamos que íbamos a ir —protestó Mark—. La fiesta se celebró en una casa cerca de la de Joe. Sólo nos acercamos un momento para echar un vistazo. No puedo telefonearos a cada momento.

—Eso es cierto —reconoció su padre—. Pero cuando te lo preguntamos más tarde, pudiste decirnos la verdad.

—Supuse que si os lo decía me echaríais la bronca —farfulló Mark.

—Lo importante para nosotros es creer que lo que nos cuentas es verdad.

—Durante los próximos años surgirán muchas situaciones semejantes —dijo el padre—, y queremos poder mantener charlas sinceras contigo.

Si los padres de Mark se hubieran dejado llevar por la ira y la decepción, si le hubieran amenazado o castigado severamente por lo que había hecho, habrían desaprovechado la oportunidad de hacerle saber que podía contarles la verdad, y que siempre era preferible que lo hiciera.

Debemos tener la suficiente confianza mutua para mantener con nuestros hijos conversaciones sinceras que traten a fondo los problemas importantes que se plantean durante la adolescencia. No podemos saber lo que hacen nuestros hijos en todo momento ni podemos controlarles desde nuestra posición cada vez más lejana. Nuestra mejor arma para influir en nuestros adolescentes es nuestra capacidad de mantener conversaciones sinceras con ellos.

Puedes contar conmigo

Debemos hacer cuanto podamos para que nuestros adolescentes confíen en nosotros en casos de emergencia. Debemos hacerles comprender que pueden llamarnos a cualquier hora, desde cualquier sitio, y que iremos a recogerles, sin hacer preguntas, sin temor a represalias.

¿Cómo les explicamos qué es una «emergencia» a nuestros adolescentes? Debemos decirles que una emergencia es cualquier situación en que ellos o sus amigos se sientan incómodos o en peligro. Esas situaciones pueden referirse a drogas, alcohol, sexo, violencia, conducción temeraria, una actividad ilegal o una combinación de cualesquiera de esos supuestos. Y debemos recordar que los varones están tan expuestos como las mujeres a situaciones de pleigro. Si queremos que nuestros adolescentes sean capaces de decir «no» a una conducta de alto riesgo y evitar que sufran un percance, debemos estar dispuestos a apoyarlos sin reservas cuando acudan a nosotros en busca de ayuda. Cuando se enfrenten a la disyuntiva de continuar en una situación potencialmente peligrosa o llamarnos, debemos evitar que piensen: «No puedo contarle esto a mi padre, ¡me matará!» Debemos hacerles comprender, más allá de cualquier duda, que su bienestar y su seguridad son siempre nuestra principal prioridad.

Cuando María cumplió trece años sus padres le dijeron:

—Si alguna vez te encuentras en una mala situación, siempre acudiremos en tu ayuda, pase lo que pase. No temas nunca llamarnos.

La madre de María pensaba también que todos los padres deberían velar por sus hijos adolescentes, de modo que añadió:

—Y en caso necesario, acompañaremos a los otros chicos. Es más, diles a tus amigos que si se encuentran en una emergencia y no pueden localizar a sus padres, siempre pueden llamarnos a nosotros.

María llamó a sus padres una noche para que fueran a buscarla al centro comercial local. Por aquel entonces sólo tenía quince años, pero parecía que tuviera dieciocho. Unos chicos mayores la seguían a ella y a su amiga, y ellas se sentían incómodas. La llamada de María se produjo en el momento en que sus padres se habían sentado a cenar. Sin dudarlo, su padre se levantó de la mesa y fue a recogerlas en coche. Aquella noche no comentaron el tema, pero al cabo de unos días María habló con su madre sobre el incidente.

—Al principio, los chicos parecían simpáticos, y estaban muy bien —dijo María—. Charlamos un rato con ellos y luego nos invitaron a ir a una fiesta.

Su madre murmuró «ya» y guardó silencio.

—Les dijimos que no queríamos ir, pero ellos insistieron, aunque les pedimos que nos dejaran tranquilas —siguió María—. Estábamos preocupadas.

—Y con razón —dijo su madre—. En esas situaciones, debes fiarte siempre de tu instinto.

María asintió con la cabeza.

—Me alegro de que nos llamaras —dijo su madre—. Aunque se lo hubierais contado a un guardia de seguridad, no pueden ayudaros en ese tipo de situaciones. Fue mejor salir de allí. Tomaste la decisión adecuada.

Las emergencias no siempre consisten en sucesos catastróficos que se producen a altas horas de la noche. Pueden ocurrir en cualquier momento en que nuestros adolescentes sientan que están en peligro. Debemos conseguir que se fíen de su instinto cuando se sientan en peligro y nos llamen de inmediato. Al acudir en su ayuda cuando nos llaman, les demostramos que les queremos, que confiamos en su criterio y que nos fiamos de ellos, todas las cosas que necesitan saber.

Ser sinceros consigo mismos

Debemos hacer que nuestros adolescentes aprendan a ser sinceros con nosotros, pero es más importante que aprendan a ser sinceros consigo mismos. Queremos que sean capaces de enfrentarse a sí mismos, sin negar ni distorsionar los hechos, y de reflexionar sinceramente sobre quiénes son en el mundo. Su capacidad de ser honestos consigo mismos formará una parte importante de la base que precisan para tomar decisiones maduras sobre cómo vivir su vida.

Tracy tenía diecinueve años y se disponía a regresar a la universidad para cursar el segundo curso.

—Es la primera vez que regreso a la universidad pensando que podré mostrarme tal como soy —le confió a su madre mientras terminaba de cargar el coche.

A su madre le sorprendió la frase de su hija.

—¿A qué te refieres? —preguntó.

—No tendré que mostrarme como los otros chicos en la universidad, hacer lo que ellos hacen e imitarlos. Podré ser como yo quiera —explicó Tracy.

Su madre la miró con otros ojos.

—Te haces mayor. Eso es lo que significa —dijo tras una pausa.

—Por fin, ¿no? —respondió Tracy riendo y abrazando a su madre.

Su madre la abrazó también pensando para sus adentros: «Y que lo digas».

Si los adolescentes viven con franqueza, aprenden a descubrirse a sí mismos

Una de las principales maneras que tienen nuestros adolescentes de aprender a descubrir quiénes son y quiénes desean ser es contemplándose a través de nuestros ojos. Necesitan utilizarnos para poner a prueba sus ideas y observar cómo reaccionamos. Y aunque no lo reconozcan, nuestra presencia constante y nuestro interés por sus ideas son absolutamente esenciales para ellos mientras experimentan con nuevos papeles, creencias y aficiones al tiempo que tratan de formar sus propias identidades como adultos.

Es inevitable que se produzcan desacuerdos durante ese proceso, pero nuestra perspectiva general y nuestro modo de entender el mundo siguen formando una parte importante de los cimientos íntimos de nuestros adolescentes. Por más que pongan en tela de juicio nuestros criterios, nos desafíen y se rebelen contra nosotros, nuestros patrones siguen siendo importantes para ellos. Lo cierto es que al cuestionar nuestras normas, patrones y opiniones aprenden a decidir en qué creen y cómo desean relacionarse con el mundo.

Ser francos con ellos significa, ante todo, estar siempre disponibles. Esto quiere decir pasar tiempo programado y no programado con nuestros hijos, simplemente estar con ellos, dispuestos a hablar de lo que ellos quieran. En ocasiones deberemos esforzarnos en dejar a un lado nuestra «agenda»: apresurarnos a hacer la compra, preguntarles qué tal les va en la escuela o decirles cómo deben comportarse. Debemos sacar tiempo para «estar» con nuestros hijos y dejar que sean ellos quienes elijan el tema de conversación. No cabe duda de que nuestros adolescentes mayores con frecuencia están demasiado ocupados con sus amigos y sus actividades para dedicar tiempo a sus padres. Lo cual indica la conveniencia de adoptar la costumbre de dedicar tiempo a nuestros hijos desde los primeros años de su adolescencia. Si disfrutan en nuestra compañía, si se sienten comprendidos y les permitimos reafirmar su personalidad, sacarán tiempo para estar con nosotros, por atareados que estén.

En ocasiones no es fácil para nosotros escuchar con ánimo objetivo los pensamientos y sentimientos de nuestros hijos adolescentes. Parecen tener un sexto sentido para decir justamente lo que más nos disgusta. Como si nos pusieran a prueba para comprobar si les aceptamos tal como son, por inoportunos que sean sus comentarios. A veces nuestra reacción natural en esos casos consiste en mostrarnos a la defensiva, ponernos a discutir o ser dogmáticos. En este caso, debemos respirar hondo, calmarnos y decidir cómo deseamos responder a nuestros adolescentes. No tenemos que mostrarnos siempre de acuerdo con ellos, pero sí debemos mostrarnos siempre receptivos y disponibles. Al igual que cuando eran pequeños, nuestros hijos necesitan saber en su fuero interno que, aunque no aprobemos algunas de sus ideas o actos, siempre les aceptaremos y querremos.

Aparte de mostrar un talante objetivo con nuestros hijos, también debemos ser francos con ellos. Esto significa algo más que aceptar pasivamente sus pensamientos y sentimientos, o respetar su derecho a expresarse como deseen. Enseguida se dan cuenta de cuándo les seguimos la corriente, y no les gusta. La auténtica franqueza nos permite disfrutar de nuestros hijos, gozar de ellos. Se ha escrito mucho sobre los conflictos y retos de ser padre de un adolescente, y con motivos fundados. No obstante, también debemos animar a los padres a abrir sus corazones a sus hijos y disfrutar de esos años, gozar de esa etapa en que los hijos lo cuestionan todo, exploran su nueva independencia y tratan de descubrir su identidad.

En medio de las tormentas emocionales de la adolescencia, es muy fácil perder de vista el hecho de que es un privilegio para nosotros, como padres, asistir a esta complicada fase y participar en ella. Debemos mostrarnos receptivos a la experiencia cotidiana de nuestros hijos de descubrir quiénes son mientras avanzan hacia la madurez. La mayoría de nosotros recordamos muy bien lo difíciles que fueron esos años. Podemos ayudar a nuestros hijos, no diciéndoles lo que deben decir ni tratando de protegerles de las difíciles experiencias por las que pasarán inevitablemente, sino arropándoles emocionalmente, manteniéndonos a menudo en un discreto segundo plano, pero siempre dispuestos a escucharles o a abrazarles. Cuanto más abiertos y francos seamos con nuestros adolescentes, más libres se sentirán de explorar sus pensamientos y sentimientos profundos junto con nosotros. No debemos perdernos estos últimos años de convivencia con nuestros hijos. Queremos saber quiénes son y ser una presencia importante en sus vidas. Pero sólo nos invitarán a penetrar en sus corazones si nosotros les abrimos el nuestro con franqueza.

Estar disponible significa escuchar sin juzgar

Queremos oír las historias de la vida de nuestros adolescentes; oír lo que piensan, lo que empiezan a comprender ellos mismos y otros; queremos oír sus preguntas, dudas y temores además de lo que les entusiasma y divierte. Si somos francos con ellos y creamos un ambiente de auténtico interés en lo que nos cuentan, nuestros hijos compartirán su mundo con nosotros.

—¿A que no adivinas qué ocurrió hoy en el laboratorio de ciencias? —preguntó ansiosa Giselle, una chica de catorce años.

Su madre acababa de entrar después de una dura jornada de trabajo. En cuanto dejó lo que llevaba en las manos, abrazó a su hija.

—Cuéntamelo si quieres mientras me preparo una taza de café —respondió.

—¡Casi se desata un incendio durante la clase de química! —exclamó Giselle a punto de romper a reír—. ¡No te imaginas la llama que provocó Wayne con su experimento! Casi llega al techo y toda la habitación se llenó de humo. ¡Ha sido impresionante! —Giselle siguió a su madre hasta la cocina—. Han venido incluso los bomberos.

—Caramba —respondió su madre; se preguntaba dónde estaría el profesor de ciencias durante el episodio.

—Nos saltamos la siguiente clase, la de mates, por culpa del fuego. Tocaba examen y no iba preparada, así que tuve mucha suerte —prosiguió Giselle.

Aunque la madre estaba muy cansada, pensó en dar a Giselle un sermón, en el que habría destacado dos cuestiones importantes: una, que debió tomarse muy en serio el peligro de un fuego, y dos, que debió ir preparada al examen de matemáticas.

Cuando comprobamos que vamos a utilizar la palabra «debiste», es un signo claro de que vamos a largarles un sermón. Y aunque creamos que lo que hacemos es «compartir» nuestro saber con nuestros hijos o comunicárselo, el problema es que en esos momentos no nos prestan atención. En cuanto oyen «debiste» se ponen a pensar en otra cosa.

La madre de Giselle lo sabía, de modo que en lugar de sermonearla, respondió:

—Me alegro de que consiguieran controlar el fuego enseguida. ¿Cómo lo apagaron? ¿Qué ocurrió cuando llegaron los bomberos?

Mostrarnos receptivos a las experiencias de nuestros adolescentes significa centrarnos en cómo ven ellos el mundo, no en cómo lo vemos nosotros. Quizá no creamos que un laboratorio de ciencias lleno de humo sea «impresionante», pero los jóvenes sí. Podemos mostrarnos abiertos en nuestra respuesta a ese relato, absteniéndonos de sermonear a nuestros hijos y a la vez guiándoles sutilmente hacia una perspectiva más madura. La madre de Giselle no contradijo, criticó ni sermoneó a su hija, pero introdujo la perspectiva de un adulto en la conversación al tomarse en serio el peligro del fuego. Luego siguió mostrando interés en la historia de Giselle y le preguntó qué ocurrió a continuación. Y más tarde retomó el tema del examen de matemáticas que se había aplazado:

—Tienes una segunda oportunidad de prepararte para ese examen. ¿Cuánto tiempo necesitas para estudiar?

A menudo parece que nuestros adolescentes se empeñen en hablar con nosotros cuando estamos rendidos, hacemos algo importante o nos disponemos a dormir. No obstante, es preferible considerar prioritario el hecho de que deseen compartir sus experiencias con nosotros en cualquier momento, aunque no sea el adecuado. Al mostrarnos receptivos y disponibles para ellos durante buena parte del tiempo, animamos a nuestros hijos a dejarnos penetrar en su mundo.

Mostrarse abierto a todas las posibilidades

A nuestros adolescentes se les ocurren multitud de ideas, la mayoría de las cuales no se concretan en realidades. Suelen poner en marcha mentalmente diversas posibilidades, y en muchos casos sólo para saborear la fantasía o para comprobar cómo reaccionaremos ante ellas. Al imaginar y empezar a planear una aventura, ponen a prueba su capacidad de volar, experimentan con su independencia y planifican cómo llevar a cabo sus ideas.

Dos chicos de quince años planean atravesar el país en coche este verano después de obtener sus permisos de conducir. Una joven de dieciséis años se propone escalar el Everest. Una chica de trece dedica muchas horas a practicar bailes modernos y a cantar al son de su música favorita, y explica a su madre que quiere ofrecerse como cantante del coro de un artista o un grupo musical. Un muchacho de catorce quiere ir a las zonas más subdesarrolladas de Guatemala para llevar medicinas a la población. Con frecuencia nos dejamos llevar por el pánico cuando nuestros adolescentes nos cuentan sus sueños. Vemos de inmediato todos los peligros que les acechan. Mostrarnos receptivos con nuestros hijos no significa explicarles todos los problemas potenciales que encierran sus planes, ni compartir con ellos nuestros temores sobre los posibles desastres. Debemos responder con delicadeza cuando nos cuentan sus sueños, respetar la inspiración inherente a sus proyectos, las más de las veces inviables.

Quizás a los padres de la futura cantante de un coro musical no les entusiasmen las aspiraciones de su hija, pero pueden decir: «Todo comienza con un sueño». Esta afirmación se refiere a la fantasía sobre una carrera como cantante y bailarina de la joven, y es aplicable también a cuanto aspire a hacer en la vida.

Si tenemos la suerte de que nuestros adolescentes nos cuenten sus proyectos y sueños, observaremos que continuamente elaboran nuevos planes. Debemos evitar menospreciar sus ideas sólo porque siempre cambian de parecer. Los adolescentes prueban nuevas ideas del mismo modo que se prueban ropa nueva, para comprobar cómo les sienta, si se sienten a gusto con ellas y la reacción de los demás. Este tipo de exploraciones constituye una de las formas en que aprenden a descubrirse y a desarrollar ideas para el futuro. No debemos entorpecer este proceso centrándonos únicamente en los problemas inherentes a cada idea novedosa.

De vez en cuando a un adolescente se le ocurre una idea que sigue desarrollando sistemáticamente, año tras año, a medida que madura. Stewart, un chico de catorce años, quería alquilar un helicóptero para transportar medicinas a un poblado de Guatemala. Su iglesia había «adoptado» al poblado y Stewart había averiguado muchas cosas sobre la gente que habitaba allí, cómo vivía y cuáles eran sus necesidades más urgentes. Cuando cumplió dieciséis años, Stewart comprendió que el mero hecho de enviarles medicinas no resolvería sus problemas y también comprendió lo difícil y posiblemente arriesgada que era esa empresa. Al ingresar en la universidad entendió que lo que la gente del poblado necesitaba realmente, incluso más que medicinas, era un sistema de tratamiento de residuos, por lo que, cuando se licenció, contribuyó a recaudar dinero para veinticinco inodoros de compostaje, que donarían al poblado. Stewart viajó en avión para ayudarles a instalarlos junto con otros miembros de su iglesia, y aunque a sus padres les preocupaba que su hijo sufriera algún percance, se sentían muy orgullosos de él.

Los padres de Stewart se habían mostrado abiertos a su idea desde el principio, aunque no la tomaron en serio hasta al cabo de unos años, cuando vieron su empeño en ayudar a esas gentes de Guatemala. No obstante, el hecho de mostrarse desde el principio abiertos al proyecto de Stewart había dado al joven luz verde para seguir desarrollándolo.

No podemos predecir si alguno de los sueños de nuestros adolescentes madurará y se convertirá en realidad. Pero debemos mostrarnos abiertos a todas sus ideas, por descabelladas que nos parezcan en aquel momento, para no disuadirles de seguir soñando. Si permanecemos junto a ellos y les escuchamos con atención, les daremos la oportunidad de mejorar sus planes y hacerlos más realistas. Cuando nuestros hijos nos cuentan sus proyectos, empiezan a oírse y verse bajo una nueva luz. Descubren quiénes son a través del diálogo con nosotros. Es un privilegio formar parte de ese proceso.

Respetar el desarrollo de sus filosofías sobre la vida

Es inevitable que en determinado momento durante la adolescencia nuestros hijos asuman puntos de vista filosóficos diametralmente opuestos a los nuestros. Conviene estar preparados para este momento y considerarlo parte de la separación de nuestros adolescentes de nosotros y una de las formas en que descubren quiénes son. No debemos tomárnoslo como una ofensa personal ni suponer erróneamente que siempre mantendrán esos puntos de vista.

Sandra, una chica de quince años, estudiaba económicas desde una perspectiva global y empezaba a juzgar la carrera de su padre como ejecutivo corporativo bajo una nueva luz.

—Has desperdiciado tu vida, papá —le soltó de sopetón un domingo por la tarde—. Te has vendido por dinero.

Su padre se quedó estupefacto. Nadie le había hablado de ese modo. Se sintió profundamente ofendido porque se ufanaba del bienestar económico que había ofrecido a su familia, y Sandra, en especial, poseía un montón de ropa bonita, había disfrutado de unas vacaciones increíbles y había pasado los veranos en colonias exclusivas donde practicaba equitación.

Pero recobró rápidamente la compostura.

—¿O sea que no quieres que el año que viene te compremos un coche? —preguntó.

Sandra palideció.

—Hombre, no, pero...

—Pero ¿qué? —preguntó su padre, aprovechándose de su postura ventajosa.

—Da lo mismo —replicó Sandra, y salió de la habitación.

Quizá su padre había ganado el primer asalto de esa discusión, pero perdió la oportunidad de explorar con su hija la forma en que ella veía el mundo de él y cómo empezaba a ver su propia vida. Su padre pudo haber respondido de varias formas que hubieran dejado la puerta abierta a otras conversaciones sobre el tema. Por ejemplo, pudo haber dicho: «¡Ay, esto me ha dolido en el alma!» o «¿cómo has llegado a esa conclusión?» o incluso preguntarle con tacto «¿cómo piensas enfocar tu vida?» Esas respuestas, pronunciadas a la defensiva en lugar de agresivamente, habrían permitido a Sandra explorar lo que pensaba y sentía con su padre, algo mejor que cerrar toda comunicación con ella con su sarcasmo.

También debemos tener en cuenta la posibilidad de que con su comentario inicial Sandra se propusiera simplemente asombrar a su padre, con el único propósito de atraer su atención. Quizá fuera el torpe intento de una chica de quince años de conectar con él. Por desgracia, la reacción inmediata del padre fue negativa, a la vez que defensiva y agresiva. Con ella consiguió cerrarle la boca a su hija, pero también cerrar la puerta de una importante comunicación.

Cuando nuestros adolescentes nos desafían de esa forma, en lugar de demostrarles que se equivocan y que nosotros tenemos razón, debemos hablar con ellos, conectar con ellos y estar a la altura de los desafíos que nos plantean. Sólo podemos hacerlo si nos mostramos receptivos, por más amenazador o personalmente ofensivo que nos parezca. A veces debemos dejar de lado nuestras primeras reacciones y esforzarnos en comprender su punto de vista, tratar de ver las cosas a través de sus ojos.

Eso no significa que debamos mostrarnos siempre de acuerdo con nuestros adolescentes. Podemos aceptar el derecho a expresar sus puntos de vista al mismo tiempo que nosotros expresamos los nuestros. Pero en cuanto tratamos de controlar los pensamientos de nuestros hijos o convencerles de que piensen como nosotros, echamos a perder la conversación. Nuestros hijos son muy sensibles a todo intento de controlarlos, y de inmediato se desconectarán de nosotros, se encerrarán en el mutismo o se pondrán a discutir con nosotros. Ésta es la situación en la que se halló el padre de Sandra. Pensó en cómo volver a abrir la conversación.

Tras esperar aproximadamente una hora, tiempo suficiente para calmarse los dos, se acercó a su hija.

—De acuerdo, estoy dispuesto a reconocer que quizás haya desperdiciado mi vida —dijo sonriendo ligeramente. No era una disculpa en toda regla, pero al menos indicaba a su hija que sabía que no se había mostrado receptivo con ella durante la conversación anterior.

Sandra lo miró recelosa.

Comprendiendo su recelo, el padre continuó:

—¿Qué tiene de malo que desee ofrecer un bienestar económico a mi familia?

Con esa invitación, Sandra se mostró dispuesta a conversar de nuevo con su padre. En esta ocasión le formuló unas preguntas duras y difíciles. Su padre la escuchó mientras ella le expuso su preocupación por el sufrimiento que padecían las gentes de los países subdesarrollados, por el medio ambiente y por los extraordinarios beneficios que algunas personas, incluido su padre, percibían.

Su padre escuchó atentamente todo cuanto dijo. Por supuesto, ninguno de sus argumentos representaba una novedad para él, pero no quiso cometer de nuevo el error de no escucharla. Al mostrarse receptivo a sus preocupaciones y tomarse en serio sus preguntas, el padre de Sandra sabía que no sólo contribuía a que su hija desarrollara su propio criterio, sino que potenciaba la relación entre los dos. Y aunque ninguno logró que el otro cambiara de parecer, mantuvieron un respetuoso diálogo sobre un tema importante.

Valorar lo que nuestros adolescentes valoran

Mostrarse abiertos con nuestros adolescentes significa estar dispuestos a aprender de ellos, a interesarnos por la música que les gusta, por lo que leen y por sus amigos. Debemos estar dispuestos a penetrar en su mundo y mostrarnos receptivos, o cuando menos curiosos, a lo que es importante para ellos. Esto significa que debemos mostrarnos también abiertos a la cultura adolescente, buena parte de la cual detestamos. Debemos tener presente que hace tan sólo unas décadas nuestra propia cultura adolescente les resultaba a nuestros padres tanto o más chocante. Cada generación de padres se formula la inquietante pregunta «¿adónde iremos a parar?» mientras sus hijos pasan la adolescencia. Como adultos debemos mantener cierta perspectiva ante esta situación, y comprender que la rebeldía de los adolescentes forma parte del proceso de madurar.

Nuestro interés en su mundo debe ser auténtico, pues los adolescentes son expertos en descubrir la hipocresía. Si nos limitamos a fingir interés en sus vidas, juzgarán nuestra actitud condescendiente o hipócrita. Debemos valorar con sinceridad lo que ellos valoran. En fin de cuentas, ésta es la lección más importante: mostrarse abierto y receptivo a lo que es esencial para las personas que queremos, aunque no nos interese personalmente. Cuando mostramos interés en nuestros adolescentes y su mundo, aprenden una importante lección sobre el cariño y la generosidad en las relaciones.

Una tarde Erica, una muchacha de catorce años, se puso a escuchar música a todo volumen en su habitación, con la ventana abierta. Su madre estaba convencida de que los vecinos la oían, lo cual le molestó.

—¡Baja el volumen! —gritó su madre, a través de la puerta. No hubo respuesta. Su madre repitió la orden, gritando a voz en cuello.

Erica abrió la puerta de su habitación y preguntó a su madre:

—¿Decías algo?

Su madre entró apresuradamente en la habitación y desconectó el tocadiscos.

—Se acabó —dijo, respirando hondo—. ¿Cómo puedes soportar ese ruido?

Todos sabemos lo importante que es la música *pop* para nuestros adolescentes. Constituye una parte central de su cultura y una forma importante de comunicarse entre sí. Los adolescentes escuchan música juntos en sus habitaciones o por teléfono, asisten a conciertos, bajan música de Internet, intercambian CDs y se regalan cintas personalizadas con canciones seleccionadas por ellos. En sus anuarios escriben tantas citas de canciones populares como de poemas u obras literarias.

No es necesario que a la madre de Erica le guste la música que escucha su hija, pero debe mostrarse abierta a ella. Podría haber dicho «baja un poco el volumen de la música, Erica, para no molestar a los vecinos». Podría haber sugerido a Erica que la escuchara a través de los auriculares, para gozar del impacto de la música sin importunar a otros. Incluso podría haberle preguntado «¿qué música estás escuchando?» Si su madre hubiera prestado atención a la música unos minutos y luego hubiera pedido a Erica que le enseñara la letra de las canciones incluidas en la carátula del CD, habría demostrado que deseaba comprender lo que las canciones significaban para ella.

Para comunicarnos con nuestros adolescentes debemos averiguar sus auténticos pensamientos y sentimientos. Debemos tratar de comprender su mundo, desde la música que escuchan hasta sus películas favoritas. Esto es relativamente fácil, lo único que debemos hacer es dejar de lado nuestras opiniones críticas y mostrarnos receptivos. Hojear revistas para adolescentes, leer algún que otro artículo o mirar vídeos con ellos y comentar lo que más les ha gustado, o simplemente mostrarnos amables y afectuosos con sus amigos, son cosas que nos proporcionan numerosas oportunidades de mantener con ellos conversaciones interesantes y compartir sus aficiones. Comoquiera que muy pocos adultos valoran lo que piensan los adolescentes, la mayoría de los chicos no dudan en abrirse a los padres que expresan un interés auténtico por ellos y por su mundo.

Una época de sentimientos intensos

Una de las razones por las que la música es tan importante para los adolescentes es que les ayuda a expresar la intensidad de sus sentimientos. Aunque pensemos que sus sentimientos «son cosa de las hormonas» y que acabarán calmándose, desde el punto de vista de los adolescentes los sentimientos constituyen la parte más real de su mundo.

Debemos mostrarnos abiertos y aceptar el amplio abanico de emociones de nuestros hijos, incluidos sus altibajos. Lo que sienten en un momento dado es siempre lo más importante para ellos. Si menospreciamos o minimizamos sus sentimientos sólo conseguiremos impedir que los compartan con nosotros. Debemos procurar que nos hablen de sus sentimientos para que aprendan a comprenderse mejor.

—¿No tenías que estudiar para un examen de francés? —preguntó a Paul, un chico de quince años, su madre mientras él cuchicheaba una noche por teléfono.

—Espera un momento —dijo Paul a su interlocutor. Luego se volvió hacia su madre y respondió—: No te preocupes, ya me pondré a estudiar. Ahora estoy ocupado.

Paul dirigió a su madre una mirada intensa que ella no acabó de entender, pero la mujer asintió con la cabeza y regresó a la sala de estar. Esa noche su madre interrumpió varias veces la conversación de Paul, pero él siguió hablando afanosamente por teléfono durante un par de horas. Al día siguiente, su madre le preguntó cómo le había ido el examen de francés.

—Fue muy difícil —confesó Paul.

—Podría haber sido más fácil si hubieras estudiado en lugar de pasarte toda la noche hablando por teléfono —contestó su madre.

—Sí, pero...

Éste es un momento crítico en la conversación para la madre. Si continúa recalcando la importancia de estudiar, perderá la oportunidad de hablar de la vida emocional de su hijo. Y en esos momentos, su vida emocional es infinitamente más importante para Paul que sus notas en francés.

—Anoche estuve hablando con Lara porque está muy deprimida —explicó Paul—. Me dijo que quería morirse y que yo era la única persona con la que podía hablar. ¡No iba a colgarle el teléfono!

—Eso es muy serio —dijo su madre—. ¿Qué ocurrió?

—Conseguí que se calmara —respondió Paul, que se sentía muy orgulloso de sí mismo—. Pero estoy preocupado por ella.

—Yo también —dijo su madre—. Ahora comprendo por qué estuviste hablando por teléfono hasta tan tarde. Creo que es un asunto demasiado serio para que lo resuelvas tú solo.

—Sí —suspiró Paul, aliviado de que su madre lo comprendiera—. Estoy rendido.

Mientras Paul relataba a su madre la historia de Lara, empezó a darse cuenta de lo estresado que se sentía. Tras analizar su decisión de seguir hablando por teléfono en lugar de ponerse a estudiar, llegó a la siguiente conclusión:

—Nunca más. No quiero volver a pasar otra noche como la de ayer. Me asusta. ¿Y si la próxima vez no consigo que Lara se calme?

Su madre asintió en silencio.

—Me pregunto si esa chica no podría hablar con otra persona.

—Con alguien que pueda aconsejarla —dijo Paul.

—Creo que debería hablar con sus padres sobre el tema —dijo su madre—. No podemos hacer nada al respecto. Sus padres deben saber lo que ocurre para ayudarla.

—Lo sé, lo sé —farfulló Paul, preocupado por cómo reaccionaría Lara a esta noticia—. Pero deja que hable antes con ella.

Su madre no despachó el asunto como otro melodrama adolescente, sino que dejó de pensar en el examen de francés para centrarse en un tema evidentemente más urgente. De este modo, la madre de Paul demuestra a su hijo que comprende la importancia de sus sentimientos, y al mismo tiempo que los padres están para ayudar a sus hijos en un trance delicado. Paul necesita que su madre diga «esto es demasiado para ti». Él no es capaz de llegar a esta conclusión por sí mismo, aunque se sienta impotente. Tanto la presencia como el criterio maduro de su madre constituyen un alivio para él. No tiene por qué hacer frente a una crisis emocional demasiado complicada para resolverla él solo ni asumir una responsabilidad excesivamente onerosa para él. Necesita la ayuda y el apoyo de una persona adulta, al igual que su amiga.

Paul no habría podido mantener esta conversación si hubiera creído que su madre no le comprendía a él ni lo que era importante para él. Por regla general, los adolescentes no nos informan sobre lo que ocurre en sus vidas si no creen que nos mostramos receptivos a ellos y a sus experiencias. En tal caso, no sólo pierden la oportunidad de que les ayudemos cuando se encuentran en una situación difícil, también pierden la ocasión de aprender algo más sobre sí mismos hablando del problema con nosotros.

A veces nuestros adolescentes se escuchan de forma distinta cuando hablan con nosotros acerca de sus pensamientos y sentimientos. Empiezan a descifrar su confusión al explicarnos lo que ocurre y lo que piensan y sienten al respecto. No obstante, si reaccionamos de forma exagerada, si nos asustamos, si tratamos de dominarlos, si asumimos el control de la situación o, peor aún, si les criticamos de buenas a primeras, se encierran de inmediato en el mutismo. Debemos escuchar toda la historia sin perder la calma, hacer de vez en cuando una pregunta para comprender mejor lo que dice, y dejar que la conversación fluya normalmente. Nuestro papel principal es escuchar para que nuestros adolescentes reflexionen acerca de sus pensamientos y sentimientos, en lugar de tener que responder a nuestras reacciones por lo que nos cuentan.

¿Es posible ser demasiado francos?

Debemos procurar mostrarnos abiertos y francos con nuestros adolescentes, pero no totalmente abiertos y francos en todos los temas. No es necesario que informemos a nuestros hijos sobre nuestra experiencia con las drogas, nuestra vida sexual o nuestros sentimientos ambivalentes hacia un ex cónyuge. Es más, éstos son temas que no debemos comentar con ellos.

Esto no significa que debamos mentir, entre otras cosas porque suelen ser demasiado listos para creer una negativa total. Significa que debemos ser muy selectivos sobre la información que ofrecemos a nuestros hijos a determinada edad y etapa de madurez. Nuestra primera consideración es el efecto que nuestro ejemplo les causará. Por ejemplo, podemos decir a un chico de trece años: «Sí, experimenté con marihuana, pero era mucho mayor que tú y lo hice durante poco tiempo», mientras que a un chico de quince años podemos decirle: «Sí, fumé porros, pero al cabo de un año aproximadamente ya no me apetecía y dejé de hacerlo». Son decisiones sutiles que los padres deben tomar basándose en su propio criterio y en lo que crean que es mejor para sus hijos.

Nuestros adolescentes desean oír historias de nuestra adolescencia, pero no debemos abrumarlos revelándoles todos nuestros secretos. Ni tampoco debemos abrumarlos con viejos problemas de nuestra infancia o de matrimonios fallidos. Este tipo de historias pueden entristecer e incluso deprimir a nuestros hijos, hacer que crean que deben cuidar de nosotros emocionalmente o alejarse de nosotros para protegerse.

Compartimos nuestras experiencias con nuestros hijos para educarlos o arroparlos, para hacerles comprender que sabemos por lo que están pasando porque nosotros hemos pasado por experiencias semejantes. Hablarles de los errores que cometimos y de lo que aprendimos de ellos puede ser divertido y útil, pero siempre debemos tener en cuenta el tipo de modelo que les presentamos.

Nuestra franqueza sobre nosotros mismos debe ser una invitación a que nuestros adolescentes revisen sus pensamientos y sentimientos, no a que escuchen los nuestros. Una parte importante de ser padres consiste en apoyar y animar a nuestros hijos a evolucionar y madurar. Ellos no tienen por qué apoyarnos escuchando nuestros problemas. Aunque ya no son unos niños, aún necesitan que ejerzamos de padres para ellos, no de amigos. Hacernos amigos de nuestros hijos sólo puede ocurrir más tarde, cuando se hayan convertido en adultos maduros, independientes y con sus propias vidas.

—No vas a creer lo que acaba de decirme papá —dijo Janice, una chica de catorce años, a su madre cuando colgó el teléfono.

—¿Qué te ha dicho? —le preguntó su madre suspirando, curiosa ante la nueva y desagradable sorpresa que lo tenía reservada su ex marido.

—Que no asistirá a mi graduación —respondió Janice—. Se va de vacaciones.

—Muy típico de él —contestó su madre irritada—. Sólo hace lo que le viene en gana. No ha cambiado nada, sigue tan egoísta como siempre...

En esos momentos Janice saldrá corriendo de la habitación deshecha en lágrimas, gritará o hará de psicoterapeuta de su madre. Ninguna de esas opciones es conveniente. La madre quizá piense que está siendo franca con su hija, pero en realidad está descargando sus viejas frustraciones con su ex marido sobre su hija. Esto no es justo; ni su padre ni su madre tienen en cuenta las necesidades de Janice, los dos se comportan de forma egoísta y perjudicial.

La madre de Janice pudo haber dicho «lo lamento» y resistir la tentación de descargar el resentimiento que alberga contra su ex marido sobre su hija. Ya es bastante duro para ella afrontar el hecho de que su padre no asista a su graduación sin tener que cargar encima con la ira que siente su madre hacia su padre.

Si hubiera dicho sólo «lo siento», la madre de Janice habría reconocido el pesar de su hija y habría dejado espacio suficiente para que Janice continuara expresándose. Su madre sólo tenía que decir eso, además de formular alguna pregunta oportuna, cuando Janice comenzó a hablar. En un momento dado podría haberle preguntado: «¿Qué le dirás a papá sobre eso?» Este tipo de preguntas habrían ayudado a Janice a pensar en cómo deseaba responder a su padre. Aunque sea una situación penosa, Janice debería aprender a afrontar su decepción y seguir adelante. Su madre podría ayudarla en este proceso teniendo en cuenta las necesidades de su hija Janice en lugar de las suyas.

Ofrecerles un modelo de franqueza

Debemos recordar que lo que más influye en nuestros adolescentes es el modelo que les ofrecemos mediante nuestro ejemplo. Nuestros adolescentes aprenden a hacer acopio de su fuerza y sus recursos interiores para afrontar los problemas que se plantean observándonos a nosotros. La vida no siempre es fácil, y debemos procurar que nuestros hijos tengan unas expectativas realistas sobre lo que puede depararles, junto con la fortaleza de estar a la altura de las circunstancias en caso necesario.

La madre de Marilyn se había fracturado el tobillo esquiando e iba a tardar mucho tiempo en curarse. En primavera empezó a asistir a clases de rehabilitación para recobrar el movimiento normal de la pierna, pero el proceso era largo y penoso. Marilyn, una joven de quince años, observaba cómo su madre se esforzaba en realizar los ejercicios en casa, aunque era evidente que resultaban dolorosos.

—¿Te duele? —le preguntó Marilyn un día, cuando su madre estaba tendida y estiraba el talón hacia arriba.

—Sí —se quejó ella.

Aquí no había necesidad de ningún sermón. La realidad de la situación era harto elocuente. Ver a su madre esforzarse en superar su percance y perseverar será un valioso ejemplo que servirá a Marilyn el día de mañana cuando afronte problemas similares. Debemos ofrecer a nuestros adolescentes un modelo que les enseñe a reaccionar ante la vida con valor y perseverancia.

No hay inconveniente en que les hablemos con franqueza a nuestros adolescentes sobre los problemas que representan los cambios en nuestra vida. Cuando estamos estresados nuestra capacidad de ser flexibles constituye un poderoso ejemplo para ellos. Ciertamente, nuestros hijos se enfrentarán a cambios aún más grandes y más acelerados de lo que imaginamos. Es esencial que aprendan a adaptarse a las nuevas circunstancias.

El padre de Ryan no había previsto la rapidez con que se producirían determinados cambios en su carrera. Cuando le despidieron, tuvo que afrontar la cruda realidad de que estaba anticuado. Sus conocimientos de informática eran obsoletos y tenía que ponerse al día. Esto significó una importante crisis en su vida, dado que la tecnología no era su fuerte.

En ese momento, pudo haber mantenido una fachada estoica y abstenerse de comentar la crisis laboral a la que se enfrentaba. Pero decidió hablar francamente con su familia y expresar su decepción con la empresa por haberle despedido después de haber trabajado para ellos lealmente durante varias décadas, así como su preocupación por la economía familiar. Tardó una semana en superar su disgusto. Luego se inscribió en un curso de informática.

Al principio le costó asimilar la nueva tecnología. Tuvo que desprenderse de todos sus conocimientos anteriores para aprender un sistema totalmente distinto. Incluso pidió a Ryan que le ayudara al principio. Pero poco a poco se fue acostumbrando y llegó a dominar las nuevas enseñanzas. Al final del curso, incluso enseñó a Ryan algunas novedades en su ordenador. Entretanto, empezó a buscar un nuevo trabajo. Al cabo de casi un año encontró uno más provechoso que el que había perdido.

Ryan observó el comportamiento de su padre a lo largo de aquel año. Vio todo lo que tuvo que soportar y también que su padre no perdió la esperanza ni siquiera en los momentos en que se sentía más desanimado. Ryan no pudo haber recibido una lección más poderosa sobre la capacidad de adaptarse, la perseverancia y la fe en uno mismo. Puesto que su padre le habló con franqueza sobre lo que le estaba ocurriendo, Ryan se sintió más dispuesto a comentarle algunas de sus decepciones y problemas. Al mismo tiempo, no tuvo que preocuparse en silencio sobre la suerte de la familia, pues sabía que su padre no le ocultaba nada importante.

Aunque parezca que nos ignoran o que viven en otro universo, nuestros adolescentes siguen aprendiendo de nosotros. Cuanto más francos seamos con ellos sobre nuestra experiencia de la vida, más compartirán con nosotros lo que la vida significa para ellos. Aprenderán que todo el mundo vive momentos felices y menos felices, y algunos profundamente desgraciados. La cuestión estriba en cómo nosotros, tanto padres como hijos, afrontamos esos momentos. Durante ese proceso de compartir la forma en que vivimos nuestra vida, nuestros hijos podrán descubrir quiénes son y quiénes desean ser.

Si los adolescentes viven con las consecuencias naturales de sus actos, aprenden a ser responsables

Por sencillo que parezca, la mayoría de los adultos siguen esforzándose en comprender el concepto de consecuencias naturales. Reconozcámoslo: si conociéramos perfectamente las reglas de causa y efecto, nos mantendríamos en el peso ideal y gozaríamos de magníficos planes de pensiones.

Quizá comprendamos intelectualmente la relación entre nuestra conducta y los posibles resultados, pero no nos comportamos siempre de forma racional. Así pues, ¿por qué nos extraña que nuestros adolescentes se comporten sin tener en cuenta las consecuencias de sus actos? Aprender a tomar decisiones acertadas implica un largo proceso de maduración, y la mayoría de nosotros seguimos en ello. Todos comprendemos la importancia de ser responsables de nuestros actos mucho antes de ser capaces de comportarnos de forma plenamente responsable.

Si consideramos que el hecho de aprender a ser responsable es un proceso de desarrollo a largo plazo, veremos con mayor claridad que nuestro papel como padres consiste en estimular el proceso de aprendizaje de nuestros adolescentes, en lugar de controlarlos, mostrarnos excesivamente severos con ellos o castigarlos por sus faltas. Asimismo, este proceso comienza en la infancia y continúa a lo largo de todas sus vidas. Los niños de corta edad empiezan a aprender la importancia de las consecuencias naturales cuando dejan sus juguetes en el camino de entrada y alguien los pisa con el coche o se los roba. Y tan difícil nos resulta a nosotros permitir que nuestros hijos pequeños aprendan «por las malas», es decir, a base de cometer errores, como permitir que nuestros adolescentes afronten las consecuencias naturales de sus actos. Pero en ocasiones es la mejor forma de que aprendan.

Sonia, una chica de quince años, era la tesorera de su clase de noveno curso. Los jóvenes habían logrado recaudar unos cientos de dólares vendiendo productos de repostería hechos en casa para financiarse el baile de fin de curso. Entonces, cuando llegó el momento de presentar el informe financiero al tutor, Sonia se asustó y confesó a su madre:

—Hace meses tomé prestados cincuenta dólares de las arcas de la clase. Creí que podría devolverlos, pero no ha sido así y pensarán que los he robado.

Su madre, al darse cuenta de la gravedad de la situación, respondió:

—Cogiste un dinero que no era tuyo. Eso es robar.

—En lugar de agobiarme más —replicó Sonia irritada—, ¡deberías ayudarme!

—¿Cómo quieres que te ayude? —preguntó su madre, sospechando adónde iba a parar la conversación.

—Puedes prestarme el dinero para que lo restituya a las arcas del instituto y yo te lo devolveré trabajando de canguro —contestó Sonia.

—Ya. Eso te sacaría del apuro esta vez, pero a la larga no te haría ningún bien —respondió su madre—. No quiero que pienses que puedes librarte tan fácilmente. En esta ocasión tendrás que pechar con las consecuencias.

—¿A qué te refieres? —preguntó Sonia.

—Debes explicar a tu tutor lo que has hecho. Asumir la responsabilidad de tu error y decidir con él la forma de resolver la situación y restituir el dinero.

—¡De eso nada! —protestó Sonia, asustada pero resuelta a no ceder.

—En ese caso iré contigo, pero tú eres quien ha provocado este lío y debes hallar la forma de enmendarlo —dijo su madre, que tampoco estaba dispuesta a ceder.

Sonia y su madre discutieron durante largo rato sobre el tema, pero la madre se negó a cambiar de postura. Hablaron sobre la forma en que Sonia había llegado a la decisión de «tomar prestado» el dinero de las arcas del instituto y cómo se había convencido de que no había nada de malo en ello. Por lo demás, su madre se lo contó por la noche a su marido, aunque Sonia no quería que él lo supiera. La madre insistió en que era preciso contárselo. El padre se mostró también preocupado y propuso acompañar a Sonia cuando se entrevistara con el tutor.

—No necesito que me acompañéis los dos —protestó Sonia.

—De acuerdo, pero cuéntame el resultado de la entrevista —dijo su padre.

Sonia practicó con sus padres lo que diría al tutor: que lamentaba lo ocurrido, que reconocía su responsabilidad en el asunto y que no volvería a hacerlo. Al día siguiente habló con el tutor después de clase, mientras su madre aguardaba en el pasillo, a la puerta del despacho. Cuando Sonia y el tutor salieron, Sonia parecía muy aliviada. Habían trazado un plan para que ella devolviera el dinero de la clase con su paga y lo que ganara trabajando de canguro, y habían acordado mantenerlo en secreto. Asimismo, Sonia había prometido no presentarse como candidata a tesorera de la clase durante al menos un año.

—¿Qué has aprendido de esto? —le preguntó su madre de camino a casa.

—Que manejar el dinero de la clase es más difícil de lo que había imaginado —reconoció Sonia—. Y más serio.

—Tú eras responsable de ese dinero —dijo su madre—. Tu padre y yo podíamos salvarte prestándote ese dinero. Debes aprender a hacer frente a las consecuencias y a responsabilizarte de tus actos. ¿Lo has comprendido?

Sonia asintió con la cabeza. Fue una lección dura, pero la comprendió.

En esta situación, Sonia era claramente responsable del dinero que faltaba, que tuvo que devolver en su totalidad. Fue una forma concreta de enmendar su falta. Ser responsable de nuestros actos significa algo más que limitarnos a decir «lo siento» cuando cometemos una falta. Debemos enseñar a nuestros hijos a responsabilizarse plenamente y reparar los daños o el dolor que hayan causado con su comportamiento.

En ocasiones nuestro deber como padres es obligar a nuestros hijos a enfrentarse a las personas a las que deben rendir cuentas. Nuestros adolescentes asumen responsabilidades que no nos implican directamente a nosotros. Cuando cometen este tipo de errores, debemos resistir la tentación de protegerlos o disculparlos, pues sólo conseguiríamos entorpecer su proceso de aprendizaje.

Enseñarles a responsabilizarse de sus actos

Una de las formas en que podemos ofrecer un modelo de responsabilidad a nuestros adolescentes es mediante la forma en que manejamos nuestras finanzas. Probablemente la consecuencia natural más común de irresponsabilidad económica sea la deuda. Si gastamos más dinero del que ganamos acabaremos endeudados. Aunque esto parezca una afirmación simple y lógica, muchos padres se sienten agobiados por la cantidad de dinero que deben. Lo cierto es que, como sociedad, hemos adoptado algunos hábitos financieros nada saludables, y el modelo que proponemos a nuestros hijos no siempre es el mejor.

Aunque nuestros adolescentes no conozcan los detalles exactos de nuestra situación financiera, percibirán en casa la tensión y la preocupación generadas por los problemas económicos. Se darán cuenta de las frecuentes llamadas telefónicas de los acreedores, o de la gran cantidad de facturas que recibimos por correo. Saber que sus padres están estresados y preocupados por el dinero, sin conocer los detalles, puede hacer que los adolescentes se inquieten. Deben saber que controlamos nuestras vidas para que se sientan seguros y a salvo.

—¿Quién ha llamado por teléfono? —preguntó Marta, una joven de dieciséis años, una noche a sus padres—. ¿Y por qué llaman siempre a la hora de cenar?

Sus padres se miraron, sin saber qué responder a su hija. Por fin su padre le dijo:

—Era la compañía de la tarjeta de crédito. Hemos alcanzado el límite y no podemos seguir utilizándola.

—Hemos llegado a un acuerdo para saldar la deuda —le aseguró su madre a Marta—. Nos llevará un año aproximadamente.

—¡Un año! —exclamó Marta.

—Sí —dijo su padre—. Nos hemos metido en un apuro y tenemos que solventarlo.

A Marta le disgustó averiguar lo de la deuda de la tarjeta de crédito de sus padres, en parte porque significaba que ella tendría que recortar también sus gastos. Asimismo, le chocó saber que sus padres habían cometido algunos errores y que ahora tenían que hacer frente a las consecuencias. Marta tuvo que madurar un poco para adaptarse a la realidad del fallo de sus padres en la administración de su economía.

Los padres resolvieron una situación difícil poniendo el énfasis en que estaban dispuestos a responsabilizarse de su deuda y que la saldarían poco a poco e íntegramente. No le dijeron a Marta que aprendiera de los errores que ellos habían cometido, sino que compartieron con ella la lección que ellos mismos habían aprendido de esa experiencia. Le explicaron lo que tendrían que eliminar del presupuesto familiar para saldar la deuda. Por tanto, cuando cancelaron el servicio de televisión por cable, Marta comprendió el motivo y que formaba parte del plan que se habían trazado sus padres para administrar de forma más responsable su dinero.

Evitar las luchas de poder

A medida que nuestros hijos se adentran en la adolescencia, cada vez es más importante que aprendan a predecir las consecuencias naturales de sus actos. Debemos procurar que sean capaces de evitar los problemas antes de que se produzcan, sobre todo cuando los riesgos se hagan más serios.

Elijah siempre ha sido un chico muy activo que se convierte en hiperactivo cuando come chocolate, que, lógicamente, le encanta. Sus padres siempre han controlado la cantidad y la clase de golosinas que consume, pero desde que ha cumplido trece años ya no pueden hacerlo.

Una noche la familia come helado de yogur de postre. Elijah quiere echar unos trocitos de galletas de chocolate sobre su helado, y decide utilizar no una ni dos, sino cuatro galletas. Su padre se enfurece.

—¡Ni hablar! Dos galletas son suficientes. Sabes que el exceso de chocolate te excita y no podrás concentrarte en el trabajo que debes presentar mañana en la escuela.

Padre e hijo se enzarzan en una discusión; el padre redobla sus esfuerzos por controlar a Elijah y él insiste una y otra vez en su derecho a tomar sus propias decisiones sobre su postre y sus deberes.

Hace unos meses, esto no habría constituido un conflicto de grandes proporciones. Elijah se habría quejado de la intromisión de su padre, pero habría acabado obedeciéndole. Pero esos tiempos han pasado. Al entrar en la adolescencia, en lugar de seguir las pautas de sus padres como venía haciendo hasta entonces, su tarea consiste en aprender a tomar sus propias decisiones. Elijah debe aprender las consecuencias naturales de comer demasiado chocolate, en especial si tiene que hacer deberes.

Del mismo modo que nuestros adolescentes empiezan a explorar su independencia y afrontan algunos de los riesgos más serios de su vida, nosotros, como padres, debemos dejar de controlarlos para animarlos y arroparlos mientras aprenden de sus experiencias. Para Elijah, un muchacho de trece años, en estos momentos el problema reside en sus hábitos alimenticios, pero dentro de cinco años la decisión se centrará en el sexo seguro o en conducir durante una tormenta de nieve, y entonces sus padres no estarán necesariamente presentes para decirle lo que debe hacer. La ironía y la dificultad para los padres de adolescentes es que al tiempo que aumenta nuestra preocupación sobre su seguridad, disminuye nuestro control sobre su conducta. ¡No es de extrañar que la adolescencia sea una fase tan estresante para los padres!

En este caso, el padre de Elijah pudo haber enfocado el tema de modo distinto, teniendo en cuenta que el chico debe aprender de la experiencia en lugar de tratar de controlar su conducta. Cuando Elijah empezó a echar un montón de galletas sobre su helado, pudo haberle dicho: «De acuerdo, cómete las galletas que quieras, pero ya veremos qué pasa cuando te pongas a hacer los deberes». Más tarde, cuando Elijah tuviera problemas para redactar el trabajo, su padre podría haberle ayudado a comprender las consecuencias naturales de atiborrarse de chocolate y ayudarle a decidir cómo quería comportarse en el futuro.

La belleza de las consecuencias naturales

Uno de los retos más difíciles de ser padre consiste en ser lo suficientemente flexible. Cuando por fin hallamos un sistema que funciona, comprobamos que nuestros hijos han cambiado y que debemos desarrollar una estrategia nueva. Si no somos flexibles y persistimos en los «viejos» métodos que ya no funcionan, cada vez nos sentiremos más frustrados, como si nos golpeáramos la cabeza contra la pared, o pensaremos que nuestros hijos son incorregibles. A medida que nuestros hijos crecen y maduran, nosotros también debemos cambiar y madurar. Esto es especialmente importante, y difícil, durante los súbitos cambios de la adolescencia.

Tal como comprendió el padre de Elijah, la confrontación directa con un adolescente casi siempre es una batalla perdida. Los jóvenes tienen mucha más energía que nosotros para pelear. Por lo demás, resulta bochornoso ponernos a discutir intensamente sobre algo tan nimio como si debe comer dos galletas o cuatro. Si persistimos en tratar de controlar a nuestros adolescentes, lo más probable es que acabemos desempeñando el papel de policía en lugar del de padre. Y nuestros adolescentes seguramente hallarán la forma de salirse con la suya, por más que les castiguemos o controlemos.

La belleza de las consecuencias naturales es que fluyen de la conducta de los adolescentes, no son castigos que nosotros imponemos. Si se acuestan tarde, al día siguiente estarán cansados. Si no se lavan la ropa, no podrán ponerse sus prendas favoritas cuando lo desean. No pueden evitar su propia responsabilidad en estos temas culpándonos o discutiendo con nosotros. La auténtica batalla se da en el interior de ellos mismos.

Cuando Todd era más joven, la norma era «veinte minutos de practicar con la trompeta antes de mirar la televisión». Al cumplir los trece años, su madre cayó en la cuenta de que empleaba más tiempo y energía en obligar a Todd a obedecer de lo que él empleaba en practicar con la trompeta. Su madre incluso decidió ponerle un reloj para asegurarse de que Todd completara los veinte minutos. Entonces se percató de que su hijo no practicaba sus lecciones, sino que tocaba las piezas que había aprendido el año pasado. Su madre comprendió que sus tácticas no daban resultado y que «las guerras de la trompeta» empezaban a tener un impacto negativo en su relación con Todd.

—La nueva norma sobre practicar la trompeta es que no hay

una norma —anunció un día la madre a Todd—. Si quieres seguir tomando lecciones, tendrás que practicar un mínimo de tiempo. Podemos decidirlo juntos. El resto depende de ti.

Un tanto sorprendido por el repentino cambio de talante de su madre, Todd asumió una actitud casi defensiva.

—Quiero presentarme este otoño a las audiciones para tocar la trompeta en la banda del desfile. Es la única banda que viaja con el equipo.

—Estupendo —respondió su madre—. En ese caso estoy segura de que querrás seguir practicando.

Algunos adolescentes habrían reaccionado a esta situación responsabilizándose del tiempo que debían dedicar a practicar la trompeta. Otros adolescentes (que todos conocemos bien) no habrían vuelto a coger la trompeta hasta la semana previa a las audiciones para la banda del desfile. La madre de Todd debe resignarse a no intervenir, independientemente de la decisión que tome Todd, y él debe aceptar las consecuencias naturales de su acto u omisión. Depende de Todd, es una cuestión entre él y el director de la banda. Su madre ha hecho bien en mantenerse al margen.

Si la madre de Todd hubiera seguido supervisando la práctica de la trompeta, cabe imaginar que las «guerras de trompeta» se habrían recrudecido. Los adolescentes tienden a resistirse a los padres que les controlan o presionan, aunque en el fondo quieran hacer lo que sus padres insisten que hagan. Si su madre hubiera seguido atosigándole, es posible que Todd hubiera perdido interés en incorporarse a la banda del desfile y se hubiera rebelado contra su madre. En tal caso habría perdido la gran oportunidad de comprobar si poseía la autodisciplina necesaria para formar parte de la banda.

Dejar que nuestros hijos se equivoquen

Debemos reconocer los límites de nuestra capacidad de influir sobre nuestros adolescentes. Podemos aconsejarles y orientarles, pero el resto depende de ellos. No obstante, es difícil para nosotros, como padres, comprobar que nuestros hijos no toman las medidas oportunas, sabiendo las consecuencias negativas que les aguardan. En última instancia podemos confiar que esas duras lecciones les sirvan de escarmiento cuando se enfrenten al futuro y a decisiones más importantes.

A Alison, una chica de quince años, le entusiasmaba la posibilidad de ser monitora adjunta en las colonias de verano. Sabía que había muchas chicas interesadas en ese cargo y que debía presentar su solicitud cuanto antes, pero no lo hizo. Cuando por fin la presentó, todos los puestos estaban ocupados.

Totalmente hundida y disgustada, Alison se quejó a su madre:

—¡Es increíble! ¿Cómo es posible que ya no quede ninguna vacante?

Su madre recordaba haberle aconsejado en primavera que llamara a la directora de las colonias para expresarle su deseo. Incluso había insistido al respecto, le había advertido de que había un determinado número de puestos vacantes y muchas chicas que deseaban ocuparlos. Luego decidió dejar que los hechos se desarrollaran por sí solos. Por consiguiente, su madre había previsto la crisis.

Quizá lo más importante que su madre hizo en esos momento fue mostrarse comprensiva y abstenerse de decir «ya te lo advertí». En estos casos resulta tentador adoptar una actitud arrogante y demostrar a nuestros hijos lo inteligentes que somos, pero con eso no les ayudamos. Hay ciertas experiencias que cada generación debe vivir por sí misma. Los adolescentes suelen aprender más de sus errores ellos solos que si nosotros se los señalamos. Eso les permite además conservar su dignidad, lo cual es muy importante. En fin de cuentas, bastante duro es para ellos vivir con las consecuencias de sus actos sin que encima les abochornemos o avergoncemos.

—Imagino lo disgustada que te sientes —le dijo su madre a Alison.

—¡No es cierto! —exclamó Alison, y salió corriendo de la habitación deshecha en lágrimas.

Lo único que podía hacer su madre en aquel momento fue concederle un rato para que se calmara. Aproximadamente una hora más tarde, llamó a la puerta de la habitación de Alison y le preguntó:

—¿Podemos hablar?

—De acuerdo —contestó ella llorosa. Estaba sentada en la cama, con aspecto deprimido.

—Se me han ocurrido otras cosas que podrías hacer este verano. ¿Quieres que te las cuente?

—Sí —respondió Alison—. Pero no será lo mismo.

—Es cierto —dijo su madre—, pero ¿qué harás sino?

Así que Alison y su madre exploraron juntas varias alternativas. Lo cierto es que a la madre de Alison también le disgustó que su hija no lograra trabajar en las colonias. Fue difícil para ella ver cómo Alison perdía una magnífica oportunidad por haberse retrasado en presentar su solicitud, pero se guardó de manifestar sus sentimientos. Sabía que Alison lo había pasado muy mal y no era justo que tuviera que enfrentarse también al disgusto de su madre.

Saber cuándo intervenir

En ocasiones tenemos el deber como padres de intervenir, para frenar una espiral descendente que conduce a unas consecuencias naturales desastrosas. No podemos dejar que nuestros adolescentes se sientan tan desalentados que no sean capaces de aprender de sus errores y adoptar una actitud constructiva.

Scott, un chico de catorce años, sacaba cada vez peores notas. Cuando su madre fue a hablar con sus profesores, le dijeron que rara vez entregaba los deberes. Su madre se quedó muy sorprendida, pues sabía que Scott trabajaba con ahínco para realizar los deberes que le ponían. Cuando le habló sobre el tema, él se encogió de hombros y murmuró vagamente:

—A veces me olvido de llevarlos. O no los encuentro. No lo sé.

Su madre se enfureció.

—Pero ¿no te das cuentas de que te ponen malas notas por no entregarlos?

Scott volvió a encogerse de hombros y fijó la vista en sus manos. Parecía fascinado por ellas, con lo cual sólo consiguió que su madre se enfureciera aún más.

—Hablaremos más tarde del tema —respondió, pues comprendía que estaba demasiado trastornada para continuar. Sabía que tenía que calmarse y enfocar la situación de otra forma, pero ¿cómo? ¿Debía castigar a Scott por sacar malas notas? ¿Debía registrar todas las mañanas su cartera para comprobar si llevaba los deberes? ¿O debía dejar que las consecuencias naturales de su conducta se manifestaran por sí solas? Sabía que Scott no podría participar en ningún torneo deportivo si sus notas eran bajas, lo cual le causaría un enorme disgusto.

Algunos adolescentes no son capaces de aprender de las consecuencias naturales tan fácilmente como otros. En ese caso, como en el de Scott, que tenía grandes problemas para organizarse, no conviene dejar que la situación empeore. Scott hacía cuanto podía. No entendía por qué perdía sus deberes. Pese a experimentar las consecuencias naturales de no entregarlos en la escuela, era incapaz de resolver la situación. No era un problema de pereza o desinterés, sencillamente necesitaba que le ayudaran a organizar su vida.

Scott sabía que tenía problemas en la escuela, pero no sabía cómo solucionarlos. Castigarlo por sacar malas notas sólo le habría hecho sentirse más insatisfecho consigo mismo. Tratar de controlar dónde ponía los deberes tampoco daría resultado. Aunque su madre se hubiera encargado de guardarlos ella misma en su cartera, no habría ayudado a Scott a desarrollar las habilidades que necesitaría a la larga en su vida, y quizá ni siquiera serviría para garantizar que entregaría los deberes en mano a su profesor. En ocasiones, a los adolescentes que no saben organizarse les ocurren cosas misteriosas en el trayecto de su casa al aula que les impide entregar sus trabajos. Los padres a veces se sorprenden al hallar los deberes de una semana, meticulosamente realizados, en las taquillas cerradas con llave que tienen sus hijos en la escuela.

Scott necesita que alguien le enseñe a organizarse y a localizar sus trabajos. Su madre puede intervenir y buscar la ayuda adicional que el chico necesita para frenar esa nefasta espiral. En el caso de los adolescentes, es mejor que les ayude un profesional que tratar de hacerlo nosotros mismos. De esta forma evitamos la natural resistencia que adoptan muchos adolescentes cuando sus padres les dicen lo que deben hacer. Confiemos en que los profesores de Scott le remitan al especialista en problemas de aprendizaje de la escuela, que le enseñará a organizarse y a estudiar mejor.

Permanecer conectados

Las consecuencias derivadas de la actividad sexual y el consumo de alcohol y drogas entran en un ámbito particularmente inquietante para los padres. Por supuesto, no queremos que nuestros adolescentes aprendan a base de cometer errores cuando está en juego su salud y su seguridad. Pero debemos reconocer que no podremos intervenir en los momentos en que nuestros hijos tomen esas decisiones tan importantes. Nuestros hijos estarán en compañía de otros adolescentes, lejos de nuestro alcance protector. Nuestra única esperanza es permanecer lo suficientemente bien conectados con ellos para saber lo que hacen y poder hablar con franqueza con ellos sobre las decisiones que toman y las consecuencias que éstas pueden generar.

Es inútil decirle a una chica de dieciséis años que está muy enamorada, que aparte de los problemas morales, la consecuencia natural de practicar el sexo puede ser contraer una enfermedad de transmisión sexual o quedarse embarazada, o ambas cosas. Eso ella ya lo sabe y, sin embargo, por más que nos disguste, puede que ni siquiera tenga en cuenta esos hechos mientras persiste en mantener relaciones sexuales. Tenemos que haber dialogado con nuestros adolescentes durante varios años antes de este momento sobre la importancia del amor, la naturaleza de las relaciones sexuales y las consecuencias de la actividad sexual. Tenemos que haber contemplado con ellos innumerables programas y películas por televisión, comentando lo que vemos. Ellos deben comprender perfectamente nuestros valores y nuestras esperanzas con respecto a ellos, sobre cómo se tratan a sí mismos y permiten que otros les traten, y lo que desean para su futuro.

Cuando nos asalten preocupaciones concretas sobre nuestros adolescentes, es preferible expresarlas con franqueza: «Sé que ésta es una relación seria. Sé lo que significa ser joven y estar enamorada. Sólo quiero que no te quedes embarazada».

No se desanime si su hija adolescente le asegura, despreocupada: «Descuida, no me quedaré embarazada». A esas alturas, usted debe insistir en que su hija le dé más garantías. «Me alegra saberlo, pero ¿qué es lo que haces para estar tan segura?» o «quiero saber qué medios utilizas para impedir quedarte embarazada».

Éste no es el momento para mostrarse intolerante o sermonear a nuestros hijos sobre las virtudes de la abstinencia o de esperar hasta casarse. Por supuesto, siempre podemos ratificar nuestras preferencias y valores, pero al mismo tiempo debemos ser realistas sobre las presiones que sufren los adolescentes en sus vidas. Conviene que mantengamos una relación abierta y confiada con ellos que facilite una comunicación fluida. Pero a veces simplemente debemos utilizar todos los recursos a nuestro alcance debido a los riesgos a los que se exponen.

Si nos consideran un recurso (un recurso que les proporciona información útil, orientación y apoyo), mayores son las probabilidades de que nos pidan consejo a la hora de tomar decisiones que impliquen consecuencias graves para ellos. Si nos consideran unos padres críticos, dominantes o propensos a ponernos histéricos cuando nos confían algo, tomarán esas decisiones potencialmente vitales por su cuenta y no nos enteraremos hasta que sea demasiado tarde.

Crear su propio futuro

El primer paso para que nuestros adolescentes integren el concepto de causa y efecto en sus vidas cotidianas consiste en que comprendan cómo se produce una cadena de acontecimientos o de reacciones. Esto les permite comenzar a planificar de forma más eficaz y tener la sensación de que controlan sus personas y sus vidas. Averiguan que pueden dirigir, en gran medida, el curso de sus vidas, empezando por asuntos sin importancia hasta llegar a ocuparse de cuestiones importantes como planificar las trayectorias de sus carreras y sus vidas adultas. Como adultos, quizá no recordemos lo complicado que es aprender a planificar de antemano, quizás incluso demos este proceso por descontado. Pero nuestros adolescentes deben aprender ese arte con el fin de planificar los pasos mediante los cuales crearán el futuro que desean.

En el instituto de Joseph celebraban todos los años un baile invernal en febrero. Cuando estudiaba noveno curso, a Joseph no le atraía en absoluto el baile, pero al año siguiente ya sabía a qué chica deseaba invitar. No obstante, cuando llegó el momento de pedírselo, la chica ya había aceptado otra invitación. Como la mayoría de las jóvenes, era más espabilada que él en esas cuestiones y dio a entender a Joseph que le disgustaba que no se lo hubiera pedido antes, porque hubiera preferido asistir al baile con él.

Joseph aprendió a través de su error que la asistencia a ciertos eventos sociales requiere una esmerada planificación. Lo cierto es que no se le había ocurrido, ni tampoco había revelado a sus padres sus planes. Ellos no se habían percatado de que Joseph había madurado, aunque a un observador ajeno le habría parecido harto evidente. No tenían ni la más remota idea de que su hijo quería asistir al baile y menos aún que le gustara una chica.

Debemos procurar ver a nuestros hijos tal como los ven los demás, para estar al corriente de su desarrollo y ser realistas sobre el hecho de que maduran. De lo contrario, seguiremos viéndolos como cuando tenían determinada edad sin reparar en lo mucho que cambian. A veces nos cuesta percatarnos de que nuestros hijos están preparados para asumir responsabilidades mayores o realizar nuevas y distintas actividades, como salir con una chica o un chico.

Cuando llegó el fin de semana del baile, Joseph andaba por casa cariacontecido.

—¿Qué te pasa? —le preguntó su padre, que seguía en la inopia sobre lo ocurrido, pero veía que el chico estaba disgustado por algo.

—Nada —murmuró Joseph.

—¿Cómo es que no sales esta noche con tus amigos? —insistió su padre.

Joseph no respondió, pero siguió dando vueltas por la habitación, de modo que su padre persistió en sus intentos por averiguar el motivo del malhumor de su hijo. No dijo nada especialmente brillante o mágico, pero no desistió en su empeño de conversar con Joseph. Por fin él le contó lo ocurrido.

De improviso el padre vio a su hijo con otros ojos.

—Lo siento —dijo, añadiendo casi como de pasada—: ¿Has invitado a esa chica a salir otro día contigo?

Joseph le miró sin comprender.

—No —contestó.

—Pues debiste hacerlo —dijo su padre riendo—. Así es como aprendemos de nuestros errores.

—Supongo que podría hacerlo —dijo Joseph lentamente—. Me dio a entender que le apetecía salir conmigo.

Su padre sonrió.

—Seguro que sí. Pues invítala a salir.

Con ayuda de su padre, Joseph aprendió que una cosa conduce a otra. Necesitaba que alguien le ayudara a comprender que la respuesta de la chica era positiva y que no debía desaprovechar otra oportunidad de invitarla a salir.

Debemos tener presente que las consecuencias naturales no representan necesariamente castigos. También son los resultados lógicos de nuestros actos o, en algunos casos, de nuestras omisiones. Para vivir una vida satisfactoria es preciso aprender a influir en el devenir de los acontecimientos, y adaptar nuestros planes a medida que una cosa conduce a otra.

Aceptar la responsabilidad y enmendar los errores

Comprender el concepto de las consecuencias naturales significa algo más que comportarnos de forma que obtengamos resultados favorables. Ser responsables de nuestros actos significa también reconocer las consecuencias de nuestra conducta cuando nos equivocamos y hacer cuanto esté en nuestra mano para subsanarlas. En eso consiste enmendar los errores que cometemos, y a veces debemos buscar la mejor forma de conseguirlo.

Krishna, un chico de quince años, era el capitán del equipo de atletismo de su instituto. Una de sus responsabilidades como capitán consistía en colocar las cajas de agua mineral en el autobús antes de ir a disputar las pruebas de atletismo a otra población. Un día se olvidó. Krishna adujo un millón de excusas para justificar su olvido, pero lo cierto era que el equipo de atletismo no dispondría de sus botellas de agua mineral durante el torneo. El entrenador no se percató de que las botellas faltaban hasta que llegaron al estadio y se vio obligado a ir apresuradamente a comprar agua mineral. Eso supuso una tensión adicional para el equipo poco antes de disputar un torneo importante.

Krishna se sintió muy mal por haber defraudado a sus compañeros de equipo y al entrenador. Pensó que no merecía seguir siendo el capitán. Aunque se disculpó con todos, estaba muy disgustado. Esa noche su madre le preguntó cómo había ido el torneo de atletismo.

—Bien —respondió Krishna secamente.

—¿Sólo bien? —preguntó su madre. Quería que Krishna la informara al detalle, como solía hacer—. ¿Cómo le ha ido al equipo de relevos?

—Ganaron.

Su madre miró a Krishna.

—¿Qué te ocurre?

—Nada.

—¿Nada? —repitió su madre.

Tras una larga pausa, Krishna le contó la historia. Su madre observó que a su hijo se le llenaban los ojos de lágrimas, pero el chico contuvo el llanto. Habría sido muy fácil para su madre consolarlo, aceptar sus disculpas y eximirlo de su responsabilidad. O despachar el asunto como «un error sin importancia», puesto que el equipo había conseguido el agua mineral y encima había ganado. O podría haber incrementado los remordimientos de Krishna preguntándole: «¿Cómo has podido ser tan irresponsable?» Pero su madre no hizo nada de eso. Le consideró responsable de lo ocurrido y reconoció la importancia de la situación, pero sin hacerle sentir peor de lo que ya se sentía y sin minimizar sus sentimientos.

—Es un problema complicado —dijo su madre con expresión pensativa. Krishna asintió con la cabeza—. ¿Qué crees que puedes hacer para evitar que vuelva a ocurrir?

—No lo sé —respondió Krishna, y se encogió de hombros.

—Pues piensa en ello —insistió su madre—. Es una de las formas de reparar el perjuicio que has causado al equipo y al entrenador.

A la mañana siguiente Krishna bajó con una lista que había redactado en el ordenador. En ella figuraba todo el material y los suministros que debían transportar en el autobús junto con el equipo.

—Esta lista evitará que vuelva a cometer el mismo error —dijo Krishna.

—Es una idea genial —respondió su madre. Después de examinar la lista, añadió con un toque de realismo a su respuesta—: De este modo comprobarás si has cargado en el autobús todo lo que necesita el equipo antes de partir.

Obligar a nuestros adolescentes a responsabilizarse de sus actos significa hallar el equilibrio ideal entre consolarlos y culparlos, entre tomarnos el asunto demasiado en serio y minimizar sus sentimientos. Del mismo modo que no debemos disculpar los errores que cometan, tampoco debemos criticarlos cuando se sienten hundidos.

También debemos animarlos a hallar la forma de enmendar sus errores. ¿Qué pueden hacer para mejorar la situación? Nuestro deber como padres no consiste únicamente en lograr que nuestros adolescentes se sientan mejor, por más que nos sintamos tentados a hacerlo, pues es una solución temporal. Debemos animarles a buscar la forma de paliar las consecuencias que han creado y a tomar una iniciativa constructiva. Así se sentirán más satisfechos de sí mismos por haber enmendado su error, y desarrollarán la confianza que proporciona saber que son capaces de enmendar sus errores.

Eso contribuirá a que sientan menos miedo a equivocarse y a estar más seguros de poder hacer frente a sus responsabilidades.

Cuando se produce la tragedia

Lamentablemente, no siempre es posible enmendar un error ni paliar sus consecuencias. Son tragedias propias de la adolescencia, y la posibilidad de que nuestros hijos se vean implicados en una de ellas es la pesadilla de todos los padres. No obstante, éstas son justamente las consecuencias naturales que todos los adolescentes afirman «a mí no me pasará».

La mayoría de consecuencias naturales trágicas se producen en la carretera. Un adolescente conduce el coche sin problemas cuando de pronto, sin que apenas se dé cuenta, ocurre un accidente. «Ocurrió de improviso», dicen. «No sé cómo ocurrió.» Cuando sucede algo así, existe un sistema infalible que enseña a nuestros adolescentes las consecuencias de sus actos, siempre y cuando nosotros no intervengamos. Las multas de tráfico, la retirada del permiso de conducir, el aumento de la póliza de seguros, el coste de la reparación del coche e incluso una condena de cárcel impresionan a cualquier adolescente y le demuestran lo serio que es conducir un vehículo. En estos casos, debemos abstenernos de rescatar a nuestros hijos de las consecuencias de sus actos y dejar que las afronten.

En algunos casos los adolescentes también deben afrontar el hecho de que su conducta, a sabiendas o sin saberlo, voluntaria o involuntariamente, ha provocado daños permanentes o incluso la muerte a alguien. Esos adolescentes ya no se ufanarán pensando que son invencibles; tienen que aprender a vivir con las consecuencias de sus actos. Es una forma muy triste de aprender a ser responsable, y nosotros, como padres, debemos apoyarlos sin protegerlos para no interferir en ese importante aprendizaje.

Como padres, todos hemos oído hablar de algún trágico accidente de tráfico protagonizado por adolescentes; quizás incluso conozcamos a los chicos implicados en él. Todo indica que el final del curso escolar, por las fechas de la graduación del instituto, es una época particularmente peligrosa para los conductores adolescentes. Podemos advertir a nuestros hijos sobre los peligros e inscribirlos en un cursillo denominado MCCB (madres contra conductores bebidos). Podemos prometer ir a recogerles a ellos y a sus amigos, a cualquier hora, a cualquier lugar, sin hacer preguntas ni montar escenas. Podemos quitarles las llaves del coche a los adolescentes que estén en nuestra casa y sepamos que han bebido o consumido drogas. Podemos dar a nuestros hijos coches más seguros, con poca aceleración y que no pueden alcanzar velocidades muy altas. Podemos dar de vez en cuando un paseo en coche con nuestros hijos, para comprobar cómo conducen. Pero seguiremos preocupándonos, porque sabemos que no podemos protegerlos al ciento por ciento.

Lo que es más importante, podemos estar siempre disponibles para ellos, dedicarles una cantidad más generosa de nuestro tiempo, esfuerzos y atención. Una relación afectuosa y franca entre padres y adolescentes proporciona a nuestros hijos la base más sólida para tomar decisiones prudentes y seguras.

La responsabilidad de los padres

Como padres, debemos afrontar las consecuencias naturales de nuestra conducta parental. Por ejemplo, sabemos que cuanto más disponibles estemos para nuestros adolescentes, más probabilidades hay de que nos cuenten sus cosas, que tomen en cuenta nuestras recomendaciones, que conozcan nuestros valores y que acudan a nosotros cuando precisen ayuda. Nuestra inversión de tiempo y esfuerzos durante la adolescencia de nuestros hijos incidirá de forma decisiva en la calidad de sus vidas.

Debemos tener presente las simples realidades de causa y efecto y no dar a nuestros hijos coches excesivamente veloces ni permitir que beban alcohol y luego salgan con sus amigos. Debemos informarles exhaustivamente, tanto a los varones como a las mujeres, sobre cómo prevenir un embarazo y ayudarles a hallar la forma de acceder a medios anticonceptivos cuando los necesiten. Debemos procurar que conozcan los peligros que entraña salir con personas que no conocen bien, de beber en exceso, y comentar con ellos lo que deben hacer si se encuentran en una situación de riesgo.

Sabemos que no podemos controlar a nuestros adolescentes, pero nunca subestimemos la influencia que seguimos ejerciendo sobre ellos. Tenemos la responsabilidad de procurarles la mejor preparación que podamos para que se hagan adultos. Jamás debemos olvidar que el mensaje más influyente que podemos transmitirles es la forma en que nosotros vivimos nuestra vida.

Si los adolescentes viven con responsabilidad, aprenden a ser autosuficientes

La responsabilidad es uno de los signos de madurez. La hemos fomentado en nuestros hijos desde que eran pequeños, y cada año potenciamos su creciente sentido de responsabilidad. Ahora que han alcanzado la adolescencia, queremos que desarrollen un sentido interno de la responsabilidad para que puedan hacer lo necesario y lo indicado en cualquier situación, según sus valores. Y queremos que elijan lo correcto aunque les resulte incómodo o les cueste hacerlo.

A medida que los adolescentes maduran, su sentido de responsabilidad configura una amplia gama de comportamientos, desde cómo manejan el dinero a cómo llevan sus relaciones personales. A menudo, cuando empiezan a mostrar un mayor grado de responsabilidad, alcanzan también mayor libertad y privilegios. «Sí, puedes coger el coche a condición de que recojas a tu hermana en casa de su amiga, ¡a las cuatro en punto!» «Sí, podemos comparar un perro, pero tienes que ayudar a darle de comer, pasearlo y limpiar lo que ensucie.» El sentido de responsabilidad de nuestros adolescentes incidirá en el hecho de que sus vidas cotidianas fluyan apaciblemente o avancen a trompicones de crisis en crisis.

Nuestros adolescentes deben aprender que ser responsables significa hacer lo que deben de principio a fin, sobre todo cuando otros confían en ellos. Quizá les cueste comprender que sus actos afectan a otros, o que otros dependen de ellos. Participar en proyectos de grupo en la escuela y deportes de equipo son dos formas que les ofrecen la oportunidad de trabajar con otros para alcanzar objetivos más importantes que la mera satisfacción de sus deseos personales. La participación en grupo enseña a los adolescentes a responsabilizarse de otros además de sí mismos.

Puesto que queremos que desarrollen la integridad interior que forma parte esencial de ser una persona responsable, debemos preguntarnos si les ofrecemos un modelo de integridad comportándonos como es debido. En fin de cuentas, ¿cuántos adultos se comportan por sistema de forma auténticamente responsable, tanto con respecto a sí mismos como respecto a otros?

No podemos obligarles a ser responsables diciéndoles simplemente que deben serlo. La necesidad interior de ser responsable debe brotar dentro de ellos. Debe ser un reflejo automático. Al enfrentarse a una decisión difícil, un chico al que hemos educado para pensar y actuar con integridad seguramente pensará: «Así es como nos comportamos en nuestra familia», basándose en ese íntimo convencimiento para hacer lo que debe.

A medida que nuestros hijos avanzan en la adolescencia, tienen que aprender a confiar en su propio criterio, a menudo sin conocer los detalles de la situación en que se hallan. Cuanto mayor sea su sentido interno de la responsabilidad, autodirigida e independiente de nosotros, de otras autoridades e incluso de sus compañeros, más autosuficientes serán. Un profundo sentido de identidad conduce con el tiempo a una mayor capacidad de trabajar con otros y saber cuándo pedir consejo, orientación, apoyo o información.

El «deber» de un adolescente es asistir a la escuela

La escuela suele ser el primer lugar, fuera de la familia, en el que los chicos aprenden a responsabilizarse de sí mismos y de otros. En la escuela, sus responsabilidades aumentan de año en año tanto en número como en complejidad. Al inicio de la adolescencia, la escuela representa un reto mayor: los exámenes son más duros, los profesores ponen más deberes y los trabajos son más extensos y precisan una planificación a largo plazo. No todos los adolescentes están preparados para afrontar las importantes responsabilidades académicas que conlleva el instituto. Algunos chicos se adaptan con facilidad, pero a otros les cuesta más.

Un día la madre de Warren, un chico de trece años, recibió esa llamada del director del instituto que todos los padres temen. Warren había entregado un trabajo escrito trimestral que había descargado de una web de Internet. Ni siquiera se había molestado en modificar algunos párrafos, lo había plagiado palabra por palabra. El castigo que el instituto impuso a Warren consistió en un suspenso por su trabajo y quedarse castigado después de clase durante dos semanas. Pero su madre insistió en incrementar las consecuencias.

—Quiero que escribas tu trabajo trimestral ahora —le dijo durante la reunión en el instituto, delante del vicedirector y el profesor.

—Vamos, mamá —protestó Warren—, ¿no te parece suficiente castigo? He reconocido mi falta.

—No, no me parece suficiente castigo —respondió su madre—. Desperdiciaste la oportunidad de escribir tu propio trabajo. Quiero que sepas que puedes hacerlo.

—Es una excelente idea —dijo el profesor—. Puedes pasar parte del tiempo que te quedes castigado después de clase en la biblioteca para escribir tu trabajo.

Warren comprendió que no tenía más remedio que obedecer.

—Esto no es un castigo —prosiguió su madre—. Reconocer tu falta no es lo mismo que cumplir con tu responsabilidad. Y quiero que sepas que eres capaz de hacer el trabajo que te pidieron que hicieras —repitió.

—Si tienes problemas, dímelo —añadió el profesor de Warren—. Te ayudaré encantado.

La madre hizo bien en insistir en que Warren realizara el trabajo. No quería que perdiera la oportunidad de adquirir una mayor confianza en sus capacidades, que sin duda necesitaría cuando los estudios fueran más difíciles. Warren debe aprender ahora a confiar en su capacidad de realizar bien sus trabajos escolares. Confiar en sus dotes potenciará su sentido de autosuficiencia y con suerte reducirá las probabilidades de que vuelva a plagiar un trabajo.

Obsérvese que su madre se ha centrado en una iniciativa constructiva y positiva. No ha abundado en el hecho de que Warren haya plagiado un trabajo ni le ha preguntado por qué lo hizo, puesto que no existe un motivo aceptable para esa conducta. Tampoco ha castigado a Warren retirándole ciertos privilegios en casa. El problema residía principalmente entre Warren y su profesor. La insistencia de su madre en obligarle a cumplir con sus responsabilidades académicas demuestra a Warren que ella respalda la respuesta del instituto al hecho de que haya plagiado un trabajo y asimismo que confía en él y en sus capacidades.

La responsabilidad principal de nuestros adolescentes es rendir satisfactoriamente en la escuela, cumplir las exigencias académicas para obtener buenas notas. Nuestros hijos deben aprender a ser responsables en el entorno escolar. Podemos apoyarles y animarles en esa tarea, pero deben aprender, progresivamente, a realizar sus deberes escolares ellos mismos. Nuestra forma de ayudarles es mostrarnos interesados en lo que hacen en la escuela, hablar con ellos sobre lo que aprenden y evaluar la importancia de la educación.

Enseñar la ética del trabajo

Al principio, nuestros adolescentes aprenden sobre el mundo del trabajo a través de nuestro ejemplo. Durante años han observado cómo enfocamos nuestro trabajo, tanto si trabajamos en casa, fuera de casa o si viajamos continuamente. Han observado que nos levantamos temprano para realizar una tarea en la fecha prevista o que permanecemos levantados hasta tarde para escribir unos informes; han visto lo que representa trabajar con ahínco día a día. Éste es el modelo de ética de trabajo más influyente que podemos ofrecerles. Nuestros adolescentes saben también que hay ciertos aspectos de nuestro trabajo que no nos complacen o no nos convencen. Experimentamos decepciones, ansiedad, éxitos, fracasos y sorpresas. Nuestros hijos se dan cuenta de cuándo nos sentimos estresados por el trabajo. Es conveniente que hablemos de ello de una forma que pueda resultarles útil.

—Estoy preocupada por la presentación que debo realizar la semana que viene en la oficina —comentó un día la madre de Janine, una joven de quince años, mientras la acompañaba en coche a casa de una amiga— Tendré que trabajar en ello durante el fin de semana.

—¿Significa eso que no podrás llevarme a las clases de baile? —preguntó Janine, pensando ante todo en ella, como cualquier adolescente.

Su madre sonrió.

—No, podré llevarte.

Después de una pausa, Janine comprendió lo que su madre acababa de compartir con ella.

—Nunca te había oído decir que estabas nerviosa por algo relacionado con el trabajo.

Su madre se echó a reír.

—Las presentaciones me preocupan. Todos nos ponemos nerviosos de vez en cuando.

—¿Como cuando tengo que leer mi trabajo de historia delante de la clase? —preguntó Janine.

—Sí. Te pusiste nerviosa, pero lo hiciste muy bien.

—Tú también lo harás muy bien, mamá.

—Conozco el material. Debo confiar en mí misma —respondió ella.

—¿Por qué no lo lees en voz alta como hice yo? —le propuso Janine, sintiéndose muy madura por aconsejar a su madre—. A mí me ayudó.

—Puede que tengas razón —contestó su madre con aire pensativo—. Aún no he ensayado la disertación junto con la presentación de las diapositivas.

Por regla general, nuestros adolescentes dan por descontado nuestros hábitos de trabajo. Pero nuestro ejemplo deja una impresión indeleble en ellos sobre lo que significa ser un adulto con una profunda ética de trabajo. Observan cómo afrontamos nuestras responsabilidades profesionales y aprenden de nosotros, por más que parezca que su principal preocupación son ellos mismos. La primera reacción de Janine fue asegurarse de que el trabajo adicional de su madre no interfiriera con sus clases de baile, pero enseguida comprendió el paralelismo entre la forma en que su madre se preparaba para su presentación en la oficina y la forma en que ella había preparado su trabajo de historia.

La forma en que afrontamos nuestros problemas en el trabajo ofrece a nuestros hijos un valioso ejemplo de lo que significa la responsabilidad en la vida cotidiana. Permitirles observar nuestras preocupaciones e inseguridades, y cómo las resolvemos, es una lección importante. Todos tenemos problemas en el trabajo. Aprender a ser autosuficientes consiste en parte en hallar los recursos internos que nos permitan afrontar esos problemas.

¡Requiere tiempo!

Cuanto más practiquen nuestros adolescentes el sentido de responsabilidad en diversas situaciones, más confiarán en que pueden contar consigo mismos. Esto es lo que significa ser autosuficiente: confiar en hallar el medio de hacer lo que uno debe hacer.

Hacerse autosuficiente e independiente no significa que nuestros adolescentes deban valerse en todo por sí mismos. A medida que nos necesitan menos, se separan de nosotros progresivamente, pero siguen conectados a la familia. Incluso empiezan a comprender que tienen la responsabilidad de ser considerados en su relación con los miembros de la familia. Esto significa que deben tener en cuenta los sentimientos de los demás y mostrarse más receptivos en su relación con sus padres y hermanos. El hecho de comprender que pueden separarse e independizarse de nosotros y al mismo tiempo seguir conectados y receptivos a nosotros constituye toda una hazaña en la evolución de los adolescentes.

La madre de Krista, una chica de dieciséis años, le insistía desde hacía una semana para que comprara el regalo de cumpleaños de su hermana pequeña. Sabía que las numerosas actividades extraescolares de Krista le dejaban poco tiempo para ir de compras. Ella le repetía a su madre que lo tenía todo controlado.

La noche anterior a la fiesta de su hermana Krista habló con su madre.

—Ya tengo el regalo, pero olvidé comprar la tarjeta. ¿No te sobrará una tarjeta por casualidad?

—¿Que si me sobra una tarjeta? No, lo siento —respondió su madre—. ¿Qué le has comprado?

La madre estaba asombrada de que Krista hubiera comprado el regalo de su hermana a tiempo para dárselo el día de la fiesta.

Krista le mostró una caja que contenía una muñeca muy buscada y difícil de hallar en los comercios.

—La encargué por Internet —dijo Krista sonriendo—. Utilicé mi nueva tarjeta de crédito.

—En las tiendas de aquí no quedaban —comentó su madre, impresionada.

—Lo sé.

Pese a su apretada agenda, Krista consiguió sacar tiempo para buscar ella misma el regalo perfecto para su hermana pequeña. Por supuesto, olvidó la tarjeta de felicitación, pero eso a su hermana, que estaba entusiasmada con su muñeca, no le importó. A todo esto la madre tuvo que adaptarse a un mayor grado de madurez por parte de su hija mayor, una eficacia y una responsabilidad inéditas.

Durante la adolescencia nuestros hijos parecen cambiar de la noche a la mañana. Lo irónico del caso es que por regla general pasan de ser unos ángeles de doce años a convertirse en unos monstruos de trece. Pero nuestros adolescentes también pueden transformarse en seres humanos civilizados en unos gigantescos saltos evolutivos. Lo que hace difícil adaptarse a esos cambios es que en la mayoría de los casos no se trata de una transformación global. Los adolescentes pueden mostrarse increíblemente autosuficientes en algunos aspectos y seguir dependiendo de nosotros en otros; pueden mostrarse muy responsables en un ámbito y totalmente irresponsables en otros.

Por tanto, aunque Krista se muestra más responsable en esta situación de lo que corresponde a su edad, es una madurez imperfecta. Recuerda que tiene que comprar un regalo de cumpleaños para su hermana, pero su habitación es un caos y su madre está convencida de que entre el montón de ropa sucia se debe de estar desarrollando un nuevo tipo de moho. Pero su madre opta por ignorar esta desastrosa situación, pues sabe que Krista acabará responsabilizándose también de este aspecto de su vida. Lo que no hace su madre es limpiar ella misma la habitación de Krista, pues piensa que con eso impediría que su hija aprendiera a ocuparse de sus cosas al tiempo que se hace más autosuficiente, y su madre confía en que no tardará en hacerlo.

Practicar responsabilidades día a día

Durante la adolescencia se da una delicada danza entre los adolescentes y los padres. Queremos que sean más autosuficientes, pero es difícil saber cuándo están preparados para asumir ciertas responsabilidades. Ellos quieren ser más independientes, pero también les gusta que nos ocupemos de su persona y les mimemos. ¿Cómo hacer que el momento en que empezamos a darles mayor libertad coincida con su creciente capacidad para responsabilizarse de las cosas?

Los adolescentes suelen mostrarse remisos en lo tocante a las tareas domésticas, desde prepararse el desayuno a lavarse ellos mismos la ropa. Los hábitos varían según las familias: algunos chicos de ocho años preparan el café para sus padres, mientras que las madres de algunos de dicciséis les sirven el desayuno en la cama. Pero una cosa está clara: si esperamos que nuestros adolescentes se ofrezcan voluntariamente para realizar las tareas domésticas, es mejor que esperemos sentados.

Cuando la madre de Alicia, una joven de trece años, decidió que había llegado el momento de que ella se lavara su ropa, fue un desastre. Alicia utilizó todas las prendas que tenía en el ropero y en los cajones y luego empezó a ponerse de nuevo la ropa sucia. Desesperada, su madre reanudó su costumbre de lavar la ropa de su hija. Un año más tarde, la madre, más convencida, decidió que Alicia debía lavarse ella misma la ropa, por más que se negara, y en esta ocasión se mostró inflexible.

—Mañana es la exposición de fotografías en el instituto y no tengo nada que ponerme —se quejó Alicia una noche.

—¿Ah, no? —respondió su madre con tono indiferente.

—¿No podrías hacer una excepción y lavarme una camisa junto con tu ropa? Así la tendré mañana.

—Hoy no voy a hacer la colada —respondió la madre, esforzándose en no pelearse con su hija por este tema. Era el problema de Alicia y su madre no quería saber nada del asunto.

—No te cuesta nada —protestó Alicia, y salió indignada de la habitación. Al cabo de una hora, su madre oyó el sonido de la lavadora al ponerse en marcha.

Su madre se mantuvo firme, pero no fue fácil. Habría preferido rescatar a su hija y lavarle la camisa tal como ella le había pedido. Esta escena se produce en la mayoría de hogares en los que hay adolescentes, tanto si el problema es lavar la ropa, preparar el desayuno o cambiar las sábanas. Estas batallas empiezan al principio de la adolescencia y se prolongan hasta los primeros años de la madurez. Pero en un determinado momento los padres dejan de hacer las tareas que competen a sus hijos y ellos empiezan a ocuparse de sus cosas, haciéndose de paso más responsables.

En ocasiones pensamos que nada de lo que hacemos da resultado con nuestros adolescentes. Por más que les animemos a ser responsables, siempre se rebelan. Llegados a este punto, tenemos dos opciones. Podemos seguir golpeándonos la cabeza contra la pared o echarnos atrás con elegancia. Por lo general, ellos poseen más energía para resistir que nosotros para insistir. Si no se trata de una cuestión peligrosa o un tema moral grave, es preferible desistir. No es preciso que ganemos todos los asaltos con nuestros adolescentes. Antes bien, a veces es más importante perder unos cuantos.

Nuestros adolescentes pueden sorprendernos

A veces el comportamiento de nuestros hijos en casa no guarda relación alguna con su comportamiento fuera de casa. Su proceso de maduración suele ser muy irregular y su talante más rebelde e irresponsable lo reservan para nosotros. No es infrecuente que a los padres les sorprenda la opinión que un profesor tiene de su hijo. A veces incluso preguntan: «¿Estamos hablando del mismo chico?» En ocasiones somos los últimos en enterarnos de que nuestros apáticos y negligentes adolescentes se muestran competentes en algunos aspectos que jamás habíamos imaginado.

Los padres de Nicole, una chica de dieciséis años, mantenían un control constante sobre ella. No creían que fuera lo suficientemente madura para ocuparse de sí misma sin su ayuda. Según sus padres, Nicole dependía más de ellos que otros adolescentes, necesitaba su apoyo y su consejo incluso en asuntos tan nimios como qué vaqueros ponerse. Lo que sus padres no sabían era que a los dieciséis años Nicole, como la mayoría de los jóvenes de su edad, se enfrentaba a graves decisiones sobre drogas, sexo y alcohol. Para muchos adolescentes, las oportunidades de consumir drogas y practicar el sexo están en todas partes: en la escuela, en fiestas o cuando van con sus amigos al centro comercial. Es un tema normal en la vida de los jóvenes, y algunos padres no se percatan de que sus hijos han tenido que madurar rápidamente para afrontar esos problemas.

Una noche en una fiesta, uno de los amigos de Nicole bebió demasiadas copas de vodka y cayó desmayado detrás del sofá. No se quedó dormido, sino que perdió el conocimiento. En la casa había personas adultas que echaban de vez en cuando un vistazo a los jóvenes, pero no se dieron cuenta de lo ocurrido. Fue Nicole quien comprendió que el problema era grave y tomó enseguida la iniciativa. Llamó al teléfono de emergencias para decir que se había producido un accidente, dio las señas, describió el color que presentaba el chico, su respiración y lo que había bebido. La ambulancia llegó enseguida y trasladó al muchacho a un hospital, donde le trataron por intoxicación etílica.

Nicole tomó una decisión muy responsable y actuó prácticamente por su cuenta. Muchas veces, en una situación semejante los adolescentes consultan entre sí y deciden juntos lo que deben hacer —«no te preocupes, no le pasa nada»—, sobre todo si significa que pueden continuar con la fiesta y evitar tener problemas con sus padres. Nicole siguió su intuición e hizo lo correcto, aun sabiendo que la fiesta se suspendería y algunos chicos tendrían problemas.

Más tarde, Nicole restó importancia a lo que había hecho.

—Comprendí que lo importante era pedir de inmediato una ambulancia y eso fue lo que hice —explicó.

Los padres de Nicole no sabían si mostrarse horrorizados por lo ocurrido u orgullosos de que su hija se hubiera comportado como una heroína. Les sorprendió que hubiera sido Nicole quien tomara la iniciativa. ¿Cómo era posible que fuera la misma cría que nunca oía el despertador por las mañanas, que a menudo olvidaba echar gasolina al coche y que perdía continuamente el billetero? Pero así son nuestros adolescentes: dependientes y olvidadizos en muchos aspectos y responsables y maduros en otros. Como padres, no debemos subestimarlos a ellos ni a los complicados retos a los que se enfrentan, por inmaduros que nos parezcan en casa.

Compensar una mayor responsabilidad con una mayor libertad

A medida que nuestros adolescentes se hacen mayores, debemos concederles progresivamente mayor libertad, aunque sepamos los graves riesgos que forman parte integrante de la adolescencia. Debemos sostener con suavidad las riendas que nos unen a ellos, a fin de que puedan seguir tirando del hilo para cerciorarse de que estamos ahí para apoyarles y ayudarles. Pero debemos sostenerlas con la suficiente flexibilidad para permitirles aventurarse cada vez más lejos, fuera de nuestro alcance. Esto ocurre tanto figurativa como literalmente cuando el universo de nuestros adolescentes se hace más amplio y distante del nuestro. No siempre podremos saber con exactitud dónde están o lo que hacen. Debemos aprender a soltarles al tiempo que les retenemos, para estar siempre disponibles para ellos cuando nos necesiten. Ésta es la paradoja que se le plantea a los padres de un adolescente.

Empezamos a concederles mayores privilegios cuando vemos que están preparados para ellos. Cuando llaman a casa tal como prometieron, para informarnos de dónde están y con quién, nos sentimos aliviados y les concedemos mayor libertad. Cuando observamos que resuelven problemas cada vez más complejos y negocian temas complicados, empezamos a confiar en que han adquirido por fin un mayor grado de independencia y autosuficiencia. Dicho esto, es preciso reconocer que a veces pasarán por sus cabezas ideas que, inevitablemente, nos aterrorizarán.

—¿Sabéis lo que nos gustaría hacer a Eddie y a mí el verano que viene? —preguntó Chris, un chico de diecisiete años, a sus padres en invierno—. Un viaje en coche.

Su madre se quedó tan estupefacta que no pudo responder.

—¿Adónde? —preguntó su padre.

—No lo sé. Quizás al oeste, o al norte. De eso se trata, de explorar —respondió Chris muy ufano, y añadió—: Dormiremos en una tienda de campaña. No nos costará mucho dinero.

Esto no tranquilizó a sus padres. Pensaron en los mil contratiempos que pueden ocurrir durante un viaje en coche, en especial a un par de adolescentes. Aunque no querían desanimar a su hijo, que empezaba a sentirse independiente, sus padres no acogieron con entusiasmo el proyecto.

—Confiaba en que el verano que viene trabajarías para costearte los estudios universitarios —dijo su madre, tratando desesperadamente de disuadirle sin provocar una clara resistencia por su parte.

—Ya he pensado en ello —contestó Chris—. Este verano trabajaré de nuevo en la fábrica de embutidos y haré horas extraordinarias para tomarme unas vacaciones las dos últimas semanas antes de que comience la universidad.

—¿Y qué coche pensáis utilizar? —preguntó su padre.

—El verano que viene el hermano de Eddie entra en el ejército y nos ha dicho que podemos utilizar su coche.

—De modo que lo habéis planeado hace tiempo —se quejó su padre.

Chris sonrió alegremente, asintiendo con la cabeza.

Sus padres le dijeron que lo hablarían durante los días siguientes, mientras trataban de hacerse a la idea. Por fin le expusieron un plan destinado a prepararlos a ellos y a su hijo para afrontar este nuevo nivel de independencia.

—Estamos dispuestos a apoyarte en este proyecto de vacaciones —le dijo su padre a Chris—. Pero queremos cerciorarnos de que eres capaz de cuidar de ti durante un viaje en coche. De modo que en primer lugar queremos saber si eres capaz de cambiar un neumático, sustituir el cinturón de seguridad y realizar pequeñas reparaciones. Este fin de semana puedes empezar ayudándome a cambiar el aceite de mi coche.

El padre de Chris era un excelente mecánico y le ilusionaba enseñar a su hijo un par de cosas sobre el coche.

—¿Eso es todo? ¿Dejaréis que me vaya de vacaciones con Eddie? —Chris no sabía si sentirse estupefacto o eufórico.

—Eso es todo —afirmó su madre, y añadió—: Dile a Eddie que venga este fin de semana mientras trabajes en el coche, para que aprenda también a repararlo. Cuanto más sepáis los dos, mejor.

El equilibrio entre libertad y responsabilidad es particularmente peliagudo para los adolescentes en lo tocante a los privilegios. Cuando empiezan a conducir, perdemos por definición los hilos parentales. Quizá sea ése el motivo por el que la obtención del permiso de conducir se considere en la cultura estadounidense un rito de iniciación. Pero un auténtico rito de iniciación es un puente entre la infancia y la madurez, que prepara al adolescente para asumir responsabilidades de adulto. Obtener el permiso de conducir significa adquirir mayor libertad, pero eso no va necesariamente aparejado al hecho de aprender las habilidades de un adulto necesarias para ser autosuficiente.

El plan concebido por los padres de Chris convirtió ese viaje en coche en un auténtico rito de iniciación. Al aprender los rudimentos mecánicos del automóvil, los chicos estarían más seguros en la carretera. Durante el resto del invierno y la primavera, Chris y su padre pasaron muchas horas juntos en el garaje trabajando en los coches de la familia. Fue un sistema práctico de potenciar la autosuficiencia de Chris y, asimismo, una magnífica oportunidad de que padre e hijo pasaran largos ratos juntos. Un día el hermano de Eddie les llevó su coche para que lo revisaran, y Chris y su padre se lo dejaron como nuevo. Cuando llegó el verano, Chris estaba preparado para emprender el viaje, al igual que sus padres. Y ambas familias pudieron disfrutar del creciente entusiasmo de los chicos mientras planeaban su aventura.

El mundo del trabajo

Un primer empleo puede ser también un rito de iniciación para los adolescentes. Ya se trate de segar el césped, de hacer de canguro o de emplearse en una hamburguesería, trabajar enseña a los adolescentes una serie de requisitos que necesitarán cuando se incorporen al mundo de los adultos, como la puntualidad, trabajar a conciencia, tratar con otras personas y comportarse de forma responsable.

Ésta no es la primera vez que los adolescentes aprenden que otros dependen de ellos. Pero es la primera vez que otras personas fuera del mundo de la familia, la escuela y los deportes dependen de ellos, lo cual marca una gran diferencia. «Olvidarse» de lavar los platos en casa es una cosa, pero dejar de hacer algo en el trabajo es otra muy distinta.

Cuando Caitlin cumplió catorce años empezó a hacer de canguro los fines de semana para una vecina que trabajaba de enfermera. Un sábado por la tarde Caitlin se presentó treinta y cinco minutos tarde. Había estado charlando por teléfono con un chico que le gustaba y había perdido la noción del tiempo. En cuanto llegó, la vecina, que estaba muy disgustada, salió apresuradamente de casa. A Caitlin le sentó mal que la vecina se comportara con tanta brusquedad, pero se quedó cuidando del niño y el tiempo pasó volando.

Cuando la vecina llegó aquella noche del trabajo, se encaró con Caitlin.

—Esta tarde llegaste con retraso —le dijo sin rodeos.

—Sí, lo siento —respondió Caitlin con amabilidad.

—El hecho de que llegaras tarde hizo que yo también llegara tarde para cumplir mi turno en el hospital. Podrían despedirme por eso. Debo ser puntual para recibir el informe sobre los pacientes de las enfermeras que se marchan. Ellas se enfadaron conmigo por tener que esperarme. Y la culpa la tienes tú por haberte retrasado esta tarde.

Caitlin se quedó estupefacta. No había pensado en eso y no sabía qué decir. Por supuesto, su madre se quejaba con frecuencia de su escaso sentido de responsabilidad, pero sus quejas no habían tenido sobre Caitlin el efecto que tuvo esta situación.

—Lo siento mucho —dijo muy seria, al comprender los efectos de su conducta irresponsable—. No volverá a ocurrir.
—Y cumplió su palabra.

Los primeros trabajos ofrecen a los adolescentes la oportunidad de que otros adultos, además de sus padres, comenten su conducta. Si los comentarios son negativos, como en este caso, los adolescentes suelen encajarlos de forma más objetiva y responder con menos resistencia a las críticas. Si son positivos, los valoran más, puesto que no provienen de sus progenitores.

En ocasiones nuestros hijos tienen que abandonar el hogar para aprender las lecciones que nosotros nos hemos esforzado en enseñarles durante años. Éste es uno de los motivos por los que es imprescindible que traten con otros adultos. Al enfrentarse a la ira de su vecina, Caitlin tuvo que reconocer su responsabilidad por haberse retrasado y comprendió, sin que nadie se lo dijera, que si quería seguir trabajando de canguro a partir de entonces tenía que ser puntual.

Nuestros adolescentes pueden aprender mucho a través de estas primeras experiencias laborales. Si logran aprender ahora a aceptar su responsabilidad, más adelante, cuando el éxito de sus carreras como adultos dependa de lo responsables que sean, sufrirán menos contratiempos.

Administrarse ellos su dinero

Cada familia tiene su propio criterio sobre el dinero que gana un adolescente. En algunas familias, los ingresos de los adolescentes van a engrosar el presupuesto familiar. En otras, se ahorra para la universidad y las hay en las que el dinero pertenece única y exclusivamente al adolescente, para que lo gaste como quiera. Al margen del destino que se le dé al dinero, el mero hecho de ganarlo contribuye a que los adolescentes adquieran una mayor autosuficiencia.

Tan pronto como se ponen a calcular el dinero que ganarán trabajando determinada cantidad de horas, empiezan a comprender de forma concreta la relación entre el tiempo y el dinero, y lo que sus compras les cuestan realmente. Esto altera su perspectiva sobre gastar dinero, sobre todo el suyo.

—¿Recuerdas ese videojuego que quería comprarme? —le preguntó Sean, un chico de catorce años, a su madre—. Me he dado cuenta de que tendré que cortar el césped de ocho jardines para ganar el dinero que necesito. ¡Eso me llevará todo el fin de semana!

—¿Has calculado el coste del combustible de la segadora? —inquirió su madre, sabiendo que no lo había hecho.

—Pues... no —respondió Sean, comprendiendo de inmediato que quizá le llevaría aún más tiempo del que había calculado—. En realidad no me muero de ganas de tenerlo.

El hecho de ganar ellos mismos dinero para gastarlo como les apetezca consigue reducir prodigiosamente el consumismo de los adolescentes. De pronto ya no sienten el deseo de comprar todo lo que les llama la atención. Mientras son sus padres quienes les compran los caprichos, desean adquirir la última novedad que aparece en el mercado de inmediato. Pero cuando tienen que gastar su propio dinero, los adolescentes se vuelven mucho más selectivos y conservadores en sus gastos, incluso tacaños. Aprenden a no dar por sentado que sus padres se lo compren todo automáticamente, y también a apreciar más lo que reciben de ellos.

Tomar decisiones vitales

A medida que nuestros adolescentes maduran, empiezan a tomar decisiones vitales sobre la universidad, el trabajo, el matrimonio y el estilo de vida al que aspiran, que incidirán decisivamente en el desarrollo del resto de sus vidas. No obstante, aceptar y reconocer su entrada en la madurez significa en parte convivir con nuestras frustraciones y decepciones a medida que ellos toman esas decisiones. Éste es el momento en que debemos aprender a soltar las amarras que les unen a nosotros.

El apoyo de otros padres de adolescentes que pasan por esta fase puede sernos útil. Lo más importante es que nuestros adolescentes cuenten con nuestro apoyo cuando comiencen a perseguir sus sueños. Esto implica dejar de lado las expectativas que tenemos con respecto a ellos. Por difícil que resulte renunciar a las esperanzas que nos habíamos forjado para nuestros hijos, debemos respetar su derecho a responsabilizarse por las decisiones que tomen referentes a su vida. Asimismo, debemos aceptar que hicimos cuanto pudimos por ellos y que ahora son ellos quienes llevan las riendas de su vida. Podemos seguir disponibles para ellos, ofrecerles nuestro apoyo y algún que otro consejo, tanto si quieren como si no. Pero en la medida en que sean responsables y autosuficientes, tienen derecho a elegir el camino que desean tomar.

Si los adolescentes viven con hábitos saludables, aprenden a tratar bien su cuerpo

La relación más larga en la vida de nuestros adolescentes es la que mantienen con su cuerpo. Su cuerpo debe durarles muchas décadas y su forma física determinará en muchos aspectos la calidad de sus vidas. Los hábitos saludables que adopten de jóvenes beneficiarán a nuestros hijos a lo largo de su vida. Dada esta perspectiva a largo plazo, disponemos de unos años decisivos para influir en nuestros hijos y convencerles de que deben cuidar de sí mismos. El mejor sistema es a través de nuestro ejemplo, cuidando de nosotros.

Desde que nuestros hijos son pequeños, es preciso que vean que llevamos una vida saludable, que dedicamos tiempo a hacer ejercicio y preparar comidas sanas, como una parte integrante de nuestro quehacer cotidiano. Probablemente el mayor obstáculo al que nos enfrentamos sea nuestro ajetreado estilo de vida. ¿Cuántos somos capaces de dedicar siquiera treinta minutos diarios a cuidar de alguna forma de nosotros mismos? Si comprendiéramos lo importante que es el ejemplo que damos a nuestros hijos, quizá procuraríamos estar más motivados para mantener hábitos saludables.

Existe una poderosa relación entre un estilo de vida saludable, la vitalidad personal y una alta autoestima; cuanto más conscientes sean nuestros adolescentes de la necesidad de llevar una vida sana, más energía tendrán y más satisfechos se sentirán consigo mismos. Esta dinámica puede comenzar en cualquier punto del ciclo, pero es indudable que todo está relacionado: cuanto más marcado esté el sentido de su identidad, más probabilidades hay de que cuiden de sí mismos; cuanto mejor cuiden de sí mismos, más alta será su autoestima, y así sucesivamente.

Sentirse bien y satisfechos consigo mismos puede ayudar a nuestros hijos a capear las difíciles tormentas sociales de la adolescencia. Debemos procurar que desarrollen un sentido saludable de sí mismos, en lugar de depender de la presión que ejerzan sus amigos o las competiciones de popularidad. Debemos procurar que traten su cuerpo con amabilidad y respeto, independientemente de lo que hagan los demás. Para que cuiden bien de sí mismos, es imprescindible que sus padres les ofrezcan un modelo de hábitos saludables y amabilidad hacia sí mismos y entre sí.

La familia de Yvonne siempre preparaba sus vacaciones para practicar algún deporte. En invierno esquiaban y en verano acampaban y practicaban el senderismo. Durante el año en que el padre de Yvonne hizo de árbitro para la liga de baloncesto de la comunidad y la madre tomó clases de natación de nivel olímpico, Yvonne y sus tres hermanos participaron en diversos equipos deportivos y, aunque la agenda familiar era complicada, casi siempre había alguien de la familia presente para animar a los jóvenes.

Cuando Yvonne cumplió catorce años, sus padres observaron que salía menos con su antiguo grupo de amigas. Cuando no se quedaba en casa, iba a practicar el fútbol o se reunía con un par de amigas íntimas. Sus padres no sabían si preocuparse porque hacía una vida tan aislada o sentirse aliviados por que no se pasara todo el tiempo en el centro comercial con los otros jóvenes.

—¿No echas de menos salir con Cerril y Melanie y el resto del grupo? —le preguntó su madre—. Antes salías siempre con ellas.

—Me veo con ellas en el instituto —respondió Yvonne con tono indiferente.

—Las dos eran excelentes deportistas —comentó su padre—. Me pregunto por qué abandonarían el equipo de fútbol.

—Ahora tienen otras aficiones —explicó Yvonne—. Lo único que les interesa es ir al centro comercial y los chicos.

—Ya —dijo su padre, perplejo.

—A mí me gusta lo que hago —añadió Yvonne—. No necesito salir con esas niñas.

Su padre la abrazó.

—Me honra que todavía quieras salir conmigo —dijo sonriendo.

Yvonne también sonrió.

Ella cuenta con una base familiar sólida en la que apoyarse y construir un estilo de vida saludable, no sólo en términos de su actividad física, sino también de su independencia social. Está definiendo su camino a través de la adolescencia según sus propios valores y aficiones, no en lo que pueda ayudarle a encajar con los otros jóvenes o ser más popular. Cuando sus padres le preguntan sobre su vida social para asegurarse de que no se siente marginada, comprueban que es lo contrario. A Yvonne no le interesa salir por salir. Tiene unas pocas amigas íntimas que comparten sus aficiones, y se siente satisfecha de lo que hace.

Si nos preocupa cómo pasan el tiempo nuestros adolescentes, quizá debamos echar un vistazo a la forma en que nosotros distribuimos nuestro tiempo, nuestros recursos y nuestras aficiones. Adoptar un estilo de vida saludable requiere una importante inversión de tiempo y energía todos los días. Cada cual lo hace a su modo, según sus aficiones, y practica de forma regular alguna actividad física, ya sea un deporte de competición, yoga, artes marciales o simplemente caminar. El mensaje más eficaz que podemos transmitir a nuestros hijos sobre la forma de estar sanos y cuidar de sí mismos es a través del ejemplo que les ofrecemos con nuestro estilo de vida.

Escuchar es esencial

Conviene que hablemos con nuestros hijos de los temas relacionados con la salud desde su infancia y, al llegar la adolescencia, mostrarnos siempre dispuestos a escucharles. En lo tocante a los adolescentes, los temas relacionados con la salud cubren un amplio abanico, que incluye los que más nos preocupan con respecto a ellos, como las drogas, el sexo y el alcohol, y otros menos urgentes pero no menos importantes, como lavarse los dientes con el cepillo y el hilo dental o comer bien y hacer ejercicio.

Es muy difícil entablar una conversación sobre temas relacionados con la salud si esperamos a que nuestros adolescentes cumplan dieciséis años. Si no han experimentado el hecho de que somos capaces de escucharles y comprender su perspectiva mucho antes de esa edad, es poco probable que nos presten atención en ese momento. Debemos demostrarles desde que son pequeños que somos una fuente creíble de información sobre asuntos relacionados con la salud. Y debemos hacerlo de forma que confíen en nosotros y nos cuenten sus cosas sabiendo que no reaccionaremos a lo que nos cuenten castigándolos o poniéndonos histéricos, sino mostrándonos disponibles, serenos y útiles.

Ejercemos una influencia limitada sobre la conducta de nuestros adolescentes. En esta etapa de sus vidas, por más que les sermoneemos, amenacemos o castiguemos no conseguiremos nada. No podemos controlar lo que nuestros hijos harán impulsivamente cuando se hallen inmersos en su mundo adolescente. Y en lo referente a su seguridad es lógico que lo que más nos preocupe, e incluso aterrorice, sea la peligrosa combinación de drogas, sexo, alcohol y conducción.

La cantidad y naturaleza de la influencia que ejerzamos

sobre nuestros adolescentes depende directamente de la calidad de nuestra relación con ellos. Si mantenemos una relación basada en la franqueza, el apoyo y la confianza, es muy probable que adopten nuestros valores y sigan nuestros consejos. La mejor forma de alimentar y desarrollar ese tipo de relación es mediante una comunicación abierta, dejando que sean ellos quienes hablen las más de las veces y escuchándoles nosotros con atención. Debemos tener presente el equilibrio en cada conversación que mantengamos con ellos. (Podemos incluso contar los minutos correspondientes a cada parte si eso nos ayuda a tenerlo presente.) Y no olvide que cuando nos ponemos a sermonear, lo más probable es que nuestro hijo adolescente cuente los minutos en lugar de prestarnos atención. A la hora de aconsejar a nuestros adolescentes, cuanto menos categóricos seamos, mejor.

A veces olvidamos que conviene dejar que se produzcan momentos de silencio en las conversaciones con nuestros adolescentes. Si aprendemos a guardar silencio durante esas pausas, tendrán la oportunidad de llenarlas. Sólo podemos averiguar lo que ocurre en sus vidas —qué hacen, cómo se sienten y qué piensan— en la medida en que estén dispuestos a compartirlo con nosotros. Nuestro deber es facilitárselo al máximo.

Cuando la madre de Tyler, un chico de catorce años, oyó unos rumores preocupantes sobre el baile que se había celebrado el fin de semana en el instituto, decidió hablar de ello con su hijo.

—He oído decir que el viernes pasado echaron a unos chicos del baile —dijo a modo de preámbulo.

—Sí —respondió Tyler—. Echaron a Bruce y a Sherman por haber bebido.

Su madre aguardó. Deseaba averiguar más detalles, pero no quería convertir la conversación en un interrogatorio.

—No me parece justo que los echaran —dijo Tyler después de un prolongado silencio.

—¿Por qué? —preguntó su madre.

—Otros chicos habían bebido también —respondió Tyler—. Pero Bruce y Sherman estaban más borrachos.

—Y los pillaron —dijo la madre.

—Sí.

Después de otra larga pausa, Tyler añadió:

—Betsy también estaba bebida. Vomitó entre los arbustos del jardín. Pero nadie se dio cuenta.

—Eso no suena muy divertido —comentó la madre, reprimiendo el deseo de sermonear a su hijo.

—No —convino Tyler—. Y tenía muy mala cara.

Durante esta conversación, la madre de Tyler concedió a su hijo suficiente tiempo y espacio para compartir con ella lo que sabía sobre el baile. No se apresuró a largarle un sermón ni a interrumpirle. Hace tiempo que la madre de Tyler expuso su postura sobre el consumo de alcohol y no necesita reiterarla constantemente. Ese tipo de reiteraciones disgustan a los adolescentes e impiden que entablen una conversación con nosotros.

La madre da a entender a Tyler que sabe que ocurren esas cosas en los bailes del instituto, y que está dispuesta a escucharle mientras él se lo explica sin sermonearle. El mensaje que transmite a su hijo es claro: puedes hablarme con franqueza sobre el consumo de alcohol. Te escucharé sin ponerme histérica.

Durante la adolescencia nuestros hijos tomarán decisiones vitales. Si confían en nosotros, se sentirán lo suficientemente seguros para hablarnos de esas decisiones. Debemos exponer con claridad nuestros valores y patrones personales y seguir dándoles un ejemplo de vida sana a través de nuestra conducta. Asimismo, debemos ser una fuente fidedigna de información sobre temas relacionados con la salud y mostrarnos receptivos a todo cuanto nuestros adolescentes quieran contarnos sobre su vida. Conviene recordar con humildad el escaso control que ejercemos sobre ellos, y que dependemos de su voluntad para inmiscuirnos en sus vidas. Lo que deseamos es que nuestros adolescentes sean capaces de cuidar de sí mismos y que traten bien sus cuerpos durante la adolescencia y el resto de sus vidas.

Hablar sobre el alcohol

Aunque en Estados Unidos está permitido consumir alcohol a partir de los veintiún años, muchos adolescentes comienzan a experimentar con el alcohol mucho antes. Cada familia tiene su propio criterio sobre el consumo de alcohol, tanto si son abstemios, como si beben con moderación o en exceso. Nuestra postura es que los adolescentes deben comprender que la reacción y la tolerancia al alcohol varían mucho según el individuo, y que si nuestros hijos quieren beber, deben aprender a controlar su propia reacción a las bebidas alcohólicas. Queremos que confíen lo suficiente en nosotros para que nos hablen de ello y aprender de las experiencias que hayan vivido. Muchos adolescentes alcanzan la edad legal para consumir alcohol sin la menor orientación o una información clara de su familia sobre los límites del alcohol. Si deciden beber, deben conocer esos límites: lo que pueden beber y la cantidad que pueden ingerir sin ponerse a vomitar, hacer tonterías o perder el conocimiento. Deben aprender a beber con moderación sin meterse en problemas, y cómo protegerse y salir de un apuro cuando son incapaces de tomar una decisión acertada. Las probabilidades de que una joven sea violada durante una cita o cuando sale con chico que apenas conoce aumentan notablemente en los casos en que los jóvenes consumen alcohol, de modo que, cuando una adolescente asiste a una fiesta, debe ir acompañada por una amiga que no la deje sola con nadie y que se asegure de que regresa a casa sana y salva. Éste es un tema tan serio e importante como el de designar a un adolescente que no haya bebido para que conduzca el coche.

Buena parte de nosotros aprendemos los límites del alcohol poniéndolos a prueba. La mayoría de padres que bebieron en su adolescencia tienen recuerdos muy vivos sobre la vomitera que les provocó beber demasiado de jóvenes. Esto forma parte del proceso de aprendizaje. Si nuestro objetivo es que nuestros hijos aprendan a controlar su reacción al alcohol, debemos aceptar el hecho de que padecerán algunas lecciones muy duras. Nuestro objetivo debe consistir en que adopten las máximas medidas de seguridad durante este proceso de aprendizaje.

Por supuesto, si se emborrachan cada fin de semana, está claro que no han aprendido la lección. Han desarrollado una conducta destructiva y posiblemente una seria dependencia química del alcohol. En este caso, debemos hablar con ellos sobre su conducta. Si observamos signos de otros problemas, como malas notas o trastornos del comportamiento, debemos buscar ayuda profesional para ellos.

Uno de los motivos por los que es imprescindible mantener una comunicación franca con nuestros hijos es para poder observar cualquier problema tan pronto como aparece. Debemos procurar descubrir este tipo de problemas antes de que se hundan en ellos, a fin de guiarles por caminos más constructivos. Por consiguiente, debemos hablar con ellos sobre el consumo de alcohol de forma muy concreta. Por ejemplo, debemos hacer que comprendan que beber hasta el punto de perder el conocimiento —cuando no recuerdan lo que ocurrió mientras bebían— es un asunto muy serio y peligroso. Significa que bebieron para evadirse, no sólo para animarse y divertirse. El hecho de perder el conocimiento se considera uno de los síntomas del alcoholismo. Y está claro que si nuestros adolescentes no son conscientes de lo que hacen se exponen a todo tipo de peligros. No obstante, algunos adolescentes opinan que perder el conocimiento forma parte de beber y divertirse. Debemos procurar que nuestros hijos sepan que perder el conocimiento es una señal de advertencia que deben tomar muy en serio. Y como en el caso de prácticamente todos los problemas que suponen un elevado riesgo, debemos transmitirles esta información mucho antes de que se topen con ellos.

Por regla general, nuestros adolescentes se expondrán o se implicarán en una conducta de elevado riesgo mucho antes de lo que imaginamos. Carmen, una muchacha de trece años, estudia octavo curso pero mantiene la siguiente conversación con su madre un día después de quedarse a dormir en casa de una amiga.

—¿Te has divertido? —le pregunta la madre mientras prepara la cena.

—Sí —responde Carmen con indiferencia.

—¿Qué hiciste?

—Mirar vídeos —contesta ella.

Su madre aguarda en silencio a que Carmen añada algo más.

—Alguien trajo una botella de vino —prosigue Carmen.

—¿Bebiste alguna copa? —pregunta su madre sin rodeos, pero con calma.

—No.

Su madre no sabe si creer a Carmen o no, pero piensa que lo más importante es que su hija esté dispuesta a contarle lo sucedido.

—Ya sabes que tu padre y yo no queremos que bebas vino con tus amigos. Si tienes ganas de probarlo, puedes beber un poco de vino esta noche con nosotros. A propósito —agrega la madre—, gracias por contármelo. Es importante para nosotros poder hablar contigo de estas cosas.

La madre de Carmen adopta una actitud serena y práctica sobre la primera experiencia de su hija con el alcohol. No le pregunta quién trajo la botella de vino y no la regaña, previene ni sermonea. Da a entender a su hija que el lugar más seguro para probar el alcohol es en casa, con sus padres.

Muchos padres no se mostrarían tan abiertos o tolerantes con sus hijos adolescentes. Algunos incluso habrían castigado a Carmen o habrían tratado de controlar sus amistades, además de prohibirle beber. Es posible que hubiera dado resultado, pero sólo temporalmente. Es casi seguro que en algún momento durante su adolescencia, Carmen experimentará con el alcohol. Es preferible que lo haga en casa, o al menos que pueda hablar con sus padres sobre sus experiencias. Debemos tener presente esta perspectiva realista a largo plazo a la hora de decidir cómo reaccionar adecuadamente a la experiencia de nuestros adolescentes con el alcohol.

Si su hijo o hija adolescente bebe

No existen respuestas fijas sobre qué hacer si nuestros adolescentes llegan a casa borrachos, a qué edad permitirles beber, en caso de permitírselo, o qué cantidad de alcohol pueden ingerir en las fiestas. Los padres toman esas decisiones según sus valores personales y confiemos que con un profundo conocimiento de sus hijos y una buena comunicación con ellos. Las normas sobre el consumo de alcohol resultan más eficaces como pautas si se adoptan conjuntamente con los adolescentes, en lugar de imponérselas.

Es preciso hablar sobre el consumo de alcohol durante toda la adolescencia, porque las vidas sociales de nuestros adolescentes cambian rápidamente. Es preciso que sepamos qué opinan de las borracheras, del hecho de consumir una gran cantidad de alcohol en poco tiempo. Es una forma infinitamente más peligrosa de experimentar con el alcohol y queremos que nuestros adolescentes hablen de ello con nosotros. Los compañeros pueden ejercer una fuerte presión en el tema de las borracheras y nuestros hijos deben contar con nuestra comprensión y nuestro apoyo para poder tomar sus propias decisiones sin ceder a la presión de sus compañeros en un momento dado.

Un sábado a altas horas de la noche, Bradley, un chico de dieciséis años, trató de entrar sigilosamente en su casa sin despertar a sus padres, pero estaba borracho y tropezaba una y otra vez con los muebles. Sus padres estaban despiertos, esperándole. Cuando le vieron decidieron no hacer nada esa noche.

—Es inútil hablar con él ahora —dijo su padre, y su madre se mostró de acuerdo.

A la mañana siguiente encontraron a Bradley vestido y acostado en el sofá del cuarto de estar. Al principio su madre procuró no hacer ruido para no despertarle, pero comprendió que con eso no hacía sino apoyar su mala conducta. De modo que se puso a trajinar en la cocina como de costumbre, manipulando bruscamente los cacharros, y encendió el televisor. El padre se reunió con ella en el preciso momento en que Bradley empezaba a farfullar y a moverse.

—¿Cómo te sientes, hijo? —preguntó su padre con tono jovial, sabiendo que su hijo se sentía fatal.

Bradley no respondió, sino que se dirigió de inmediato al baño y luego se acostó en su habitación. Al cabo de varias horas, después de darse una ducha, Bradley se reunió con sus padres.

—¿Te sientes mejor? —le preguntó su madre.

—Sí —contestó Bradley—. ¿Qué hora es?

—Las tres —respondió su padre—. Has desperdiciado buena parte del día.

—Anoche llegaste a casa muy borracho —le dijo su madre.

—Sí.

—¿Es la primera vez que te emborrachas de esa forma? —le preguntó su padre.

—Sí —respondió Bradley, apoyando la cabeza en las manos.

—¿Quién te trajo a casa en coche? —inquirió su madre, demostrándole a Bradley que lo que más le preocupaba era la combinación de beber y conducir.

—Barb, pero no probó el alcohol —aseguró Bradley a su madre—. Acompañó en su coche a otros chicos. ¡Si hubierais visto a Tom! ¡Estaba como una cuba!

—Esa Barb es una chica estupenda —dijo su madre—. Dale las gracias de mi parte y cuando la vea se las daré personalmente.

Bradley miró a su madre como si estuviera loca, pero su madre quería darle a entender que deseaba permanecer conectada con él y sus amigos, y que éstos supieran que comprendía lo ocurrido y estaba dispuesta a reconocer y apreciar un comportamiento responsable. La semana siguiente, cuando la madre de Bradley se encontró con Barb a la salida de clase, se apresuró a darle las gracias por haber cuidado de Bradley y sus otros amigos. Barb se mostró a la vez sorprendida y complacida.

Bradley y sus padres continuaron esta conversación esa tarde, mientras Bradley tomaba un café y unas tostadas. Ni su madre ni su padre reaccionaron exageradamente a lo que había ocurrido. Sabían que la mayoría de jóvenes se emborrachan de vez en cuando durante la adolescencia, y que Brad no bebía por costumbre.

Sus padres aprovecharon esta excelente oportunidad para hablar con él sobre beber de forma moderada. Bradley, que aún sufría los efectos de la resaca, se mostró dispuesto a recibir consejo en lugar de salir apresuradamente para cumplir con su apretada agenda. Sus padres tenían que hacer algunos recados esa tarde, pero los aplazaron para estar junto a Bradley cuando se despertara. No querían desaprovechar esa magnífica oportunidad de mantener con él una conversación importante.

Al cabo de un rato, su padre le preguntó:

—¿Qué has aprendido de esta experiencia?

Bradley meditó unos momentos la respuesta.

—He aprendido que no puedo beber mucha cerveza —contestó por fin.

—¿Cuánta cerveza crees que puedes beber? —le preguntó su madre.

—Unos tres botellines —respondió Bradley.

A continuación hablaron sobre otras variables inherentes al hecho de beber alcohol, como cuánta comida había ingerido, la rapidez con que había bebido la cerveza, si los otros chicos le habían presionado para beber más o más rápidamente. A consecuencia de esta conversación, Bradley interpretó la experiencia de haberse emborrachado como parte del proceso de aprender a beber con moderación. Esto era precisamente lo que sus padres pretendían. La forma en que ellos resolvieron la situación es un buen ejemplo de cómo podemos influir en nuestros adolescentes a través de nuestra relación con ellos manteniendo una relación abierta.

Ante todo, queremos que nuestros hijos estén dispuestos a contarnos lo que ocurre realmente en sus vidas. Cuando se niegan a hablarnos, por lo general se debe a que quieren evitar que nos enfurezcamos o tratemos de controlarlos. A la mayoría de adolescentes les gustaría hablar con sus padres sobre cualquier cosa, siempre y cuando supieran que sus padres no iban a ponerse histéricos o a tratar de controlarlos. Nuestros hijos saben que éstos son temas espinosos y se sienten al mismo tiempo confundidos y preocupados por las situaciones a las que se enfrentan. Si evitamos ponernos histéricos y reaccionar exageradamente, si nos mostramos pacientes y les damos la oportunidad de sincerarse con nosotros, es muy probable que nos dejen penetrar en sus vidas y sigan nuestros consejos.

Dos toneladas de acero a cien kilómetros por hora

Ante todo, queremos que nuestros hijos sobrevivan a la adolescencia. Esto significa que en ocasiones debemos centrarnos en conductas que pueden poner en riesgo sus vidas y pasar por alto otros temas. Debemos aceptar que nuestros adolescentes ingerirán comida basura, pasarán horas sentados ante el televisor y perderán el tiempo con videojuegos y otras cosas. Pero los límites que les impongamos deben ser claros; es preciso que comprendan que no estamos dispuestos a aceptar una conducta que ponga en peligro sus vidas. Si tenemos que elegir entre procurar que coman cinco porciones de fruta y verdura al día y conducir con prudencia, la elección es obvia.

Conducir un coche es la actividad potencialmente más peligrosa que pueden realizar nuestros adolescentes. Aunque les enseñemos los rudimentos de conducir un coche y practiquen con nosotros, debemos obligarles a que tomen clases de conducir. De esta forma asimilarán unos consejos sobre conducir de los que no harían caso si se los diéramos nosotros, y lo que aprendan quizá les salve algún día la vida a ellos y a otros.

Asimismo, debemos procurar que obtengan el permiso de conducir lo antes posible. Así dispondrán del máximo tiempo necesario para practicar con nosotros antes de salir solos. Cuanto más practiquen y asimilen las recomendaciones que les hagamos en una amplia variedad de situaciones, más seguros estarán cuando conduzcan solos.

Los adolescentes no suelen tener presentes los riesgos inherentes a conducir un vehículo. Cuando obtienen el permiso de conducir, llevan esperando años y están convencidos de que conducen mejor que nosotros. Al fin y al cabo, han pasado muchas horas sentados en el coche junto a nosotros. Pero no comprenden la capacidad destructora de dos toneladas de acero circulando por la carretera a gran velocidad, ni que el menor error o una distracción momentánea puede provocar una colisión mortal. Teniendo en cuenta el sentido de inmortalidad de los adolescentes y su inexperiencia a la hora de conducir, no es de extrañar que la tasa de accidentes provocados por adolescentes sea tan elevada.

Dada esta realidad, uno de los hábitos saludables más importantes de los adolescentes es colocarse el cinturón de seguridad, tanto si van sentados en la parte delantera como en la trasera del vehículo. Hoy en día colocarse el cinturón de seguridad se ha convertido en una norma cultural tan extendida que no suele ser motivo de conflicto entre padres y adolescentes. No obstante, persiste la costumbre de que un gran número de adolescentes se monte en un coche sin tener en cuenta el número de pasajeros que admite el vehículo y sin que todos dispongan de un cinturón de seguridad. Debemos procurar que resistan la presión de desplazarse siempre juntos montándose todos en un mismo coche. Si lo hemos comentado con ellos de antemano, llegado el momento podrán decir: «No, no cabemos todos. Necesitamos otro coche».

Cuando nuestros hijos empiezan a aprender a conducir, es increíble la cantidad y el volumen de críticas, advertencias y arrebatos incontrolados de temor y pánico que se escapan inevitablemente de nuestros labios. Tranquilícese, así es como se comporta la mayoría de padres de un conductor novato. No obstante, debemos hacer lo posible por compensar estos comentarios negativos con comentarios positivos.

La madre de Tommy, un chico de quince años, le llevó un día a practicar poco después de que obtuviera el permiso de conducir. Cuando Tommy se sentó al volante y se colocó el cinturón de seguridad, su madre le dijo:

—Me alegra comprobar que tienes la costumbre de ponerte el cinturón de seguridad.

Tommy, que se disponía a arrancar, desplazando el pie del freno al acelerador para hacer marcha atrás por la angosta salida del garaje, no respondió a ese comentario, pero lo oyó. No se desanime si su hijo adolescente no responde a sus comentarios positivos. Dígaselos y tenga la certeza de que los oye y los aprecia.

Mientras circulaban por la ciudad, la madre de Tommy siguió haciendo comentarios positivos sobre la forma de conducir de su hijo: «Esa maniobra preventiva ha sido excelente». «Has demostrado mucha prudencia en ese cruce.» «Has hecho bien en dejar que crucen esas personas.» Por supuesto, también emitió alguna que otra exclamación de temor y no pudo evitar apoyar la mano sobre el salpicadero, al tiempo que le advertía «frena», pero esto es lógico. Ocupar el asiento del copiloto con nuestro hijo o hija adolescentes al volante es una experiencia terrorífica para todos los padres. No obstante, cuanto más lo hagamos, mejores conductores serán nuestros hijos.

Uno de los temas más importantes sobre el que debemos asumir una postura clara es el de conducir bajo los efectos del alcohol o las drogas. Debemos decirles con meridiana claridad que esto no debe ocurrir jamás, tanto si conducen ellos como si van de pasajeros. Nuestro mensaje será más eficaz si se lo transmitimos desde una postura cariñosa y amable en lugar de tratar de atemorizarlos o controlarlos. Debemos tener presente que nuestros adolescentes sólo nos escuchan cuando la comunicación está abierta. Es el distintivo de una relación de calidad y lo que nos asegura que nuestras palabras influirán en la conducta de nuestros hijos. Asimismo, debemos estar dispuestos a explicarles exactamente lo que queremos decir cuando les advertimos que no deben conducir bajo los efectos del alcohol o las drogas. Por ejemplo, ¿y si han bebido una copa tres horas antes de coger el coche? ¿Y si no saben si el conductor ha bebido alcohol? Comentar y explorar las situaciones potencialmente ambiguas les ayudará cuando se enfrenten a ellas y tengan que tomar decisiones sobre la marcha sin nuestra ayuda.

¿Basta con decir no?

De todos los temas relacionados con la salud a los que se enfrentan los adolescentes, las drogas es el problema que más preocupa a los padres. Esto puede deberse a que nosotros también experimentamos con ellas en el pasado. Sabemos que tuvimos suerte de escapar sin sufrir serios perjuicios, y no queremos que nuestros hijos corran los mismos riesgos que nosotros. O tememos que nuestros adolescentes sufran daños cerebrales o se conviertan en drogadictos, o nos preocupan las consecuencias legales de consumirlas. O bien tememos lo que puede ocurrirles cuando se hallan bajo los efectos de una droga y son incapaces de pensar de forma racional. El problema es que reaccionar de modo exagerado no sirve de nada. Si queremos ser eficaces, debemos mostrarnos serenos y creíbles cuando hablamos con ellos de drogas.

Algunos jóvenes saben más sobre drogas que nosotros. Si exageramos el tema y decimos: «Todas las drogas llevan a la adicción», o «si tomas drogas, acabarás idiotizado», lo más probable es que no hagan caso de nada de lo que les digamos. La mayoría de los adolescentes, incluso los de trece años, conocen a alguien que ha consumido drogas y no le ha ocurrido nada, al menos que ellos sepan. Si piensan que no sabemos de qué hablamos, no atenderán nada de cuanto les digamos.

Si esperamos a que ellos saquen el tema, quizá sea demasiado tarde. Cualquier preadolescente puede acceder a una gran variedad de drogas. Debemos iniciar las conversaciones al respecto cuando nuestros hijos sean muy jóvenes y continuarlas a medida que maduran. Limitarnos a repetir un eslogan como «di no» resulta ineficaz. Cuando mantengamos esas conversaciones, debemos tener en cuenta el grado de madurez de nuestros adolescentes y hacer comentarios pertinentes a las experiencias que vivan en esos momentos. Los preadolescentes tienen acceso al Ritalin y otros estimulantes utilizados para tratar enfermedades adquiridas y enfermedades hereditarias. Los preadolescentes también se drogan aspirando cola y fumando marihuana. Cuando van al instituto, tienen acceso a una mayor variedad de drogas, desde la cocaína a la heroína pasando por las pastillas de éxtasis. Incluso cuando son relativamente jóvenes, está presente toda la panoplia de drogas. Es fundamental que estemos dispuestos a escucharlos a fin de comprender lo que ocurre en su mundo, y que ellos confíen en nosotros lo suficiente para hablarnos de sus vidas.

Cuando Nick, un chico de trece años, le comentó a su madre que habían expulsado a un chico del instituto, la reacción de ella fue sobresaltarse.

—¿A quién? —preguntó—. Y ¿por qué motivo?

—A Garrett —respondió Nick—. No le conozco muy bien. Vendía drogas.

Si a la madre le hubiera entrado el pánico en ese momento (cosa que todos comprenderíamos), habría puesto fin a la conversación sin averiguar lo que pensaba su hijo al respecto. Si le hubiera sermoneado, Nick habría fingido escucharla y seguramente habría decidido no volver a hablarle de estos temas. Su madre sabía que lo más prudente era formular algunas preguntas y mostrarse receptiva a las reacciones de su hijo a esa situación.

—Caramba —dijo su madre, respirando hondo deliberadamente—. ¿Cómo han reaccionado en el instituto?

—Han convocado una asamblea mañana para hablar sobre el consumo de drogas —respondió Nick.

—¿Qué le ocurrirá a Garrett? —preguntó su madre.

—No lo sé, pero no podrá volver al instituto. He oído decir que quizá le envíen a una academia militar.

—Eso ha cambiado toda su vida —comentó la madre—. Es un asunto muy serio.

—Sí —dijo Nick.

—Ya me dirás lo que comenten mañana en la asamblea.

Al día siguiente la madre de Nick le preguntó qué les habían explicado en la asamblea.

—Han hablado de lo potente que es la marihuana hoy en día, y que antes no era así —contestó Nick.

—Sí, ya lo he leído —dijo su madre con naturalidad—. Es diecisiete veces más potente que cuando yo era adolescente.

—¡Vaya! —exclamó Nick, impresionado tanto por el enorme aumento de la potencia de la marihuana como por el hecho de su madre estuviera informada de esos temas.

—¿Han dicho algo acerca del éxtasis? —preguntó su madre.

Nick le contó a su madre más detalles sobre lo que habían hablado en la asamblea y los dos mantuvieron una conversación a fondo sobre el consumo de drogas. Durante esta conversación, la madre tuvo la inteligencia de demostrar que estaba informada sobre las drogas y que era capaz de hablar de este problema con tranquilidad. Nick sabe que su madre no quiere que experimente con drogas y ahora sabe también que puede hablar con ella de este tema.

En este ejemplo, la madre de Nick tuvo un papel sencillo. Los padres de Garrett se enfrentan a una situación más peliaguda. Enviar a su hijo a una academia militar puede que sea, o no, la mejor respuesta a esta situación. El problema encierra tantas variables que no existe una solución garantizada si descubrimos o sospechamos que nuestro hijo o hija adolescentes consumen drogas. A veces es complicado discernir si están simplemente experimentando un poco con drogas y no habrá más consecuencias, o si se están metiendo en serios apuros. Si el problema es grave, nos mentirán sobre su consumo de drogas, lo cual hará que nos resulte más difícil averiguar la verdad.

Estos problemas son difíciles y complejos. Siempre es preferible acudir a un profesional experto en tratar con adolescentes y problemas relativos a las drogas. E incluso en ese caso, no existen garantías. Algunos padres y adolescentes luchan durante años con problemas de drogas. Puede ser un camino largo y duro, durante el cual se producen recaídas consideradas normales y otras que no lo son.

La mejor medida preventiva es hablar con nuestros hijos, y ante todo escucharles. De este modo potenciamos la relación con ellos y les damos a entender que les queremos y estamos dispuestos a apoyarles. Probablemente el hábito más saludable que pueden adoptar nuestros adolescentes en lo referente a las drogas o al alcohol sea la costumbre de hablar con nosotros sobre estos temas relacionados con la salud e informarnos de lo que ocurre en sus vidas.

Nicotina: la droga más común

La drogadicción más común entre los adolescentes es la nicotina. Incluso experimentar con cigarrillos puede conducir más rápidamente de lo que imaginamos a una grave adicción a la nicotina. Un mes después de haber empezado a fumar, nuestros adolescentes desarrollan una dependencia física de la que es muy difícil desprenderse.

¿Qué podemos decir a nuestros hijos sobre los peligros del tabaco que ellos no sepan? Lo saben tan bien como nosotros, pero siguen fumando para presentar un aire sofisticado, encajar entre sus amigos, relajarse o perder peso. La presión de los compañeros para que prueben el tabaco es tan intensa que muchos hacen caso omiso de las advertencias sobre los daños que causa el tabaco a la salud. Por otra parte, pueden compartir abiertamente el tabaco sin los problemas legales que comportan otras drogas. Compartir un cigarrillo crea incluso un vínculo entre los adolescentes que les proporciona una mayor seguridad y confianza en sí mismos.

Algunos de nosotros tenemos el problema adicional de nuestra propia adicción a la nicotina. Si hemos dejado de fumar, podemos compartir nuestros esfuerzos y soluciones. Si seguimos fumando, podemos reconocer que somos unos hipócritas pero que desearíamos no haber comenzado nunca. Podemos tratar de dejarlo y si fracasamos, al menos habremos dado a nuestros adolescentes un ejemplo de lo difícil que es dejar el tabaco para disuadirles de que experimenten con él. No tema hablar con franqueza de su adicción a la nicotina. A veces podemos ser un modelo de lo que nuestros hijos no deben hacer. Al margen de que nosotros fumemos o no, el mensaje es el mismo: «No fumes. Es más fácil no comenzar que tener que dejarlo».

La verdad sobre el sexo

Cuanto más informados estén nuestros adolescentes acerca del sexo, más acertadas serán sus decisiones sobre el hecho de practicarlo. Estar informado significa algo más que conocer los rudimentos de la reproducción y escuchar graves advertencias sobre las enfermedades de transmisión sexual o el riesgo de morir de sida. Estar informado significa saber decir «no» al sexo, hablar de los métodos anticonceptivos con el compañero o la compañera y cómo utilizar un preservativo. También significa comprender que la intimidad sexual forma parte de una relación basada en el amor y el compromiso, y que no es sólo un deporte de contacto.

No queremos que nuestros adolescentes practiquen el sexo de forma despreocupada. Algunos adolescentes consideran el sexo oral, incluso el sexo anal, como algo muy distinto del coito vaginal, y se convencen de que este tipo de contacto sexual no es propiamente practicar el sexo. Con esta mentalidad, pueden ser promiscuos y seguir siendo técnicamente «vírgenes». En algunos ámbitos, esto ha provocado casi una epidemia de sexo indiscriminado y de enfermedades de transmisión sexual.

No queremos que nuestros hijos adopten la costumbre de utilizar ningún tipo de conducta sexual de forma despreocupada o manipuladora, para manipular a otros o dejar que otros les manipulen a ellos. No queremos que los adolescentes, varones o mujeres, se aprovechen unos de otros, intercambiando favores sexuales o presionándose mutuamente para mantener un contacto sexual. En particular, no queremos que las chicas adolescentes piensen que deben practicar el sexo oral con la equivocada intención de ser populares o admiradas. No queremos que nuestros hijos se sientan presionados por sus compañeros, por adolescentes mayores o por adultos para hacer algo para que no estén preparados, ni se sientan amenazados en forma alguna.

Todos vivimos en una cultura sexualmente estimulante. Nuestros adolescentes están rodeados de imágenes sexualmente explícitas transmitidas por los medios de comunicación a través de la música, los vídeos y el cine. Por desgracia, la mayoría de estas imágenes muestra el sexo puro y duro no como una parte íntima de una relación basada en el amor y el compromiso. Debemos procurar que vean también ejemplos de intimidad sexual como una expresión del amor a fin de compensar el torrente de mensajes sexuales transmitidos por los medios de comunicación. Lo ideal sería que nosotros mismos mantuviéramos una relación basada en el amor, llena de cálidas y espontáneas expresiones de afecto que sirvan de modelo a nuestros adolescentes. Pero aunque no sea así, podemos indicarles y comentar los ejemplos de la televisión y el cine que muestran esa intimidad amorosa.

En última instancia, queremos que nuestros adolescentes maduren tanto psicológica como sexualmente para gozar de la intimidad sexual en una relación basada en el amor. Confiamos en que sepan comunicar y confiar a sus compañeros o compañeras una información íntima y personal sobre lo que les complace emocional y sexualmente. Para poder comunicarse a este nivel tan íntimo, los adolescentes deben averiguar todo lo referente a su sensibilidad sexual. Y una de las mejores formas de hacerlo es por medio de la masturbación.

La mayoría de adolescentes exploran sus cuerpos como parte de su autodescubrimiento, lo cual constituye una parte legítima de su incipiente sensualidad y sexualidad. Pero hablar sobre masturbación sigue siendo tabú en nuestra cultura, aunque al parecer podemos hablar de prácticamente cualquier otra cosa. Incluir el tema de la masturbación en las conversaciones con nuestros hijos sobre el sexo es una forma de reconocer que forma una parte saludable de convertirse en un ser sexual maduro.

Es preciso reconocer que no es fácil sacar a relucir este tema, y que hay mucho de lo que hablar. Pero queremos que nuestros adolescentes conozcan más aspectos del sexo y no sólo cómo evitar quedarse embarazada o contraer una enfermedad de transmisión sexual. Queremos que aprendan a gozar y apreciar su sexualidad como una parte natural e integrante de una relación basada en el amor, y poder elegir a un compañero o compañera que se comporte de forma tan cariñosa y amable con ellos como ellos saben comportarse consigo mismos.

Las conversaciones sobre sexualidad, como las conversaciones sobre el alcohol y las drogas, deben iniciarse temprano y continuar a lo largo de la adolescencia. Los adolescentes atraviesan por numerosas etapas mientras se descubren a sí mismos. Sus actitudes y preguntas sobre el sexo cambian a medida que crecen y maduran. Debemos procurar seguir siendo para ellos un recurso útil y una influencia positiva. Esto significa escuchar lo que tengan que decirnos para poder hablar sobre lo que les interesa en un determinado estadio de su desarrollo.

—De un tiempo a esta parte pasas mucho tiempo en casa de Melanie —observa el padre a su hijo de dieciséis años sin darle mayor importancia.

—Sí —responde Mike.

Su padre ya no sabe qué decir; se le ocurren una docena de absurdos comentarios, desde «espero que utilices preservativos» hasta «¿por qué no traes a Melanie aquí de vez en cuando?» El hombre hace una pausa, sin decir nada.

—Llego tarde al entrenamiento —dice Mike, y se va apresuradamente.

Así termina la conversación. Quizá dé la impresión de que el padre no ha conseguido nada, pero al menos ha dado a entender a su hijo que le interesa lo que hace. Este pequeño retazo de conversación contribuye a mantener la puerta abierta, hace que sea más fácil para el padre reanudarla posteriormente preguntando al cabo de un par de días: «¿Cómo está Melanie?»

Queremos que nuestros adolescentes sepan que nos interesan y deseamos saber lo que hacen. A partir de ahora, si a Mike le apetece hablar algún día con su padre sobre Melanie, no tiene que empezar de cero.

—¿Conoces a Melanie? —le pregunta Mike a su padre al cabo de unas semanas.

—Sí —responde su padre.

—Me ha dejado.

—¿Qué ha ocurrido? —pregunta el padre.

A continuación se produce una conversación algo más larga durante la cual su padre pregunta a Mike con toda naturalidad «¿estabas muy enamorado de ella?» y «¿confías en que volveréis a salir juntos?».

Al permanecer en contacto con las vidas de nuestros adolescentes a medida que se desarrollan, les demostramos que estamos disponibles para ellos y que nos preocupa su bienestar. Queremos que sepan que reconocemos la seriedad de las decisiones a las que se enfrentan como una parte normal de la adolescencia. Sabemos que nuestros adolescentes asumen el control de sus vidas en otros aspectos más importantes, y queremos seguir conectados con ellos y tener la certeza de que son capaces de cuidar de sí mismos. Debemos procurar mantener un contacto estrecho con nuestros hijos prácticamente todos los días, aunque sólo sea una conversación breve.

Aceptar la homosexualidad

Los adolescentes saben reconocer que son «diferentes» y saben el coste social de serlo. Pasar por la adolescencia manteniendo en secreto la identidad sexual y hacerlo como si de un conflicto interno se tratara es profundamente doloroso. Entre los jóvenes homosexuales se da un elevado número de intentos de suicidio. Estos adolescentes necesitan desesperadamente que les aceptemos y apoyemos; necesitan saber que les queremos y que nos preocupamos de ellos.

A algunos padres les cuesta aceptar que su hijo es *gay*. Los hay incluso que rechazan a sus propios hijos. Esto siempre representa una trágica pérdida para todas las personas implicadas. La homosexualidad no es un estilo de vida ni una elección, sino una parte inherente de quiénes somos. Los adolescentes *gays* necesitan mayores expresiones de amor y apoyo por parte de sus familias para compensar el aislamiento social que puedan experimentar debido a los prejuicios y a la intolerancia que aún existe en el mundo a este respecto.

Cuanto más amables seamos con nuestros adolescentes homosexuales, más amables y tolerantes serán ellos consigo mismos. Esto incidirá en sus decisiones sobre el comportamiento sexual y los riesgos a los que se expongan. Para algunos, esto puede significar la diferencia entre un estilo de vida saludable y una enfermedad potencialmente mortal.

El padre de Jeremy, un chico de quince años, se había dado cuenta de que su hijo era un tanto afeminado. Siempre había sido un muchacho sensible y presentaba desde no hacía mucho tiempo un aspecto físico de menor envergadura, pues había perdido unos kilos para participar en un torneo de lucha libre en la categoría de pesos ligeros. Su padre no sabía si era *gay* o no, pero quería que Jeremy supiera que siempre le querría, independientemente de su orientación sexual. Una noche, cuando le acompañó a casa en coche después de un encuentro de lucha libre, su padre le contó una historia de su propia adolescencia.

—Mi padre también asistía a los encuentros de lucha libre en los que yo participaba, aunque yo no era tan bueno como tú. Mi padre se sentía decepcionado, pues quería que yo fuera muy macho. Yo no quise cometer ese error contigo. Quiero que sepas que estoy satisfecho de cómo eres, seas como seas.

Jeremy miró a su padre un tanto perplejo mientras asimilaba el mensaje. No estaba seguro de adónde quería ir a parar, pero le complacía saber que contaba con su aprobación.

Son éstos temas muy delicados y difíciles de plantear. Aunque estemos bastante seguros de que nuestro hijo adolescente es *gay*, no debemos preguntárselo directamente. Es mejor esperar a que ellos estén dispuestos a decírnoslo. No obstante, podemos transmitirles el mensaje de que, al margen de lo que sean, son libres. Dependiendo de nuestras actitudes, tal vez nos suponga un esfuerzo aceptar la orientación sexual de nuestro hijo. Quizá debamos afrontar nuestros prejuicios y frustraciones. Confiemos en estar dispuestos a aceptar lo que nuestros adolescentes nos cuenten sobre sí mismos y que ellos estén dispuestos a ser sinceros consigo mismos y con nosotros.

Estar a la altura de las Barbies (y los Kens)

Existe una enorme presión en nuestra cultura para que presentemos un determinado aspecto. Las revistas, el cine y la televisión nos bombardean con imágenes de una perfección física a la que la gran mayoría de nosotros no podemos aspirar. Aunque las mujeres llevan mucho tiempo soportando esta presión cultural, hoy en día también la padecen los hombres. Pocos adolescentes, y adultos, poseen un cuerpo tan delgado, alto, atractivo o musculoso como las imágenes que vemos en los medios de comunicación. Incluso nos presentan unos modelos virtuales generados por ordenador que imponen un ideal imposible de alcanzar.

La discrepancia entre esos ideales absurdos y la realidad imperfecta de nuestro cuerpo puede hacer que nos mostremos demasiado críticos e insatisfechos con nosotros mismos. Los adolescentes son especialmente vulnerables a este tipo de presión por dos motivos. En primer lugar, se sienten insatisfechos de su cuerpo debido a los drásticos cambios hormonales y al rápido crecimiento que experimentan. En segundo lugar, su sentido de identidad aún no es lo bastante sólido y estable para tolerar sus limitaciones físicas. Todavía no han aprendido a aceptarse tal como son.

—No tengo nada que ponerme —se queja Rebecca, una joven de catorce años, a su madre.

Debemos prestar atención cuando oigamos esta conocida exclamación de frustración de labios de nuestros adolescentes. No significa necesariamente que Rebecca esté demasiado consentida o pretenda ir de compras.

—¿Cuál es el problema? —le pregunta su madre.

—Nada me sienta bien.

—¿A qué te refieres? —le pregunta su padre, tratando de que Rebecca le explique lo que le disgusta.

—No me gusta mi aspecto. Nada me sienta bien —repite ella mientras se deja caer en una silla.

Rebecca no necesita un guardarropa nuevo, sino grandes dosis de comprensión. Su cuerpo está cambiando tan rápidamente que se ponga lo que se ponga no se siente satisfecha de sí misma. Necesita toda la comprensión que sus padres puedan brindarle. Lo que no necesita es que sus padres critiquen su cuerpo. El comentario más nimio, pronunciado en tono jocoso o para ayudarla, como «me parece que has ganado unos kilos» o «últimamente has pegado un estirón», sobre todo si proviene del padre, puede desencadenar una tormenta de odio hacia uno mismo.

Aunque la madre dispone de más margen en los comentarios que hace a su hija, debe mostrar a la vez firmeza y cautela. A veces da la impresión de que todo lo que dice está mal. Incluso un comentario tan inocuo como «el que más me gusta es el conjunto azul marino» puede enojar a Rebecca si ella está atrapada en un ciclo de autocrítica. Es posible que responda: «¡Cómo puedes decir eso, si es el que peor me sienta!» En ocasiones conviene limitarse a estar presente cuando nuestra hija adolescente vive una crisis emocional. No es preciso que digamos nada, tan sólo procurar tranquilizarla con nuestra presencia serena y cariñosa.

Nosotros tampoco somos inmunes a las presiones culturales que nos obligan a ser físicamente perfectos, y muchos tenemos conflictos con nuestra imagen. Debemos tener cuidado con lo que decimos sobre nosotros mismos delante de nuestros hijos adolescentes. Comentar habitualmente que nos vemos gordos, o que no tenemos un aspecto armonioso, puede ser un modelo negativo para nuestros hijos. Y ya tienen suficientes problemas con tratar de resolver sus críticas internas para tener que escuchar encima las nuestras.

En lo referente a nuestro aspecto físico, debemos proporcionar a nuestros hijos un modelo saludable de aceptación de nosotros mismos. Esto puede resultar difícil para las madres que se hallan en la menopausia. Esas madres tienen que afrontar los problemas derivados de los altibajos emocionales y cambios hormonales y corporales, al mismo tiempo que sus hijas se enfrentan a los peliagudos cambios hormonales y de imagen corporal de la adolescencia. Es indudable que esta yuxtaposición de fases en la vida de una mujer requiere una dosis adicional de comprensión y sensibilidad.

Asimismo debemos buscar la forma de contrarrestar las omnipresentes imágenes mediáticas con comentarios sanos, realistas y más amables. Podemos poner el ejemplo de las atletas femeninas, que están en forma y no están tan delgadas como las modelos, y de actores y personajes mediáticos que no son físicamente perfectos. Podemos recordar a nuestros adolescentes que determinadas complexiones físicas son perfectas para determinados deportes o actividades. También conviene que les felicitemos con frecuencia por su aspecto y aceptemos con paciencia sus obsesiones sobre su apariencia. Esta obsesión constituye una parte importante de los procesos de adaptación a los cambios que experimenta su cuerpo y de creación de una imagen de sí mismos más estable. Lo que los adolescentes sienten y piensan sobre su cuerpo forma parte de su identidad en desarrollo. Cuanto más amablemente tratemos a nuestros hijos durante esta fase, más probabilidades tendrán de que desarrollen una imagen de sí mismos positiva, y cuanto mejor sea la imagen que tengan de sí mismos, mejor se tratarán.

Ofrecer un buen ejemplo

Uno de los hábitos de salud más complicados para todos nosotros, adolescentes y padres, es aportar un equilibrio constante a nuestras vidas, tratar sistemáticamente a nuestro cuerpo con amabilidad y cuidado. Debemos sacar tiempo para practicar alguna actividad física, cultivar nuestras amistades y divertirnos, y también para un descanso reparador, una reflexión sosegada y unas aficiones creativas.

Nuestros adolescentes deben desarrollar su propia fórmula para hallar un equilibrio entre realizar una cantidad abrumadora de actividades y descansar, entre permanecer pegados al ordenador o al televisor e ir al gimnasio, entre salir con amigos y cenar en casa con la familia.

Los hábitos con los que crezcan nuestros adolescentes en el seno de la familia serán las pautas que imitar o contra las cuales rebelarse. ¿Qué ejemplos ofrecemos a nuestros adolescentes? ¿Nos ven trabajando día y noche y afanados en cumplir con el resto de nuestras obligaciones? ¿Nos ven apalancados durante horas delante del televisor? ¿Ven que nos cuidamos con mimo, tanto física como emocionalmente? ¿Qué actitud mantenemos con respecto al alcohol o las drogas? Aunque nuestros hijos no estén siempre presentes, no dejan de observarnos y aprender de nuestro ejemplo.

Nada de lo que les digamos les causa un mayor impacto que nuestro ejemplo. La influencia más poderosa que podemos ejercer sobre los hábitos de salud de nuestros adolescentes es la forma en que vivimos nuestra vida, incluidas la inteligencia y la compasión que demostramos cuando tratamos nuestro cuerpo con amabilidad.

Si los adolescentes viven con apoyo, aprenden a sentirse satisfechos de sí mismos

Apoyar a nuestros adolescentes equivale a levantar los cimientos de un edificio que no veremos construido hasta al menos dentro de una década, y que no nos agradecerán hasta al cabo de mucho tiempo. No obstante, como padres, debemos apoyarles tanto como nos sea posible durante estos años de grandes cambios y problemas complejos. Al margen de que seamos conscientes de ello en su momento, forma parte del compromiso que adquirimos con ellos desde el día en que nacen. Y al margen de que ellos lo aprecien (la mayoría no lo aprecia), es lo que necesitan de nosotros.

Aunque ahora sean adolescentes y parezcan muy independientes, siguen necesitando nuestro apoyo. Necesitan saber que les queremos, que nos esforzamos por comprender los problemas que tienen y que pueden hablar con nosotros sobre lo que sea. Necesitan saber implícitamente, pero con absoluta certeza, que siempre estaremos disponibles para ellos, dispuestos a apoyarles.

La adolescencia suele ser una etapa de una inseguridad inmensa y angustiosa, y nuestros hijos esperan que confiemos en ellos, más aún cuando ellos no confían en sí mismos. Cuando la situación se complica, podemos prestarles una parte de nuestra estabilidad y seguridad. Nuestro apoyo les ayuda a desarrollar un mayor equilibrio y les refuerza durante los frecuentes e intensos momentos de inseguridad.

Jason y su padre llevaban estudiando *aikido* desde hacía años y asistían juntos a clase dos tardes a la semana. Cuando Jason cumplió quince años, se preparó para una prueba destinada a obtener el cinturón marrón, y eso le preocupaba. La prueba consistía en defenderse de otros tres alumnos que acometerían agresivamente contra él. Jason tenía que derribarlos con rapidez, uno tras otro.

Una noche, cuando los dos regresaban a casa en coche, sudorosos y doloridos, Jason le comentó a su padre:

—Espero que no tenga que enfrentarme a Gerard. Es muy ágil y bastante bruto.

—Te entiendo —respondió su padre—. A mí no me gusta practicar con él. —Entonces su padre comprendió que Jason estaba preocupado por su inminente prueba—. Pero tu técnica es mejor que la de Gerard —añadió—. Puedes derrotarle si planificas de antemano tu estrategia.

—¿Cómo? —preguntó Jason.

—Le observaremos durante las próximas clases —propuso su padre—. De este modo podrás idear la estrategia que debes utilizar para vencerle.

Así pues, Jason y su padre observaron con atención a Gerard y se dieron cuenta de que por lo general atacaba a su contrincante por la izquierda. Ese dato permitió a Jason predecir los movimientos de Gerard y estar preparado para defenderse. La prueba de Jason consistió en luchar contra Gerard, y puesto que estaba psicológicamente bien preparado, la pasó y obtuvo su cinturón marrón.

Más tarde, cuando fueron a comer para celebrarlo, su padre comentó:

—Gerard es más corpulento y rápido que tú.

—¿Y qué más? —replicó Jason con la boca llena de hamburguesa.

—Pero le derrotaste.

—¡Y de qué manera! —respondió Jason, satisfecho de sí mismo.

—Recuerda que siempre hay una forma de derrotar a tipos como Gerard. Lo único que tienes que hacer es utilizar la cabeza para idear una estrategia.

—Tienes razón —dijo Jason, añadiendo más ketchup a su hamburguesa.

Su padre apoya y ayuda a Jason, no sólo en lo referente al *aikido,* sino en todo lo referente a su vida. Le ha demostrado que confía en él, aunque Jason dude de sí mismo. No ignora ni minimiza sus temores, sino que los reconoce y además le ayuda a potenciar sus puntos fuertes. Jason ha salido con éxito de esta prueba, pero aunque no hubiera sido así, su padre le hubiera apoyado y ayudado a aprender de su experiencia y a prepararse para la siguiente.

La adolescencia está repleta de dramáticos altibajos. Debemos estar siempre disponibles para nuestros adolescentes, sobre todo en los momentos de vacilación e inseguridad, para contribuir a potenciar su confianza en sí mismos. Con frecuencia nuestro apoyo y nuestra fe en ellos les proporciona esa dosis adicional de valor y confianza que les ayuda a afrontar cualquier problema que se presente.

Poco a poco el sentido de identidad de nuestros adolescentes se reforzará y serán capaces de mantener ellos solos la confianza en sí mismos. Aprenderán a sentirse satisfechos de quienes son y de cómo se comportan. Este aprendizaje se prolongará a lo largo de toda la vida. Debemos ayudarles a comprender que la madurez es un proceso, lento y gradual, que consiste en aprender continuamente de las propias experiencias. Así desarrollan nuestros hijos la base personal de su identidad adulta y su capacidad para mantener relaciones íntimas saludables y un trabajo que les satisface, los dos elementos que permiten alcanzar una vida plena.

Nuestro tiempo es el regalo más importante

A fin de proporcionar a nuestros adolescentes este apoyo debemos conocer los problemas a los que se enfrentan en su vida diaria. La simple pregunta «¿cómo te va todo?» mientras les acompañamos en coche al instituto o hacemos juntos unos recados sólo nos proporciona una mínima información superficial. Debemos pasar ratos con ellos si queremos saber lo que ocurre en sus vidas.

Aunque no podemos programar los ratos que les dedicamos ni anotarlo en una lista de cosas que debemos hacer, eso no significa que no sea importante. Debemos buscar la oportunidad de estar con nuestros hijos. Quizás esto nos obligue a dejar de lado lo que estemos haciendo, pero en eso consiste convertir a nuestros hijos en nuestra máxima prioridad.

La madre de Marie, una joven de catorce años, observaba a su hija mientras rebuscaba en su armario ropero y se probaba distintos conjuntos. De vez en cuando su madre hacía un comentario o la ayudaba a colgar una prenda, o las dos se reían de algo que les parecía gracioso. Esta actividad sin ninguna finalidad concreta se prolongó durante más de una hora. No tomaron ninguna decisión importante, y al cabo de una hora el ropero no quedó más limpio ni más ordenado que al principio. Marie simplemente probaba nuevos *looks,* como suelen hacer muchas adolescentes durante largo rato.

—Me gusta cómo te queda ese jersey con esa falda —comenta su madre.

—No sé —responde Marie—. ¿Qué te parece éste?

—Tienes razón —contesta su madre—. Ése te queda mejor.

La conversación es muy normal, pero la presencia de su madre le transmite a Marie un mensaje importante: me gusta estar contigo, quiero ayudarte a decidir qué aspecto deseas ofrecer y estar contigo es para mí más importante que cualquier otra cosa que deba hacer. Dado que éste es el mensaje que Marie recibe constantemente de su madre, sabe que ella estará siempre disponible cuando la necesite. Durante esa hora, la madre ni siquiera piensa en el trabajo que le aguarda sobre la mesa; su prioridad es estar con su hija.

Pasar un rato tranquilo con Marie le da a su madre unos importantes y útiles datos sobre la vida de su hija: lo que piensa de su persona y de su aspecto, algunos chismorreos sobre sus amigas, sus pensamientos sobre algunos chicos y la impaciencia con que aguarda ciertos acontecimientos. Su madre sabe ahora, por ejemplo, que debe reservarle un fin de semana a Marie porque se va de picnic con su clase. Es evidente que su madre está conectada con Marie y que ésta sabe que cuenta con su apoyo en todo lo importante de su vida.

Interesarnos por sus prioridades

Las prioridades de nuestros adolescentes suelen ser muy distintas de las nuestras. Muchas cosas que para ellos son importantes, nosotros las consideramos triviales. A veces nos parece increíble el tiempo que nuestra hija dedica a maquillarse o a enviar correos electrónicos a sus amigos, o la cantidad de tiempo que nuestro hijo pasa bajando música de Internet o examinando catálogos de material deportivo para ir al desierto. No es preciso que entendamos las prioridades de nuestros adolescentes, pero debemos prestarles atención y respetarlas. Antes de que ellos respeten lo que es importante para nosotros, deben saber que nosotros les apoyamos en todo cuanto ellos consideren importante. Aunque algo no nos parezca de una importancia capital, si lo es para nuestro hijo o nuestra hija adolescentes debemos mostrarnos interesados y receptivos. Dicho de otro modo, lo que les interesa a ellos debe interesarnos a nosotros. Es la manera de apoyarles y de fomentar nuestra relación con ellos.

Neal, un chico de trece años, está loco con su nuevo videojuego. Juega con él durante horas, totalmente fascinado. Cuando no juega trata de explicarle cómo funciona con todo detalle a su padre. Y como él no es un aficionado a los videojuegos las más de las veces no tiene ni idea de lo que habla su hijo; pero es lo suficientemente inteligente para percibir su entusiasmo y responder a él.

—¿Así que todos tus amigos juegan al mismo juego? —pregunta su padre, tratando de enterarse del tema.

—Sí —responde Neal—. A veces charlamos por teléfono mientras jugamos.

—¿Compartís trucos entre vosotros? —pregunta su padre.

—A veces, pero no siempre —explica Neal—. De modo que uno no sabe siempre lo que saben los demás, y a veces te llevas una sorpresa.

Su padre no le pregunta «¿qué te divierte de eso?» ni le dice «eso es más aburrido que jugar al croquet», sino que goza con el entusiasmo de Neal y de paso aprovecha la oportunidad para averiguar algo más sobre el mundo privado de su hijo. En fin de cuentas, Neal pasa buena parte de su tiempo libre ante el ordenador y si su padre no expresara interés se perdería una parte importante de la vida de su hijo.

Si a Neal le gustaran los bolos, su padre habría sacado sus viejas zapatillas de jugar a los bolos y le habría acompañado. En este caso, el hombre respira hondo y dice sin mucho entusiasmo:

—¿Por qué no me enseñas cómo funciona?

Apoyarlos en lo que les interesa requiere una considerable inversión de tiempo y esfuerzo. Debemos ser generosos a la hora de darnos nosotros mismos a nuestros adolescentes.

A veces debemos olvidar que podríamos estar cumplimentando la declaración de Hacienda, terminando un informe para la oficina o simplemente descansando y dedicar un tiempo de calidad a nuestros hijos. Si nos damos cuenta de que nos impacientamos cuando nuestra hija describe su jornada con todo detalle o cuando nuestro hijo nos pide por enésima vez que le ayudemos a reconfigurar las rampas de su monopatín, debemos tener en cuenta que así es como nuestros hijos conectan con nosotros, y que tratan de compartir su mundo con nosotros. Aunque no sintamos el menor interés por el tema del que hablan, nos interesan ellos. Quizá sea difícil tenerlo presente, sobre todo cuando nos sentimos agobiados por nuestra ajetreada vida. Pero no hay nada más importante que podamos hacer como padres.

Digan lo que digan, siguen necesitándonos

Si preguntáramos a nuestros hijos adolescentes, en especial a los mayores, si es necesario que sigamos asistiendo a cada partido o a cada función en la que participan, responderían «¡claro que no!». No les crea. A medida que los adolescentes maduran, cada año les cuesta más reconocer que siguen requiriendo nuestra presencia. Quizá pensemos que nuestros adolescentes mayores ya no nos necesitan. Al fin y al cabo, son independientes en muchos aspectos: conducen, ganan dinero, salen con chicos o chicas y tienen una vida aparte de la de su familia. Incluso podemos llegar a pensar que cuando se les presenta un problema, basta con que les concedamos cierto tiempo para que lo resuelvan ellos solos. En ocasiones quizá sea así, pero en otras sería un gran error por nuestra parte pensar de este modo.

Los adolescentes mayores necesitan nuestro apoyo y nuestra implicación igual que los más jóvenes. Necesitan que estemos pendientes de sus necesidades y preocupaciones día a día, tanto si afrontan problemas graves como si se trata de nimiedades. Lo importante es que estemos disponibles para ellos cuando nos necesiten, por el motivo que sea. Si no les ofrecemos nuestro apoyo y consejo en los asuntos de escasa importancia, no acudirán a nosotros cuando tengan problemas gordos. Sin nuestro cariño y atención, pueden acabar agobiados y caer en el desánimo o el aislamiento.

Aunque un problema nos parezca insignificante, debemos tratar de entender el punto de vista de nuestros adoles-

centes. Lindsey, una chica de catorce años, estaba disgustada porque unos chicos le tomaban el pelo en el instituto. Un
día se lo comentó a su padre, y éste, para tranquilizarla, trató de minimizar el problema.

—Eso son cosas de chicos —le explicó—. Significa que les
gustas.

—Pues a mí ellos me caen fatal —replicó Lindsey.

—No les hagas caso —dijo su padre, despachando el asunto y poniendo fin a la conversación.

Lindsey no sabía cómo resolver el problema. Aunque procuró no hacerles caso, como le había recomendado su padre,
los chicos no dejaban de meterse con ella. Lindsey se mostraba en el instituto nerviosa y encerrada en sí misma. Sus
notas empeoraron. Es cierto que Lindsey le había explicado a
su padre que estaba disgustada, pero él, al no conceder importancia al problema, la había disuadido de expresar lo mucho que sufría a causa de ello. Debemos prestar atención a lo
que dicen nuestros adolescentes. A menudo no nos cuentan
toda la historia de una vez, sino poco a poco para comprobar
nuestra reacción. Si su padre hubiera respondido al comentario de que unos chicos se metían con ella en el instituto preguntándole: «¿Qué te dicen?» o «¿de qué manera se meten
contigo?», Lindsey se habría animado a explicarle más detalles sobre el problema y su padre podría haberla ayudado a
hallar una solución eficaz.

Con frecuencia nuestros adolescentes sueltan «globos
sonda» para comprobar si les escuchamos y nos tomamos en
serio lo que dicen. En este caso, el padre falló la prueba y
Lindsey seguramente no volverá a hablarle del tema. Lo
cual no la ayudará a resolverlo. Si deliberadamente hacemos
caso omiso de las indicaciones o sutiles peticiones de ayuda
de nuestros adolescentes, dejarán de acudir a nosotros en
busca de ayuda.

Afrontar los problemas que se les presentan es una magnífica oportunidad de aprendizaje para nuestros hijos, y que-

remos ser nosotros quienes influyamos en lo que aprendan. No queremos que la mayoría de los consejos procedan de sus amigos. En muchos casos los jóvenes recurren a sus amigos para que les ayuden a resolver problemas serios, y lo cierto es que ninguno tiene la suficiente experiencia para saber lo que hay que hacer. Por otra parte, los amigos pueden sentirse abrumados cuando otros les piden ayuda y el problema es grave.

Cuando averigüemos que nuestros adolescentes afrontan un problema espinoso, debemos ser los primeros en ofrecerles nuestro apoyo. Tal vez rechacen la oferta, pero debemos estar siempre dispuestos a echarles una mano. Siempre es mejor errar por darles demasiado que por no darles lo suficiente. Y si ellos no están dispuestos a acudir a nosotros, debemos hacerles comprender que pueden recurrir a otros adultos: profesores, entrenadores, sacerdotes, parientes e incluso los padres de otros adolescentes. Por esto es imprescindible disponer de una amplia red de familiares y amigos cuando nuestros hijos son adolescentes. Debemos contar con un numeroso grupo de adultos dispuestos a apoyar y aconsejar a nuestros adolescentes.

Una etapa de tormentas emocionales

A esta edad los jóvenes son impredecibles. Durante la adolescencia se intensifican las emociones, debido en parte a los profundos cambios hormonales, que son capaces de conferir tintes dramáticos incluso el contratiempo más insignificante. Todos hemos asistido al espectáculo de un adolescente que pone la casa patas arriba mientras busca desesperadamente su pluma favorita antes de un examen, o que teme que su vida social haya concluido porque le ha salido un granito en la cara justo antes de una cita importante. Mientras duren estas tormentas psíquicas, los adolescentes necesitan nuestro apoyo y nuestra fe en ellos para recobrar el equilibrio.

Debemos hacerles comprender que esto no es el fin del mundo, que esta fase pasará y que las cosas mejorarán. Y debemos hacerlo sin minimizar ni restar importancia a la intensidad de lo que sienten en esos momentos. Porque si nos dejamos atrapar por el caos emocional perderemos la serenidad y acabaremos histéricos como ellos. En tal caso, no lograremos ayudarles. De modo que debemos hallar un término medio: mostrarnos fuertes y serenos para ellos a la vez que amables y comprensivos.

Rebecca, una joven de dieciséis años, acababa de pelearse con Sherry, su amiga íntima, y andaba cariacontecida por la casa.

—No tengo amigas —se lamentó.

Su madre respondió con calma:

—Sé que estás disgustada por haber discutido con Sherry, pero tienes otras amigas.

—Sherry no volverá a dirigirme la palabra.

—¿Quién fue la primera en disculparse la última vez que os peleasteis? —preguntó su madre.

—Ella —confesó Rebecca tras reflexionar unos instantes.

La madre dirigió a su hija una mirada cargada de significado, pero no dijo una palabra.

—¡De acuerdo, la llamaré! —exlcamó Rebecca, y salió apresuradamente de la habitación.

Su madre se comportó de forma cariñosa y comprensiva, pero no dejó que Rebecca se ahogara en sus sentimientos. Le insinuó cómo resolver la situación, pero sin presionarla. Dejó que su hija tomara su propia decisión en el momento que creyó oportuno. Aquella noche, Rebecca llamó a Sherry para disculparse y antes de acostarse todo había vuelto a la normalidad.

Su madre no le habría ayudado si hubiera preguntado en plan chismoso los detalles de lo ocurrido entre las dos chicas, y luego se hubiera contagiado de los sentimientos de dolor y rabia que experimentaba Rebecca con respecto a Sherry.

Cuando los padres se identifican excesivamente con sus hijos o pretenden dirigir al detalle sus vidas, con frecuencia pierden la ventaja de su perspectiva adulta. Eso no es apoyarles. A veces los padres empeoran las cosas cuando toman partido.

Debemos tener presente que nosotros somos los adultos en la situación. Poseemos la experiencia y la madurez para saber que nuestros hijos pueden sobrevivir a los altibajos de la vida, incluso a la pérdida de un amigo o una amiga especial o de una relación sentimental. No obstante, es muy triste cuando ocurre, y ésa puede ser la primera ruptura de una relación que experimenten nuestros hijos. Debemos hallar un término medio en el que podamos hablar de la cuestión con ellos sin dejarnos influir por los detalles ni tomar partido. En fin de cuentas, en el caso de Rebecca, las dos chicas podrían volver a ser amigas al día siguiente y Rebecca se enojaría con su madre por las cosas negativas que ella hubiera dicho sobre su amiga la noche anterior.

Debemos tomarnos a nuestros adolescentes lo suficientemente en serio para respetar sus sentimientos, pero al mismo tiempo mantener nuestra perspectiva adulta para no contagiarnos de su intensidad dramática. Lo cual nos plantea todo un reto como padres. A veces es difícil no reaccionar emocionalmente, pues cuando asistimos a las tormentas típicas de la adolescencia de nuestros hijos evocamos viejos sentimientos de nuestra época en el instituto. La combinación de viejas heridas que no han cicatrizado por completo y nuestro afán como padres de proteger a nuestros hijos del dolor puede ser muy delicada. Huelga decir que no siempre lograremos hallar ese término medio perfecto. No obstante, podemos apoyar a nuestros adolescentes teniendo esto presente y esforzándonos en aceptar la intensidad de sus emociones al tiempo que les animamos a tomar una iniciativa constructiva.

Fomentar sus mejores cualidades internas

Para fomentar el creciente sentido de identidad de nuestros adolescentes, debemos ser capaces de reconocer sus singulares cualidades internas. Podemos buscar las palabras idóneas para describir esos aspectos excelentes de nuestros hijos, aquellos que deseamos que desarrollen. O señalar de forma práctica y sencilla esas cualidades internas para que nuestros adolescentes sean más conscientes de sí mismos y sepan en quiénes se están convirtiendo.

Ron, un muchacho de quince años, describió a su padre algunas de las peleas que se producían entre los miembros de su equipo de baloncesto.

—Todos se pelean por apoderarse del balón —se lamentó Ron a su padre—. Nadie quiere pasarlo.

—Suele ocurrir —respondió éste—. Incluso entre los jugadores de la NBA.

—De esa forma es imposible ganar —dijo Ron.

—Tú juegas para el equipo, y ellos juegan para sí mismos —comentó su padre.

—Ése es el problema.

—Sigue siendo un jugador del equipo, al margen de lo que hagan los demás —le aconsejó su padre—. A la larga te beneficiará. Además, así eres tú.

Su padre no se limita a fomentar la afición de Ron por el baloncesto, sino que le apoya como persona y le ayuda a comprender quién es. Con el reconocimiento y el apoyo de su padre, Ron podrá reforzar la imagen que tiene de sí mismo como jugador del equipo y confiar en sus decisiones, aunque no estén en consonancia con lo que hagan sus compañeros. Su padre le da la oportunidad de verse de una forma positiva y de sentirse satisfecho de cómo es.

Ron es más que un miembro del equipo de baloncesto que está dispuesto a pasar el balón, y más que un chico que quiere que su equipo gane. Es alguien capaz de dejar de lado sus deseos egoístas en aras de un objetivo más importante, y capaz de mantener esa perspectiva. Esas cualidades internas le beneficiarán en el futuro, tanto en la carrera que elija como en sus relaciones íntimas.

Obsérvese que las palabras de apoyo parentales en las anécdotas reseñadas más arriba están dirigidas a cualidades internas específicas, no a algo externo que puedan alcanzar los jóvenes, sino a quiénes son en su interior. Debemos fomentar el «ser interior» de nuestros adolescentes, no sólo sus resultados externos. Es la mejor forma de animarlos a desarrollar sus mejores cualidades.

Felicitarles por lo que hacen bien

También debemos apoyar a nuestros adolescentes cuando se comporten de la forma que nosotros deseamos. Muchos padres creen que la mejor forma de apoyar a sus hijos y reforzar su autoestima es alabándoles constantemente: «¡Eres estupendo/estupenda!» «¡Eres el mejor/la mejor!» «Eres muy guapo/muy guapa.» Estas vagas afirmaciones suelen ser ignoradas por nuestros adolescentes; peor aún, pueden utilizarlas para volverse todavía más egocéntricos de lo que suelen ser la mayoría de jóvenes. Aunque cuando alabemos a nuestros hijos de esta forma lo hagamos con la mejor intención, nuestros halagos pueden convertirse en palabras carentes de significado o producir un efecto indeseado. Es preferible ofrecerles cumplidos concretos dirigidos personalmente a ellos, comentarios que demuestren que nos hemos percatado de la forma en que se han comportado y que les admiramos por ello.

Cuando aplaudimos los logros de nuestros adolescentes, también podemos mencionar las cualidades internas que les permitieron alcanzarlos. Nuestros hijos adquieren confianza en sí mismos cuando comprenden que poseen las cualidades necesarias para triunfar. La acumulación de numerosos éxitos pequeños y algunos grandes también contribuye a que se sientan más competentes y poderosos. Poco a poco aprenden a sentirse satisfechos de sí mismos y de su creciente independencia.

Un domingo por la mañana, el padre de Brooke, una chica de catorce años, le preguntó cómo le había ido su trabajo de canguro la noche anterior.

—Bien —dijo Brooke.

—Seguro que te entendiste a las mil maravillas con los niños.

—Sí —respondió Brooke, bostezando medio dormida.

Nuestros adolescentes no asimilan este tipo de apoyo impreciso, que no significa nada para ellos. Debemos hacer comentarios más específicos.

—¿Cómo te fue tu trabajo de canguro anoche? —preguntó su padre a Brooke.

—Bien.

—¿Qué fue lo que te costó más?

Tras reflexionar unos momentos, Brooke respondió:

—Conseguir que se durmieran.

—¿Y cómo lo lograste? —preguntó su padre.

—Tuve que leerles un cuento durante un buen rato —respondió Brooke—. Entonces fui apagando las luces hasta que apenas podía ver el libro. Y comprobé que su respiración había cambiado y que estaban dormidos.

—Muy hábil por tu parte —respondió su padre, impresionado por el ingenio de su hija—. Fue una gran idea.

—Eso me pareció a mí —dijo Brooke, satisfecha de sí misma por habérsele ocurrido una estrategia eficaz.

¿Qué valores fomentamos?

Es natural que apoyemos algunas de las cosas que hacen nuestros adolescentes e ignoremos otras. Según como interactuemos con ellos, fomentamos ciertas cosas, desaconsejamos otras e ignoramos algunas. Por ejemplo, fomentamos que toquen el violín y no los atosigamos sobre las horas que pasan delante del televisor. Confiamos en hacer unas elecciones conscientes sobre lo que fomentamos basándonos en nuestros valores y en las aficiones de nuestros adolescentes. Debemos procurar que nuestro apoyo fomente el desarrollo de un buen carácter en nuestros adolescentes por medio de sus valores y de sus acciones.

Kelila, una joven de quince años, trabajaba como enfermera voluntaria en una residencia de ancianos para cumplir el servicio a la comunidad que pedían en el instituto.

—Este fin de semana concluiré mis veinte horas de trabajo —le explicó a su madre—, pero creo que seguiré acudiendo para echar una mano.

Su madre pudo haber respondido varias cosas: «Eso quedará muy bien en tu solicitud de ingreso de la universidad» o «es un detalle estupendo por tu parte» o «estoy segura de que te lo agradecerán». Cada uno de esos comentarios refleja un sistema de valores distintos. En lugar de eso, su madre le preguntó:

—¿Qué es lo que aprendes allí?

Tras reflexionar unos instantes, Kelila respondió:

—De la que más aprendo es de la señora Carbonari. Me gusta sentarme a su lado y que me cuente historias sobre Italia y su familia. ¡Tenía once hermanos!

Su madre sonrió.

—Supongo que muchas de las personas que están allí tienen historias muy interesantes que contar. Es magnífico que puedas aprender de sus vidas. Cuéntame más cosas sobre la señora Carbonari.

La madre de Kelila está fomentando cierta profundidad en su hija, la capacidad de comprender las vidas de otras personas y aprender de sus experiencias. Lo importante aquí no es tan sólo que Kelila cumpla un determinado número de horas de servicio a la comunidad, sino la forma en que éste se desarrollará y lo que la joven aprenderá de su interacción con las personas que viven en la residencia de ancianos. Su madre la induce a reflexionar sobre la vida, sobre la vida de la señora Carbonari y la suya propia. Asimismo le enseña que el servicio a los demás enriquece nuestra vida y las de las personas a quienes servimos.

Persistir en el empeño cuando resulta difícil

Uno de los momentos en que es difícil apoyar emocionalmente a nuestros adolescentes es cuando se ponen a discutir con nosotros. Es natural que nos sintamos frustrados en esa situación y queramos ganar a toda costa. Pero si nos empeñamos en ganar podemos perder algo más importante. Cuando discutimos, debemos detenernos y preguntarnos: «¿Cuál es realmente el motivo de este conflicto?» Por lo general se trata de algo ajeno al supuesto motivo del problema.

En muchas ocasiones nuestros hijos luchan denodadamente por su independencia, por lo que consideran su territorio o su libertad. Debemos reconocerlo y apoyar al máximo sus esfuerzos por madurar. Podemos hacerlo concediéndoles tantas oportunidades como podamos de afirmar su personalidad. Podemos mostrarnos flexibles dentro de nuestra estructura, respetando su afán de alcanzar la independencia y nuestra necesidad de obligarles a responsabilizarse de sus actos. Si mantenemos esta perspectiva durante una discusión con nuestros adolescentes, mantendremos una actitud distinta. No pensaremos que debemos «ganar» todas las discusiones y ejercer un control sobre ellos o aplastar su espíritu de forma contraproducente. Seremos más capaces de hallar una fórmula que proteja su sentido de autonomía al tiempo que cumplen nuestras normas.

—Sabes que la hora tope de volver a casa son las doce de la noche —le dice su padre a Brett, un chico de dieciséis años—. Pero llegas a las doce y cuarto o las doce y veinte todos los viernes y sábados por la noche. ¿Por qué lo haces?

—Total sólo me retraso unos minutos —replica Brett.

Ésta es una invitación a una discusión en toda regla, pero si su padre mordiera el anzuelo se convertiría en otra estéril lucha de poder entre padre e hijo. Tratar de controlar en exceso a nuestros adolescentes sólo conduce a peleas destructivas que hacen que ambas partes se sientan insatisfechas consigo mismas y con el otro. A su padre no le interesa ganar una discusión sobre el tema de la hora de regresar a casa, y menos aún socavar su relación con Brett.

—Sé que quieres ser tú mismo quien decida la hora de volver a casa, pero la hora tope son las doce —dice el padre, reconociendo el deseo de independencia de su hijo al tiempo que mantiene su derecho a imponer los límites.

—Como quieras —responde Brett sarcásticamente, y abandona la habitación. Su padre pasa por alto ese comentario. Éste es otro ejemplo de flexibilidad por su parte. Algunos padres reaccionarían al sarcasmo enojándose, exigiendo una disculpa o castigando a Brett. Ése es precisamente el tipo de peleas que debemos evitar; la conocida advertencia de «elija sus batallas» viene aquí muy a cuento.

Brett sigue llegando a casa quince o veinte minutos tarde cada fin de semana, y su padre sigue insistiendo en que la hora tope son las doce. Si su padre ampliara el tope a las doce y cuarto, Brett llegaría entre las doce y treinta y cinco y las doce y cuarenta minutos. Así que en cierto modo la hora tope funciona; existe un sutil compromiso que permite a Brett declarar su independencia al tiempo que procura al padre la tranquilidad de saber que su hijo regresará a casa a una hora previsible y prudente.

Es un buen sistema para resolver este tipo de discusiones. Ninguna de las dos partes gana, pero tampoco pierde. La pugna continúa: el padre impone los límites y Brett se resiste a ellos. En realidad, tanto Brett como su padre están ganando. Brett piensa que vuelve a casa cuando le apetece porque se retrasa. Su padre sabe que la hora tope da resul-

tado porque Brett siempre llega a una hora razonablemente próxima a la hora límite. Cuando Brett alcance la madurez, su padre y él se reirán juntos de esta lucha de poder.
Su padre comprenderá que hizo bien en no pelearse con su
hijo por unos minutos, y Brett le agradecerá que no lo hiciera.

Fomentar la libertad de género

Nuestra cultura refuerza ciertos estereotipos de género, y al
margen de nuestros valores y nuestras actitudes, nuestros
adolescentes pueden verse fuertemente influidos por esos
prejuicios sociales. No queremos que ningún estereotipo
cultural les imponga límites. Queremos que nuestros hijos
varones sientan y expresen una amplia gama de emociones,
y no sólo en el ámbito deportivo. Queremos que nuestras hijas se sientan libres para utilizar todas sus capacidades y dotes en cualquier empresa que acometan en la vida. En última instancia, queremos que todos se sientan libres para
elegir cómo quieren vivir sus vidas, tanto si ellos desean
quedarse en casa para cuidar de sus hijos como si ellas quieren ser neurocirujanas. Debemos esforzarnos en fomentar el
desarrollo de nuestros adolescentes para que superen los límites que la sociedad tiende a imponerles.

Jenny, una muchacha de diecisiete años, estaba convencida de que su profesor de matemáticas favorecía a los chicos de su clase. Les pedía que se acercaran al encerado con
más frecuencia que a las chicas y les ayudaba a resolver los
problemas si no daban de inmediato con la respuesta. Un día
Jenny se hallaba ante el encerado, esforzándose en resolver
un problema muy difícil, cuando su profesor le dijo que de-
sistiera y se sentara de nuevo.

—Me ha humillado —se quejó Jenny a su madre—. Yo
también habría podido resolver ese problema.

—Iré a hablar con él —respondió su madre.

—No te molestes, lo negará todo —contestó Jenny—. Llama a los padres de las otras chicas. ¡Ya verás lo que te dicen!

A su madre no le convenció esa idea. No era aficionada a crear conflictos, pero estaba dispuesta a hacer lo que fuera por su hija. Llamó a unos cuantos padres y comprobó que todas las chicas de la clase, y algunos chicos, estaban de acuerdo con Jenny. La madre de Jenny concertó una cita con el profesor y el director del departamento de matemáticas. El profesor expresó sorpresa ante las alegaciones y prometió cuidar su comportamiento. Jenny se sintió muy complacida de que su madre se mostrara dispuesta a apoyarla. Por otra parte, quería demostrar a su profesor de lo que era capaz y, en un arrebato de justificada ira, sacó un sobresaliente en el examen de matemáticas.

Los estereotipos de género afectan a los chicos adolescentes tan profundamente como a las chicas, pero de distinta forma. Un día el padre de Russell, un joven de trece años, disfrutaba viéndole jugar a hockey sobre patines con los hijos de unos vecinos. Mientras contemplaba la escena, observó que los jóvenes se mostraban muy agresivos con un chico y que no dejaban de atormentarle. Más tarde su padre habló de ello con Russell.

—El partido de esta tarde ha sido muy agresivo —comentó el padre.

—Qué va —contestó Russell—, igual que otras veces.

—Pues a mí me pareció que os mostrabais especialmente agresivos con Robert —insistió el padre.

—Es que Robert es muy torpe —respondió Russell.

—Oye, mira —dijo su padre sin andarse por las ramas—, sé lo brutos y agresivos que podéis ser los chicos. No quiero que te comportes de ese modo.

—Caray, papá, no hay para tanto.

—Os estuve observando. Sé cómo son esas cosas. No me gustaría que te trataran a ti de esa forma.

Russell miró a su padre.

—De acuerdo —farfulló.

Russell captó la advertencia. Su padre no quería que participara en esa agresividad y brutalidad que suele darse en los grupos de chicos. No le dijo lo que debía o no debía hacer. Sencillamente le expuso con claridad sus valores, advirtiéndole que comportarse agresivamente y atormentar a otra persona está mal, por más que ocurra con frecuencia o quién sea la víctima.

Como padres debemos estar dispuestos a mostrarnos firmes con respecto a los temas de socialización de género. Debemos ayudar a nuestros hijos a desarrollar una gama de sentimientos, conductas y futuras posibilidades más amplia de la que les ha definido la norma cultural. Necesitan nuestro apoyo para aventurarse más allá de los papeles de género tradicionales y desarrollar la fuerza necesaria para mantenerse cuando difieran de las expectativas estereotipadas. Deben comprender que nuestro mayor deseo es que sean libres para decidir por sí mismos qué tipo de persona, hombre o mujer desean ser.

En tiempos de crisis

La forma en que los padres tratan a sus hijos durante los momentos de estrés o crisis incide decisivamente en la capacidad del chico o la chica de adaptarse al trauma que experimentan. El divorcio es probablemente una de las mayores crisis familiares que puede experimentar un adolescente en su vida, una época en que los hijos de todas las edades necesitan mucho apoyo. No basta con decir a nuestros hijos «tú no tienes la culpa». Por más que los adolescentes lo comprendan intelectualmente, de algún modo se sienten responsables. A menudo imaginan que debieron haber hecho algo para lograr que sus padres permanecieran juntos.

Debemos ofrecer a nuestros hijos un mayor apoyo durante esos momentos, aunque creamos que no somos capaces de dárselo. Y centrarnos en satisfacer todas sus necesidades y ofrecerles la dosis adicional de apoyo y consuelo que necesitan durante esa crisis familiar. Incluso podemos mimarles un poco como cuando eran niños, por ejemplo, arropándoles en la cama aunque hayamos dejado de hacerlo hace años. A la hora de acostarse, los adolescentes, como los niños pequeños, suelen estar más dispuestos y deseosos de hablar. Esto nos ofrece una excelente oportunidad de escucharles y brindarles el apoyo que necesitan durante esos momentos tan difíciles.

El divorcio suele ser una época tan dura para los padres que en ocasiones nos sentimos tentados de buscar apoyo en nuestros hijos. Pero por más que sea así, o por más que necesitemos un hombro en el que apoyarnos, debemos resistir la tentación. Es preferible que acudamos a amigos, parientes o a un consejero en busca de la ayuda que necesitamos. Igual que los niños de corta edad, los adolescentes tienden a retroceder emocionalmente durante un divorcio, de modo que éste no es el momento de obligarles a asumir más responsabilidades de adulto. No podemos esperar que comprendan nuestro estrés o alivien nuestra sobrecarga emocional. Ellos también tienen que lidiar con el dolor que les produce la separación. Debemos procurar en la medida de lo posible que continúen con su adolescencia normal, y asegurarles que lo superaremos, que no deben cuidar de nosotros y que tienen, en la medida de lo posible, el derecho de proseguir normalmente con sus vidas.

Los padres de Stacey, una joven de diecisiete años, atravesaban por un divorcio muy duro. Durante un largo fin de semana, su madre observó que Stacey se quedaba en casa más a menudo de lo habitual.

—Espero que no te quedes en casa para hacerme compañía —comentó su madre.

—¿Quién, yo? —respondió Stacey con aire culpable, como si la hubieran pillado—. Claro que no.

—No me importa quedarme sola en casa —le aseguró su madre—. Si me apetece ir al cine o salir, puedo llamar a unas amigas.

—Ya lo sé —contestó Stacey.

No obstante, necesitaba permiso de su madre para vivir su propia vida. Al cabo de unas horas, le pidió que le dejara el coche y fue a reunirse con sus amigos en el centro comercial.

Cuando atravesamos por una mala época debido a un divorcio u otra crisis, debemos dar a nuestros adolescentes permiso y apoyo para que sigan viviendo y gozando de sus vidas. Por más estresados que nos sintamos, debemos tener presente que somos nosotros quienes debemos cuidar de nuestros hijos, aunque debamos hacer acopio de todas nuestras fuerzas para conseguirlo, en lugar de ser ellos quienes cuiden de nosotros.

Dar y recibir apoyo

La capacidad de dar y recibir apoyo forma parte de la esencia de las relaciones familiares. En toda relación íntima se da una interdependencia, sabemos que nos necesitamos mutuamente y queremos que la otra parte también nos necesite. Queremos que nuestros adolescentes aprendan a darse con generosidad y también a aceptar de los demás con amabilidad.

Justin, un chico de catorce años, quería recaudar dinero para la investigación del cáncer participando en una maratón de cien kilómetros en bicicleta. Su madre había sobrevivido a un cáncer, de modo que esa causa era muy importante para él. Justin pidió ayuda a los amigos de la familia, a los chicos del instituto y a los comerciantes del barrio, una contribución económica por cada kilómetro que lograra completar.

Este tipo de maratones siempre es más difícil en realidad de lo que imaginan nuestros hijos. Justin se esforzó en completar los últimos veinte kilómetros, y necesitó todo el apoyo que pudo ofrecerle su equipo. Le mantuvieron hidratado, le dieron de comer rodajas de naranja, le vendaron las llagas y le animaron en todo momento. Cuando Justin cruzó la línea de llegada, entre vítores y chorros de agua, su madre le abrazó y dijo:

—Gracias, Justin. ¡Estoy orgullosa de ti!

Justin se sintió satisfecho por haber apoyado a su madre y haber contribuido a la investigación del cáncer, pero también sabía que no lo había logrado solo. Sin el apoyo de su equipo, quizá se hubiera rendido durante los últimos veinte kilómetros, y sin el incentivo de las aportaciones económicas de las personas a las que había pedido su apoyo, no se habría inscrito para participar en la maratón de bicicleta.

En un principio Justin lo hizo para apoyar a su madre, pero al final comprendió que había recibido más de lo que había dado. La experiencia de que unas personas le ayudaran a superar una difícil prueba le produjo un profundo impacto emocional. Le hizo comprender que no estamos solos en la vida, que todos nos necesitamos mutuamente.

Si los adolescentes viven con creatividad, aprenden a compartir quiénes son

La adolescencia es una época de reflexión íntima. Los adolescentes necesitan tiempo para averiguar quiénes son, distinguirse de sus padres y, en última instancia, distinguirse también de su grupo de compañeros. Durante esos años afrontan las grandes cuestiones filosóficas de la vida: ¿Quién soy? ¿Por qué estoy aquí? ¿Qué voy a hacer con mi vida? ¿Y qué significa todo esto?

Deben afrontar estas cuestiones dentro de su corazón y de su alma. Nosotros no podemos «darles» las respuestas. Sólo podemos animarles y respetarles mientras recorren su propio camino hacia el descubrimiento de sí mismos. Se trata de un proceso creativo, durante el cual aprenden a expresar quiénes son en el presente al tiempo que empiezan a definir quiénes serán en el futuro.

En términos generales, los adultos no experimentamos unos cambios vitales tan profundos como los que experimentan los adolescentes. No obstante, el proceso creativo de expresar quiénes somos continúa a lo largo de nuestra vida. Quizá no pensemos que cada día de nuestra vida es creativo: decorar la casa, preparar una comida de *gourmet*, diseñar una página web o hallar unas soluciones de trabajo más satisfactorias. Pero cualquier actividad que nos apasione o en la que estemos profundamente implicados puede constituir un medio de expresar nuestra creatividad.

Un enfoque creativo de la vida, que nos permita evolucionar y madurar constantemente a la par que compartir quiénes somos con los demás, no requiere un talento especial. Lo que requiere es permanecer receptivo al hecho de experimentar honesta y profundamente el mundo interior de uno mismo y estar dispuesto a expresar al mundo los conocimientos que adquirimos durante ese proceso.

La mayoría de los adolescentes tienen la oportunidad de explorar numerosos senderos de expresión creativa. Disponen de tiempo libre y con frecuencia de clases, profesores e incluso deberes que les inducen a echar mano de su imaginación y explorar nuevas formas de verse a sí mismos y al mundo. A través de este proceso de autoexpresión, pueden descubrir quiénes son, participar en la creación de sí mismos y compartir con otros su identidad.

Isaiah, un joven de diecisiete años, decidió tomar una serie de fotografías de sus amigos en sus dormitorios. Insistió en que los modelos no decoraran ni limpiaran sus habitaciones para los retratos, lo cual complació a todos menos a los padres. Isaiah se presentaba a la hora convenida, montaba su equipo fotográfico y gastaba varios carretes.

Las fotografías que obtuvo fueron muy reveladoras. Una chica aparecía sentada en la cama leyendo, rodeada de sus animales de peluche; un chico estaba tumbado en el suelo junto a su perro; otro aparecía de pie junto a su armario ropero, lleno a rebosar, y a otro se le veía tocando una «guitarra invisible» en su retrato. Las habitaciones de los jóvenes eran muy distintas. La mayoría mostraba una impresionante cantidad de objetos diseminados por todas partes, ofreciendo unas interesantes yuxtaposiciones, pero algunas estaban muy ordenadas. Las fotografías indicaban con claridad que las habitaciones de los adolescentes, y sus imágenes, eran expresiones creativas de sus personalidades individuales.

Las fotografías también mostraban la impronta de Isaiah. Nadie sonreía. Los adolescentes miraban directamente a la cámara, muy serios. Aparte del lugar, fue la única exigencia de Isaiah, la cual, como es lógico, marcó la pauta de toda la colección.

Aparte de expresar su propia visión, las fotografías de Isaiah revelaban una visión íntima de cada adolescente mientras miraba a la cámara, cada cual desde una habitación creada por él mismo. Los retratos mostraban la evolución de otra obra artística: la evolución de un ser humano singular. Cada adolescente había sido captado, en un determinado momento, mostrándose tal como era en su propio mundo, y aunque los padres se sintieron un tanto abochornados por el desastroso estado de las habitaciones plasmadas para la posteridad, las fotografías entusiasmaron a todos.

Descubrirse a sí mismos a través del arte

La expresión creativa ayuda a nuestros adolescentes a descubrir quiénes son y a conectar consigo mismos de una forma más profunda y amplia a como lo suelen hacer en la vida cotidiana. Les ofrece la oportunidad de experimentar sentimientos y momentos de inspiración universales. Es un medio que les permite identificarse con toda la humanidad, y explorar los arquetipos de nacimiento y muerte, amor y miedo, comunidad y soledad.

Si nos mostramos abiertos a nuestro proceso de autodescubrimiento por medio del arte, nuestros adolescentes se sentirán también más cómodos con este proceso. Podemos abordarlo a través de nuestro trabajo o nuestras aficiones, tanto si somos músicos profesionales o aficionados a hacer punto. Asimismo podemos participar en las artes como miembros del público, asistir a una gran variedad de representaciones artísticas, desde ópera hasta conciertos de música *country*. O realizar elecciones más creativas en nuestros hogares, contemplando por la televisión o escuchando por la radio programas de arte. La expresión creativa se manifiesta de distintos modos en la vida cotidiana, no consiste sólo en tomar unos pinceles o participar en el grupo de teatro del barrio.

El mejor modo de influir en nuestros adolescentes es con nuestro ejemplo. El placer auténtico y el amor que sintamos por toda clase de expresiones artísticas inspirarán a nuestros hijos a explorar ellos mismos esos caminos; cuanto más receptivos nos mostremos al arte, más receptivos se mostrarán ellos.

A través de nosotros, nuestros hijos aprenderán la manera de comportarse en los muesos, a sentirse a gusto en las salas de conciertos, se atreverán a tomar unos pinceles o a se arriesgarán a subir a un escenario. El arte enriquece nuestras vidas y arroja luz sobre lo que significa ser un ser humano en un proceso infinito de evolucionar, madurar y alcanzar la integridad. De esta forma, compartiremos quiénes somos con nuestros adolescentes, más allá del papel limitado de padre e hijo y más allá de las previsibles e inevitables escaramuzas con ellos. A través del arte, seremos personas y gozaremos juntos de la experiencia creativa.

Ni su padre ni Caesar, un chico de trece años, estaban de buen humor, sino a punto de estallar. Iban a visitar un museo de arte para completar un trabajo que el profesor le había puesto a Caesar y cuando llegaron al museo los dos estaban de un humor de perros.

—No recorramos apresuradamente todas las salas del mueso —propuso el padre—. Es preferible que busques una obra que te guste mucho y te sientes delante de ella para redactar el trabajo.

—De acuerdo —respondió Caesar.

Padre e hijo recorrieron juntos las salas del museo, sin apenas hablar hasta que Caesar se sentó en un banco frente a una escultura de grandes dimensiones.

—Me gusta ésta —dijo.

—Muy bien —contestó su padre.

Caesar empezó a escribir en su cuaderno. Al cabo de un rato su padre comenzó a aburrirse, así que le pidió a su hijo una hoja de papel para escribir unas palabras.

Cuando abandonaron el museo y se fueron a comer, Caesar le preguntó tímidamente a su padre:

—¿Qué has escrito?

—Unas simples reflexiones sobre la estatua —respondió su padre sonriendo.

—¿Ah, sí? —preguntó Caesar sacando su cuaderno—. ¿Qué te parece esto?

Se pusieron a leer lo que había escrito el otro en presencia de la escultura. Y se escucharon de igual a igual, un padre y un hijo adolescente describiendo una obra de arte clásica y tratando de expresar lo que significaba para cada uno.

De regreso a casa, Caesar comentó:

—Ha sido divertido.

—¿Qué es lo que te ha gustado más? —le preguntó su padre.

—La comida —respondió Caesar sin vacilar, sonriendo y mirando a su padre a los ojos.

Cultivar una voz singular

La expresión creativa no requiere necesariamente un talento especial. Es el arte de hallar nuestra voz o nuestra perspectiva singular. Requiere sintonizar con nuestro yo más profundo y sincero, conectar con ese centro esencial y compartir esa esencia con los demás.

Para conseguirlo, los adolescentes deben «marchar al son de su tambor» y arriesgarse a que los demás les consideren diferentes o raros. Para hallar su propia voz, todos los adolescentes deben ser capaces de expresar su visión singular. Seguir sus afanes artísticos puede ayudarles a descubrir quiénes son, separados y distintos de sus amigos.

Todos los alumnos de octavo curso tenían que estudiar arte, y al término del año debían presentar un trabajo. Posteriormente, los proyectos se utilizarían para decorar el auditorio del instituto, en el que se celebraría la graduación. En la clase de Anita había muchos chicos con talento, pero ella no estaba entre ellos. Como a Anita no se le daba bien ninguna de las disciplinas artísticas que estudiaban, le preguntó a su profesora si podía construir otra cosa y cubrirla con un *collage*. Sabía que por lo menos era capaz de clavar un clavo, recortar y pegar.

Con la ayuda de su profesora de arte, Anita construyó un arco de cartón ondulado. Luego lo cubrió con una increíble cantidad de recortes de revistas artísticamente pegados. El proyecto le llevó más tiempo y esfuerzo de lo que ella había imaginado, pero estaba tan entusiasmada con él que no le importó. Pasó muchas horas en el taller de arte, cortando y pegando, hasta que logró cubrir toda la estructura. Luego la recubrió con laca transparente para protegerla. Sin darse cuenta ni proponérselo, había creado una escultura. Tanto su profesora como ella misma estaban encantadas con el resultado.

Anita se sintió realizada a través de su proyecto artístico. Al principio no imaginó que tendría tanta envergadura. Se limitó a hacer lo que le parecía adecuado y a cambiar lo que le parecía que «no encajaba». Siguió su intuición, y a medida que creaba su escultura, ésta fue creciendo orgánicamente. A través de este proceso Anita aprendió a confiar en su yo interior y a sentirse también más segura en otros aspectos.

Cuando se celebró la graduación, la escultura de Anita presidió el auditorio. Todo el mundo quería caminar a través y alrededor del arco. Llamaba tan poderosamente la atención que sus padres se sintieron turbados y no supieron qué decir sobre él.

—¿Os gusta? —les preguntó Anita.

—Es muy interesante —respondió su madre de forma evasiva.

—¿Qué hay debajo? —preguntó su padre—. ¿De qué está hecho?

—¿Os gusta? —insistió Anita.

Por fin sus padres respondieron que les encantaba y que se sentían orgullosos de ella. Pero lo cierto era que se sentían perplejos. Jamás se les había ocurrido que Anita fuera capaz de construir y crear algo tan impresionante. Tenían la sensación de que no conocían a su hija, y estaban en lo cierto.

Nuestros hijos pueden cambiar tanto durante la adolescencia que llegan incluso a convertirse en extraños para nosotros. Ése es uno de los motivos por el que debemos permanecer estrechamente conectados con ellos día a día. Debemos saber cómo evolucionan, qué nuevos rumbos exploran, quiénes influyen en ellos y cuál es su pasión en cada momento.

En el caso de Anita, el cambio fue positivo. Con ayuda de su profesora de arte, su sentido de identidad como artista y como persona creció, y literalmente su visión de lo que podía crear en el mundo se amplió. Sus padres tienen ahora que esforzarse en conocer de nuevo a su hija. Tienen que acostumbrarse a verla como un individuo de pleno derecho, como una persona capaz de expresarse en el mundo de una forma totalmente singular y original.

Un asunto arriesgado

La expresión creativa es un proceso activo lleno de riesgos, un proceso en el que uno invierte buena parte de sí mismo, que a menudo conduce a un destino desconocido y a lo largo del cual uno revela sus pensamientos y sentimientos más íntimos, sin poder controlar la forma en que sus esfuerzos creativos serán acogidos. Es todo lo contrario de ser un «pasota», alguien que pretende que los demás le entretengan mientras él adopta una actitud pasiva. Asimismo, es cualitativamente distinto de participar en competiciones atléticas o académicas, porque en lo tocante a la actividad artística, no existen normas ni calificaciones. La expresión creativa es totalmente subjetiva y un proceso muy personal que uno comparte con los demás. Como tal, requiere una gran dosis de valor y confianza en las creencias que uno sustenta.

Poder expresarse uno mismo es un proceso satisfactorio en sí mismo. Produce un gran placer seguir la propia vocación y dar rienda suelta a la imaginación. El placer se halla en el acto de crear, de abrirse al flujo interior y expresarlo al mundo exterior. Con todo, durante este maravilloso proceso creativo nuestros adolescentes topan a veces con serios contratiempos: lo que están creando no tiene el aspecto, no suena ni «funciona» como habían previsto. O nadie les comprende ni a ellos ni lo que están haciendo y se sienten aislados, o bien otros chicos se ríen de ellos y les consideran raros.

¿Qué podemos decirles en esos momentos? ¿Cómo podemos dar a nuestros adolescentes ánimo para que sigan arriesgándose? Debemos expresarnos con toda claridad y tener presente que el valor reside en el proceso creativo, no en la aprobación de la gente.

Bruce, un chico de diecisiete años, leyó algunos de sus poemas durante una representación artística en su instituto. Sus poemas eran un tanto oscuros y crípticos, y no fueron bien acogidos por sus compañeros. Los chicos se sintieron en el mejor de los casos confundidos o aburridos con los poemas de Bruce.

—¿Cómo te fue? —le preguntó su padre.

—Mal —contestó Bruce.

—¿Qué ha pasado? —preguntó su padre, aunque la respuesta de su hijo no le sorprendió.

Bruce le explicó lo ocurrido tan sucintamente como pudo, tras lo cual trató de retirarse a su habitación. Pero antes de que se marchara, su padre le hizo otra pregunta clave.

—¿Te gustan tus poemas?

—Pues claro. ¿Y qué? —replicó Bruce.

—¿Los escribiste para ti o bien para el público del instituto? —le preguntó su padre.

Esa pregunta le hizo reflexionar. Comprendió que leer sus poemas en voz alta había sido algo secundario, y que lo mejor de la experiencia había sido escribirlos. La pregunta de su padre le ayudó asimismo a comprender que su propia opinión sobre su poesía era más importante que la opinión de los demás.

—Si quieres compartir tus poemas, sin duda encontrarás un público más receptivo que un grupo de adolescentes —prosiguió su padre—. Y lo más importante fue escribirlos porque te apeteció.

Bruce no dijo nada, pero escuchó a su padre. Él le transmitió su mensaje con firmeza y claridad, en pocas palabras.

El padre pudo haber hablado a su hijo sobre todos los poetas y compositores que han muerto en el anonimato y la indigencia y que ahora son famosos, pero no lo hizo. Pudo haber recomendado a Bruce que buscara el medio de publicar sus poemas, pero esto lo reservaba para más adelante. En esos momentos lo que quería era ayudar a Bruce a superar el bochorno y la decepción que sentía en aquel momento, y reforzar sus sentimientos positivos sobre su poesía. El padre puede ayudar a su hijo porque sabe cómo se siente, sabe lo que ocurrió cuando Bruce leyó sus poemas y lo que experimenta al escribirlos. No le sorprende la acogida que dispensaron a Bruce sus compañeros de instituto, y está dispuesto a darle unas palabras de ánimo en el momento preciso. Es la ventaja de saber día a día lo que ocurre en el mundo de nuestros adolescentes. Cuando permanecemos conectados con nuestros hijos podemos guiarles a través de sus experiencias con un mínimo intercambio de palabras.

Pero ¿es arte?

Es relativamente fácil para nosotros apreciar el arte por el arte cuando nuestros adolescentes se dedican a obras de escasa envergadura como dibujos o acuarelas. Pero cuando sus gigantescas esculturas metálicas invaden la casa o deciden emprender la carrera de estrella del *rock*, lo que incluye el estridente equipo electrónico, la ropa estrafalaria y los interminables ensayos, nos resulta más difícil soportar a nuestros hijos en sus disparatadas empresas.

Cuando escriben letras airadas o deprimentes, gritan las palabras y suben el volumen de los amplificadores hasta el extremo de volvernos locos o temer que nos expulsen del barrio, no nos parece una «expresión creativa». No obstante, este tipo de expresión puede ser la mejor forma de que nuestros adolescentes tengan la sensación de compartir quiénes son, quizá por primera vez en su vida. No importa si lo hacen bien o mal. Lo importante es que se sientan realizados, a través de la forma de expresión creativa que han elegido.

—Voy a casa de JJ para practicar —dijo Luke, un chico de quince años, a su madre—. Volveré tarde.

Su madre desearía que Luke no perdiera tanto tiempo con su grupo. La música que componen le parece espantosa y las letras tampoco le entusiasman. De lo único que se alegra es de que ya no ensayen en su garaje. Pero responde a su hijo con calma:

—De acuerdo, llámame cuando estés listo para regresar a casa.

Debemos dejar a un lado nuestras preferencias y opiniones en lo tocante a la expresión creativa de nuestros adolescentes. Debemos confesar que no siempre somos capaces de reconocer lo que ellos valoran y que nuestro criterio artístico no cuenta en este tema.

El grupo de Luke actúa en algunos bailes de su viejo instituto, donde pueden explayarse tocando a todo volumen una música marchosa que a los chicos les encanta. Su madre sigue pensando que son una calamidad, pero nunca expresa su opinión. Trata al grupo roquero de Luke con la misma seriedad que él.

Cuando nuestros hijos hallan la forma de expresarse, debemos procurar no reaccionar como si nos sintiéramos ofendidos personalmente. No se trata de nosotros. Exploran caminos para compartir con nosotros quiénes son y cómo ven las cosas. Debemos concederles permiso, apoyo y respeto por las vías que hallen de expresarse creativamente.

Estar a la altura de las estrellas

A algunos adolescentes que tienen hermanos extraordinariamente dotados les cuesta centrarse en su propia expresión creativa, sobre todo en el mismo ámbito artístico, y sentirse satisfechos de sí mismos sin compararse con ellos. Como padres, podemos reafirmar la singularidad de cada uno de nuestros hijos y alentar su expresión creativa como un valor en sí mismo, pero si existe una estrella evidente en la familia es imposible obviar esa realidad. No podemos fingir que no existe, ni minimizar el talento de nuestro hijo adolescente con el vano propósito de proteger al otro hermano de unos sentimientos de inferioridad o inseguridad.

La hermana de Audrey tenía una voz maravillosa. Cantaba todos los solos en el coro del instituto y siempre obtenía el papel principal en las funciones teatrales. Audrey, dos años más joven que su hermana, también tenía una voz muy bonita, pero no extraordinaria. Quería a su hermana mayor, pero estaba harta de que ella atrajera siempre la atención por lo bien que cantaba. Cuando Audrey empezó a ir al instituto, decidió no presentarse para formar parte del coro.

—¿Por qué no te presentas para cantar en el coro? —le preguntó su madre—. Seguro que te aceptarían.

—No me interesa —respondió ella categóricamente, zanjando el tema.

Su madre comprendió que Audrey necesitaba hallar algo que le perteneciera sólo a ella, algo en lo que no estuviera implicada su hermana mayor. Pero su madre no podía ayudarla. Era algo que debía resolver por sí misma.

Para un padre puede ser doloroso ver cómo su hija adolescente se esfuerza en hallar su propio estilo de expresión creativa, la forma de demostrar quién es en su mundo. Lo único que podemos hacer es apoyar a nuestros hijos mientras buscan su camino a través de este particular laberinto. La madre de Audrey la animó en todas las actividades que exploró y nunca la presionó para que fuera «la mejor», sino que le ofreció siempre su apoyo, recomendándole que se divirtiera y comprobara «si le gustaba».

Después de unos cuantos intentos fallidos (con el equipo de debate, el consejo estudiantil y las personas encargadas del anuario), Audrey se incorporó a la redacción del periódico. Empezó escribiendo artículos, pero no siempre conseguía que se los publicaran y cuando lo hacían estaban tan corregidos que apenas los reconocía como suyos. Pero a Audrey le encantaba trabajar en el periódico, y su madre se alegraba de que hubiera hallado su propia vía de expresión. Un día el redactor jefe se fijó en los garabatos que hacía Audrey en sus blocs de notas y le pidió que dibujara una viñeta cómica para el periódico. Fue la oportunidad que Audrey había estado esperando, sin saberlo. Las viñetas cómicas le ofrecieron el medio ideal para dar salida a sus creativos garabatos y su irónico sentido del humor. Le encantaba realizarlas, y sus compañeros acogieron su trabajo favorablemente. Lo más importante fue que Audrey halló su lugar y dejó de ser la hermana pequeña.

Su madre fue lo suficientemente inteligente para comprender que Audrey debía hallar sus propias oportunidades de expresarse, distintas de las de su hermana mayor. Tuvo la prudencia de no presionarla para que destacara en sus empeños, sino que dejó que explorara tranquilamente y se divirtiera con su experimentación. Animada por su madre, Audrey se sintió feliz en la redacción del periódico, incluso cuando no le publicaban los artículos que escribía. No le importaba, porque había hallado un lugar en el que ser ella misma y forjarse su propio ámbito, libre de la sombra de su hermana.

Desarrollar sus dotes de dibujar viñetas cómicas fue una ventaja adicional para Audrey. La clave fue que su madre comprendió su necesidad de hallar su propia vía de expresión y no la presionó en ningún sentido. A veces, cuando un adolescente destaca en un determinado ámbito, los padres dan por sentado que los otros hermanos también deben destacar en ese ámbito para sentirse satisfechos de sí mismos. Audrey no deseaba convertirse en una estrella de la canción. Tan sólo quería divertirse y compartir quién era con otros.

Poco antes de que Audrey se graduara su madre halló la forma ideal de celebrar la aportación de su hija al periódico del instituto con el mismo entusiasmo que había demostrado por las dotes vocales de su hija mayor. Recortó todas las viñetas cómicas de Audrey y las pegó en un álbum como regalo de graduación. Cuando Audrey abrió el paquete apenas dijo nada, pero no era preciso que lo hiciera, la expresión de orgullo y gratitud en su rostro era más que elocuente.

Seguir nuestra vocación

La expresión creativa puede asumir numerosas formas, y debemos evitar que nuestros prejuicios impongan límites a lo que hagan nuestros adolescentes. Es posible que tengan una visión de sí mismos que rebase nuestra imaginación. En ocasiones sus empeños creativos nos parecerán obsesivos o insólitos, y nos preocupará que nuestros hijos no sean más sensatos. Debemos tener presente que quizá pensemos así debido a nuestro limitado punto de vista. Debemos tener fe en nuestros hijos y ofrecerles nuestro apoyo y aliento. Asimismo, debemos tener en cuenta que lo más importante es el proceso, no el resultado. El hecho de que triunfen o no en lo que hagan es secundario a la experiencia de seguir su vocación creativa.

Austin, un chico de diecisiete años, dedicaba todo su tiempo libre a trabajar en su ordenador, experimentando con distintos tipos de programas. Para él, la creación de programas informáticos constituía un arte. Aunque Austin ponía pasión en lo que hacía, a sus padres les preocupaba que pasara tanto tiempo solo.

—¿Qué haces en el ordenador? —le preguntó un día su padre.

—Trabajar. Tú no lo entenderías —respondió Austin.

Su padre comprendió que tenía razón. Él entendía bastante de ordenadores, pero no era un experto.

—¿Trabajas con el departamento de informática del instituto? —insistió el padre.

—No —contestó Austin—. No hacen nada interesante. Sus conocimientos son limitados y no nos dejan experimentar.

Su padre desistió de su empeño. Comprendió que Austin había entrado en un universo que él desconocía, pero no desistió de ayudarle. Sabía que era un apasionado de los programas informáticos y que poseía unos conocimientos mucho más avanzados que los que impartían en su instituto. De modo que llamó a algunas universidades cercanas para informarse sobre cursillos de programación informática. A Austin le interesó uno de los cursillos y se inscribió en él, aunque no le reportó ningún beneficio. Al cabo de poco tiempo empezó a pasar buena parte de su tiempo libre en el centro informático de la universidad. Allí encajó en un grupo de jóvenes que enfocaban la programación informática como un reto creativo, al igual que Austin.

Su padre fomentó la vocación creativa de Austin aunque no la comprendía. Confiaba en el entusiasmo y la pasión de su hijo por el trabajo que realizaba y lo aceptaba como una expresión de su capacidad creativa. Hizo cuanto pudo por ayudarle a beneficiase de los recursos y las oportunidades que necesitaba para cultivar su afición al nivel avanzado de sus conocimientos. Éste es un excelente ejemplo de lo necesario que es que permanezcamos conectados con nuestros hijos e implicados con sus vidas, y que demuestra que nuestros adolescentes necesitan que les ayudemos a encontrar los recursos adecuados.

Fomentar el proceso creativo de nuestros adolescentes

Hay muchas formas de ayudar a nuestros adolescentes a seguir sus aficiones creativas, y la más importante es tomárnoslas en serio. Es la mejor forma de que ellos también se tomen en serio sus iniciativas artísticas. En ocasiones nuestros hijos se desaniman fácilmente cuando hacemos un comentario crítico o ignoramos sus esfuerzos y sus experimentaciones artísticas.

Debemos tener presente que en algunos casos no saben pedir la ayuda que necesitan o mostrar aprecio por el apoyo que les brindamos. Eso no significa que no quieran ni necesiten nuestra ayuda. Necesitan que les ayudemos a hallar el profesor o la clase adecuados, que les llevemos en coche a sus clases, que les prestemos el coche, que les compremos el material o el equipo, que asistamos a sus conciertos o funciones, que les animemos a practicar, que les concedamos un espacio en casa para instalar su taller o estudio y, ante todo, que seamos sus principales *fans* y les alentemos a persistir en su empeño cuando se sientan desanimados.

Por supuesto, no debemos malgastar el dinero en una afición nueva cada mes. Pero sí animarlos a explorar los caminos a los que les lleve su espíritu creativo. Taylor, un muchacho de quince años, toma clases de piano, batería, creación de programas informáticos y dibujo desde hace dos años, y en la actualidad está creando una película de animación. Esta última afición constituye la culminación de las anteriores. Taylor aplica todas las dotes artísticas que ha ido adquiriendo a la creación y la música de sus películas de animación. Pero ni sus padres ni él sabían adónde le llevarían esas lecciones mientras Taylor pasaba de una afición a otra, supuestamente independiente de la anterior.

Es imposible predecir si Taylor triunfará de adulto como creador de películas de animación, si su afición le llevará a alguna parte y si podrá continuar en ello. Como padres, debemos ignorar esas preguntas. Es imposible conocer las respuestas y saber si son las preguntas adecuadas. Será mejor que nos preguntemos: «¿Disfruta mi hija con sus lecciones? ¿Está aprendiendo mi hijo a descubrirse a sí mismo y a explorar su creatividad? ¿Se divierte? ¿Le gusta a mi hija lo que hace?»

—¿Cómo va tu proyecto? —le preguntó una tarde su madre a Taylor.

—No lo sé —respondió él—. Ahora mismo estoy montando las escenas.

—¿Quieres comer algo?

—¿Comer? ¿Qué hora es? —preguntó Taylor, alzando sorprendido la vista de su ordenador.

—Las tres y media de la tarde —contestó su madre riendo, pues comprendía que su hijo estaba tan absorto en su proyecto que se había olvidado de comer.

—Ya comeré más tarde —dijo Taylor.

Si nuestros adolescentes están tan absortos en su expresión creativa que pierden la noción del tiempo, si han convertido sus proyectos artísticos en una prioridad y prefieren dedicarles todo su tiempo y dejar de lado otras actividades propias de adolescentes, si parecen irremisiblemente atraídos a hacer lo que hacen, nosotros debemos invertir cuanto podamos razonablemente en sus empeños creativos. Si nuestros hijos están tan entregados a lo que hacen, no merecen menos.

Respetar su privacidad

Los adolescentes necesitan un espacio privado para explorar sus afanes creativos, tanto si se trata de leer o escribir poesía, escuchar o tocar música o simplemente entregarse a sus ensoñaciones. Debemos conceder a nuestros hijos tiempo y espacio suficiente y, lo que es más importante, respetar su privacidad. Esto significa, salvo que observemos indicios de un comportamiento inaceptable, que no debemos husmear entre sus papeles, cartas o diarios. En lo tocante a la libertad artística, debemos respetar el proceso creativo y la privacidad de nuestros adolescentes.

Con frecuencia los adolescentes llevan un diario que les ayuda a superar las etapas difíciles. Katy, una chica de catorce años, empezó a escribir uno durante su primer año de instituto. Copiaba en él citas de libros, poemas y sus canciones *pop* favoritas. También pegaba en él una variopinta colección de recuerdos: una pluma que había encontrado, un anuncio de una revista, entradas de cine y algunas fotos de estrellas cinematográficas. Pero sobre todo recogía en su diario los sentimientos que experimentaba al pasar de una pequeña escuela primaria en la que conocía a todo el mundo a un instituto más importante y anónimo.

—Mamá, ¿has tocado mi diario? —preguntó una noche con tono serio.

—Esta tarde pasé el aspirador por la alfombra de tu cuarto. Estaba tan sucia que retiré todo lo que había sobre ella —respondió su madre—. Mira debajo de la cama. Metí algunos objetos allí.

Su madre se alegró de haber resistido la tentación de echar una ojeada al diario de Katy. Así pudo responder a su hija de forma honesta y sincera. Su madre sabía que Katy se estaba esforzando en adaptarse al instituto y que su diario le ayudaba a conseguirlo, y no quería destruir esa válvula de desahogo.

El hecho de escribir sobre una etapa difícil siquiera durante veinte minutos al día ayuda a los adolescentes a reflexionar acerca de sus problemas con más claridad. Pero para que sea eficaz, nuestros hijos deben saber que pueden escribir en él lo que les preocupa convencidos de que nadie se enterará. Queremos que se sientan libres de expresarse en su mundo particular sin temer que nos entrometamos en él. Debemos respetar su privacidad y su libertad de autoexpresión. Son ellos quienes deben decidir cómo quieren compartir sus vivencias: con quién, cuándo y de qué forma.

Aunque duela...

A veces los profesores asignan a los adolescentes tareas creativas que implican revelar aspectos de su vida familiar. En estas situaciones debemos respetar la privacidad de nuestros adolescentes y concederles licencia creativa. Esas tareas quedan entre nuestros adolescentes y sus profesores. No debemos modificar ni censurar los trabajos escritos de nuestros adolescentes, aunque versen sobre nosotros.

Casey, una joven de trece años, informó a su madre de que tenía que redactar una autobiografía para la clase y que podía utilizar fotografías, dibujos o lo que quisiera para ilustrar su historia personal.

—Seguro que encontraremos algunas fotografías —dijo su madre—. Me encantaría leer tu autobiografía.

—Sí, claro —contestó Casey con sarcasmo.

—¿Qué insinúas con eso? —preguntó su madre, mordiendo el anzuelo.

—Como que voy a dejar que averigües lo que pienso de mi vida hasta la fecha —respondió Casey irritada.

Su madre se sintió dolida y enojada, pero no le sorprendió. De un tiempo a esta parte su hija no le contaba nada, y a ella no le hacía gracia ese mutismo. Al fin y al cabo, de no ser por ella Casey no tendría ninguna historia que relatar. Y no quería que revelara los aspectos desagradables de su divorcio, del nuevo matrimonio y de la actual separación. Era un asunto que no incumbía al profesor de Casey.

Su madre necesita reflexionar y dejar que su hija reivindique su autobiografía y su experiencia vital, al margen de la de su madre. La joven tiene derecho a relatar su propia historia y su madre debe respetarlo. Debemos tener presente que nuestro objetivo a largo plazo con respecto a nuestros adolescentes es que se hagan independientes. Esto significa que debemos ceder en algunos de los desacuerdos que se produzcan entre ellos y nosotros y permitir que tengan la oportunidad de reafirmar su propia identidad. En este conflicto a la madre de Casey le conviene ceder.

—De acuerdo —accede su madre—. Lo comprendo. Es tu autobiografía.

—Vale —afirma Casey, satisfecha de sí misma.

—Si quieres, buscaré fotos de cuando eras pequeña —propuso su madre.

—De acuerdo.

Éste es un excelente ejemplo de la etapa de desarrollo de una chica de trece años. Casey quiere separación y privacidad, pero al mismo tiempo desea que su madre la ayude a buscar fotografías. Es difícil hacerse más independiente mientras uno sigue necesitando ayuda y apoyo, pero ése es el dilema de los adolescentes y, por extensión, también de sus padres.

Debemos conceder a nuestros adolescentes tanta privacidad, independencia y respeto como podamos, con tanta amabilidad como nos sea posible, sin desatenderlos ni dejar que corran ningún riesgo, y al mismo tiempo permanecer conectados con ellos e implicados en sus vidas. Aunque al principio la madre de Casey se siente personalmente ofendida por los comentarios de su hija, enseguida recobra su perspectiva. Su madre alcanza el término medio ideal entre dejar que se emancipe y ayudar a su hija a buscar las fotografías.

Los proyectos creativos reveladores requieren una gran sensibilidad por parte de los padres. No debemos considerarlos tareas habituales, sino invitaciones por parte del profesor a que nuestros adolescentes compartan quiénes son, se expresen con libertad y, de paso, descubran qué clase de persona quisieran ser. Es un pacto privado entre nuestros hijos y su profesor, ajeno a nosotros, aunque en su historia puedan revelar datos sobre nuestra vida. Debemos recordar que lo que relatan nuestros hijos es su historia, no la nuestra.

Expresar una pérdida

Muchos jóvenes pierden a un abuelo o una abuela durante su adolescencia, y para muchos es la primera muerte que experimentan de cerca. En esa etapa de su vida, son lo bastante mayores para visitar a su abuelo o su abuela en el hospital, comprender lo que significa una enfermedad terminal y despedirse de él o de ella. Los adolescentes sienten su dolor con gran intensidad y son muy sensibles al duelo de la familia. No obstante, no siempre les resulta fácil hablar de estas experiencias nuevas. La expresión creativa puede ayudar a nuestros adolescentes a superar una pérdida tan importante en sus vidas.

—Quiero leer unas palabras en el funeral del abuelo —anunció Amy, una chica de catorce años, a su madre al día siguiente de morir su abuelo materno.

—Eso estaría muy bien, cariño —respondió la madre. Estaba demasiado trastornada con su dolor y con el trajín del funeral para prestarle atención. Supuso que su hija leería una cita o un pasaje de un libro y le pareció bien.

Durante el funeral, Amy sacó dos folios mecanografiados que ella misma había redactado. Su madre no tenía ni la más remota idea de lo que pensaba decir. Amy leyó unas palabras sobre el día en que su abuelo la llevó a pescar. Había llovido y sólo lograron capturar un pez, pero los dos disfrutaron con aquella excursión. La historia de Amy era conmovedora, divertida y muy apropiada. Más tarde, durante la reunión familiar, todo el mundo lo comentó, añadiendo en algunos casos sus recuerdos personales sobre los momentos que habían compartido con el padre de la madre de Amy.

En algunos casos nuestros adolescentes saben expresar sus sentimientos mejor que nosotros. Saben conectar con sus emociones y compartirlas con nosotros de forma original y refrescante. Su expresión creativa puede ser tan terapéutica para ellos como para nosotros.

Esa noche, después del funeral, su madre se sentó en el sofá junto a Amy. Las dos estaban rendidas.

—Lo que leíste fue maravilloso, Amy —dijo su madre.

—Ya lo sé —respondió ella sinceramente—. Fue para el abuelo.

Las dos guardaron silencio unos instantes.

—¿Te he contado alguna vez el día en que el abuelo me llevó a mí a pescar? —le preguntó su madre, y a continuación compartió con ella uno de sus recuerdos favoritos de su padre. Fue un momento maravilloso para las dos, y una forma de seguir sintiendo la presencia de un ser querido después de que hubiera muerto.

La creatividad es algo natural en los adolescentes

Nuestros adolescentes se expresan constantemente a través de sus extraños atuendos, de sus disparatados adornos corporales, de sus insólitos peinados, de la música que les gusta, de la forma en que organizan sus habitaciones, de los dibujos en los cuadernos de la escuela, de su poesía, de las notas que escriben a los amigos, de las películas que ven, de sus expresiones favoritas (algunas nada elegantes), de su forma de bailar e incluso de caminar. Podría decirse que los adolescentes no pueden evitar expresarse con creatividad; forma parte de ser adolescentes. Durante esta fase nuestros hijos se crean continuamente a sí mismos, experimentando con diversos modos de enfocar la vida, adoptando un aspecto a cual más novedoso y original; exploran toda la gama de sus vidas emocionales y asumen diversos roles, personalidades e identidades. Son probablemente los años más creativos, fluidos y experimentales de su vida.

No es que al cabo de esos diez años estén formados por completo, pero al término de la adolescencia cuentan con una identidad relativamente coherente. Saben lo suficiente sobre quiénes son para emprender de adultos jóvenes una determinada dirección en cuanto a las decisiones sobre su carrera y sus relaciones sentimentales.

No debemos coartar el proceso de nuestros hijos de crearse a sí mismos mostrándonos críticos, intolerantes o punitivos. Debemos verlos como obras de arte a medio formar, creaciones que comenzaron hace años, pero que ahora evolucionan a lo largo de sus propios y singulares caminos. Nuestro deber es guiarles e influir en ellos, sobre todo a través de nuestro apoyo y fomentando las cualidades y comportamientos que valoramos.

Si los adolescentes viven con una atención cariñosa, aprenden a amar

Aprender a amar es una de las preparaciones más importantes para la madurez. Queremos que nuestros adolescentes sean capaces de amar con generosidad y libertad. Saber dar amor y recibirlo de nuestro compañero o compañera en la vida, de los hijos, de la familia y de los amigos es lo que refuerza y alimenta las relaciones. Confiamos en que las relaciones importantes de nuestros adolescentes sean satisfactorias y que a medida que maduren se sientan aceptados, valorados y apreciados por sus seres queridos. En última instancia, nuestras relaciones íntimas son las más importantes para nosotros y las que nos proporcionan mayor satisfacción y felicidad en la vida.

Para amar con generosidad como adultos, nuestros hijos necesitan cariño y atención. Todos los días. Esto significa que debemos esforzarnos en conectar con ellos cada día para estar informados de lo que ocurre en sus vidas y ofrecerles nuestro apoyo o nuestros consejos. No acudirán a nosotros continuamente ni compartirán con nosotros sus vivencias cada día. Lo importante es que estemos siempre disponibles para ellos. Así aprenderán a confiar en que estemos siempre dispuestos a ayudarles, a saber que pueden contar con nosotros. Nuestro cariño y nuestra atención es lo que les procura la seguridad de ser queridos. Queremos que nuestros adolescentes crezcan sintiéndose tan queridos que posean abundante amor para compartirlo con las personas que estiman.

Nuestros adolescentes aprenden a amar por la forma en que nosotros expresamos nuestro amor en la familia. El hecho de compartir nuestro amor cada día es infinitamente más importante que decir «te quiero» e incluso experimentar sentimientos de cariño. Es demostrar nuestro cariño. Esto incluye la forma en que los padres se tratan el uno al otro. Ellos observan cómo tratamos a nuestro cónyuge y a las personas que queremos, lo asimilan y lo convierten en un patrón de conducta para sus relaciones íntimas. Éste es un dato muy importante: el modelo de nuestro matrimonio permanece grabado en nuestros hijos durante toda su vida.

Observan también cómo tratamos a cada hijo en la familia, así como a nuestros parientes, amigos y vecinos. Nuestra capacidad para demostrar cariño en estas relaciones es el ejemplo al que se acostumbran y asimilan como patrón de conducta familiar.

Por supuesto, a nuestros hijos les preocupa ante todo la forma en que les tratamos a ellos. ¿Les tratamos con ecuanimidad y respeto? ¿Les aceptamos como son? ¿Les ofrecemos nuestra atención y nuestro apoyo? ¿Mostramos interés por lo que es importante para ellos? Mostrar interés por lo que es importante para nuestros adolescentes es la clave para poder conectar con ellos día a día. Respetar lo que valoran abre la puerta de la comunicación y propicia la voluntad de compartir.

Nuestros hijos son sensibles a nuestra falta de atención cuando les escuchamos. No podemos fingir que les escuchamos mientras pensamos en lo que vamos a decirles a continuación. Debemos prestarles nuestra cariñosa atención tanto si describen la película de terror de moda entre los adolescentes, como si se quejan de un profesor que les aburre o nos piden que escuchemos su CD favorito. Debemos sentarnos en el sofá con ellos y contemplar sus programas de televisión y vídeos favoritos (sin duda varias veces) para saber de qué están hablando nuestros hijos cuando se refieren a sí mismos.

Es posible que la moda actual en materia de vestimenta, de películas o de música no nos importe mucho, pero si eso es lo que más les interesa a ellos en este momento, debemos prestar atención a esas modas. No es necesario que nos guste todo lo que les gusta a ellos, pero ignorando, burlándonos o denigrando lo que de verdad les importa no les demostramos nuestro cariño.

Prestarles ese tipo de atención aunque no tengamos ganas es un ejemplo de cómo demostrarles cariño. En las relaciones familiares a largo plazo, el cariño no sólo es un sentimiento, también es un compromiso. Cuando nuestros adolescentes ven que nos levantamos a altas horas de la noche para hablar con ellos de algo que les preocupa, comprenden que una conducta cariñosa es una decisión.

Mallory, una joven de catorce años, tenía que buscar un vestido blanco para la graduación de la escuela secundaria. Había mirado en todas las tiendas del centro comercial de donde ella vivía y no había encontrado lo que buscaba, de modo que le pidió a su madre que la llevara de compras a un centro comercial más grande, situado a unos cuarenta y cinco minutos en coche. Su madre tenía muchas cosas que hacer y no quería pasarse toda una tarde buscando el vestido blanco ideal.

—¿Por qué no te compras el vestido que te probaste ayer y que me dijiste que te gustó? —preguntó su madre.

—Me gustó, sí —reconoció Mallory—, pero no es el vestido adecuado para la graduación.

—Sólo te pondrás ese vestido en una ocasión y durante unas horas —insistió su madre.

—No se trata de eso —replicó Mallory secamente.

La madre no comprendía por qué su hija daba tanta importancia a un simple vestido blanco. Al fin y al cabo, se tra-

taba tan sólo de la graduación de la escuela secundaria, ni siquiera del instituto.

Su madre lleva algo de razón en lo del vestido, pero desa-
provecha la oportunidad de mostrar interés por lo que es importante para su hija. Como padres, podemos ser correctos
según nuestra lógica, pero no hacer lo más conveniente para
nuestra relación con nuestro hijo adolescente. La madre de
Mallory debe comprender que la graduación de la escuela
secundaria es la más importante que su hija ha vivido jamás,
y que para Mallory es muy importante presentar un buen aspecto en esa ocasión. Una de las formas en que su madre
puede expresar su cariño por Mallory es tomándose en serio
sus preocupaciones.

Al cabo de unas horas, después de que su madre reflexio-
nara sobre la situación, fue a hablar con Mallory, que estaba
leyendo en su habitación.

—Lo siento —dijo su madre—. La verdad es que estoy agobiada por la cantidad de cosas que tengo que hacer. Sé que la
graduación es importante para ti.

Mallory se levantó y abrazó a su madre.

—Gracias.

Lo que le pedía Mallory a su madre era algo más que el
mero hecho de llevarla en coche al otro centro comercial. Quería que su madre le prestara atención y mostrara interés por
los preparativos para la graduación. Cuando su madre tomó la
decisión de que Mallory era más importante para ella que
la lista de cosas que debía hacer, dejó de sentirse presionada y
centró su atención en su hija. Las dos pasaron una tarde estupenda y consiguieron un vestido blanco «casi perfecto».

No es una calle de una sola dirección

En una familia presidida por el cariño, éste fluye en todos
los sentidos: entre marido y mujer, entre padres e hijos y entre hermanos. Los adolescentes no están excluidos de ese

flujo. A veces hay que enseñar a los adolescentes a abandonar su tendencia al ensimismamiento y comportarse de forma altruista y cariñosa con los demás.

La madre de Nathan, un chico de dieciséis años, le pidió que asistiera al partido de fútbol en el que participaba su hermano pequeño. Ella no podía ir, pero quería que asistiera un miembro de la familia para animar al niño.

—¡Jopé, mamá! Kelly y yo pensábamos ir a dar una vuelta después de clase. No nos apetece asistir a un partido en la escuela primaria.

—Comprendo que ni a ti ni a tu chica os apetezca, pero es lo que solemos hacer en esta familia. Yo asistí a todos tus partidos.

—Ya lo sé, pero...

—Tu hermano necesita que alguien le anime desde las gradas.

Así que Nathan y su chica fueron a ver a los niños de primaria correteando tras el balón. A Kelly le divirtió, pero Nathan estuvo de malhumor hasta que se implicó en el juego. Era un partido muy reñido y su hermano se disponía a chutar a gol. Nathan le animó, pero el chico no logró marcar. Nathan siguió gritando desde las gradas para animarle. De pronto su hermano alzó la vista desde el campo para mirarle y Nathan comprendió el motivo por el que estaba allí. ¡Jamás imaginó que el hecho de asistir al partido de fútbol de su hermanito pudiera proporcionarle tanta satisfacción! Por si fuera poco, a Kelly le impresionó que Nathan se comportara «de una forma tan genial» con su hermano menor.

Nathan aprendió unas lecciones importantes durante ese partido de fútbol. En primer lugar, tuvo que reconocer que su madre tenía razón. Ella había asistido a todos los partidos de fútbol en los que había participado él, lo cual sin duda le había supuesto algún que otro sacrificio. En esa época, Nathan daba por descontada la asistencia de su madre. Jamás se le había ocurrido que a ella no le gustara el fútbol.

Ahora le tocó a Nathan demostrar su cariño por su hermano pequeño, lo cual le proporcionó una gran satisfacción. Se sintió orgulloso de haber ofrecido a su hermanito la misma cariñosa atención que su madre le había ofrecido a él. El hecho de impresionar a Kelly fue otro motivo de satisfacción inesperado. Había razones suficientes para que Nathan asistiera al partido y animara a su hermano con su presencia y sus gritos de ánimo.

La forma en que los padres se tratan mutuamente

Tanto si estamos casados, salimos con alguien especial o mantenemos una relación significativa, nuestros adolescentes prestan atención a la forma en que tratamos a las personas que queremos íntimamente y la forma en que ellas nos tratan a nosotros. A través de nuestras relaciones ofrecemos a nuestros hijos un modelo de lo que significa querer y preocuparnos por alguien. Por más que digamos a nuestros hijos «no cometas los mismos errores que yo», el auténtico mensaje se lo transmitimos a través de nuestra conducta, no de nuestras palabras.

Ellos aprenden por medio de nuestro ejemplo a tratar a las personas que quieren. Quizá deseen seguir nuestros pasos o decidan deliberadamente no imitar nuestra conducta. En cualquier caso, tienen que asimilar la impronta de nuestro modelo de un modo u otro.

Uno de los legados más importantes que dejamos a nuestros hijos adolescentes es la experiencia de crecer en el seno de una familia cuyos miembros se quieren y preocupan los unos de los otros. Con este ejemplo, encontrarán de forma natural amigos y compañeros sentimentales que sepan amar con generosidad.

A la madre de Carly, una chica de trece años, le habían diagnosticado un cáncer de mama, la habían operado y después había tenido que someterse a un tratamiento de quimioterapia de seis meses de duración. La mujer se sentía casi siempre débil y con náuseas y el padre de Carly se dedicó a cuidar de ella. Le preparaba una sopa especial para que comiera, pues no tenía apetito y había perdido mucho peso. Cuando se le empezó a caer el pelo, su marido la sorprendía comprándole un sombrero nuevo cada mes. Le hacía compañía jugando a las cartas con ella, mirando juntos la televisión o leyéndole en voz alta.

A menudo, cuando Carly entraba en el dormitorio de sus padres, los encontraba sentados, cogidos de la mano o charlando tranquilamente. A veces se quedaba con ellos y se tumbaba en la cama junto a su madre. A Carly le encantaba pasar esos ratos con sus padres, aunque estaba muy preocupada por su madre.

Cuando los médicos le comunicaron a su madre que no quedaba ni rastro del cáncer y que se había recuperado de la quimioterapia, habló con su hija sobre su experiencia.

—¿Sabes lo más importante para mí durante esos momentos tan duros? —le preguntó a Carly.

—¿Qué? —dijo ella, contenta porque todo había pasado.

—Sentirme querida y tan bien atendida —respondió su madre—. Por tu padre y por ti.

Carly se arrebujó contra su madre, aliviada y feliz de que lo peor hubiera pasado.

—Espero que algún día encuentres a alguien que cuide de ti con el cariño con que tu padre cuidó de mí durante esos momentos —añadió.

—Yo también —respondió Carly sinceramente.

Es indudable que Carly recordará siempre el año en que su madre estuvo enferma, pero al mismo tiempo guardará recuerdos maravillosos y entrañables de la forma en que su padre cuidó a su madre con todo el cariño durante esa época. Probablemente Carly crecerá con la esperanza de conocer algún día a alguien que la trate con tanto cariño como su padre trató a su madre.

Aunque no gocemos de una relación tan cariñosa y solícita en nuestras vidas, ello no impide que hablemos con nuestros adolescentes de lo que significa una relación satisfactoria. Podemos señalarles otros ejemplos entre nuestros parientes, amigos o padres de sus amigos.

Confiamos en que nuestros adolescentes elijan de adultos unos amigos y unos cónyuges que les traten con cariño y atención. Queremos que nuestros hijos gocen de adultos de matrimonios satisfactorios en los que ambos cónyuges se demuestren su mutuo cariño y atención.

Resolver diferencias

Los desacuerdos son inevitables en toda relación. Con suerte los adultos aprendemos a resolver los desencuentros en nuestros matrimonios y relaciones importantes sin que el afecto salga perjudicado. Del mismo modo que nuestros adolescentes aprenden de nosotros a tratar a las personas que quieren, también aprenderán de nosotros a resolver los desacuerdos en las relaciones íntimas. Es un arte imprescindible para salvaguardar las relaciones duraderas. Nuestros hijos saben inmediatamente cuándo se produce tensión en casa, por más que tratemos de poner al mal tiempo buena cara. Reconocen con facilidad cómo hacemos frente a un conflicto, ignorándolo, discutiendo, comentándolo, peleando, contemporizando, esforzándonos en resolver el problema.

Los padres de Maritza, una joven de catorce años, se peleaban a menudo y con entusiasmo. Cuando estallaba un conflicto los dos se decían lo que pensaban, alto y claro y sin importarles quién estuviera presente. Pero al cabo de unos minutos se calmaban y seguían charlando y riendo como si tal cosa. Maritza estaba acostumbrada a estas escenas y simplemente esperaba a que pasara la tormenta. Pero a su amiga Lourdes le disgustaba presenciar esas peleas.

—¿Tus padres siempre se pelean así? —le preguntó Lourdes a Maritza una tarde.

—Sí —respondió ella sin inmutarse—. La noche del primer día del curso tuvieron una pelea imponente delante del profesor. Fue muy divertido.

Lourdes se quedó horrorizada.

—¿Crees que se divorciarán? —preguntó.

—No, ¿por qué?

Para Lourdes, las peleas significaban que existía un grave problema en el matrimonio. Pero Maritza sabía que sus padres eran así. Incluso sospechaba que disfrutaban peleándose. No obstante, más tarde se lo preguntó a su madre.

—¿Divorciarnos? —respondió su madre echándose a reír—. ¡Pues claro que no! Quiero a tu padre. ¿Por qué me lo preguntas?

Maritza le contó las preguntas que le había hecho Lourdes.

—Ahora lo entiendo —dijo su madre—. Lourdes se acostumbrará a nosotros si viene por aquí con frecuencia. Quizás incluso aprenda algunas cosas.

—Esto es más divertido —dijo Maritza—. La casa de Lourdes es demasiado tranquila.

No existe una manera de resolver los conflictos mejor que otra. Lo importante es que ambas partes utilicen el mismo sistema y que éste funcione para la pareja. Nuestros adolescentes necesitan ver grandes dosis de comprensión mutua, reciprocidad y flexibilidad en nuestras relaciones. Un buen sentido del humor también ayuda. Necesitan ver que buscamos la forma de resolver los conflictos en lugar de dejarlos sin resolver. No queremos que nuestros hijos vivan en una casa llena de conflictos sin resolver y de rencor. Vivir con esa frustración y tensión resulta tan difícil para los padres como para los hijos. La forma en que resolvemos los conflictos afecta a nuestros adolescentes aunque creamos que no nos oyen o que sólo discutimos cuando no están presentes. Ellos captan de inmediato el ambiente y si es tenso, buscan el medio de evitar regresar a casa.

Perdonar y olvidar

Como adultos, sabemos que por más que dos personas se quieran, es inevitable que de vez en cuando se sientan heridas u ofendidas. Sabemos lo importante que es perdonar y olvidar en nuestras relaciones. Nuestros adolescentes necesitan ver que nosotros, como padres y principales maestros, somos capaces de pedir disculpas y perdonarnos mutuamente, restaurar la armonía y seguir adelante. Albergar sentimientos de rencor en la familia equivale a transmitir una lección triste y dolorosa a la generación siguiente.

El padre de Teri, una chica de quince años, llegaba cada noche a casa de la oficina de peor humor que la anterior. Las cosas no le iban bien en el trabajo y tenía que despedir a algunos empleados. En casa se irritaba con todo el mundo y en cuanto podía se retiraba a su estudio para trabajar con su ordenador. La madre se mostró comprensiva con respecto al estrés de su marido hasta la víspera de su cumpleaños, que él olvidó por completo.

Teri sospechó que su padre se había metido en un serio problema. Oyó que su madre le decía que el hecho de estar muy atareado y estresado no venía al caso, que era imperdonable que se hubiera olvidado de su cumpleaños.

La noche siguiente su padre llegó a casa con flores y un regalo. Su madre se puso muy contenta, pero su padre se encerró en su estudio.

—¿Cómo puedes soportarlo, mamá? —preguntó Teri exasperada—. ¡Por qué se casará la gente!

La madre comprendió que su hija le había hecho una pregunta que se refería a algo más que a la situación presente.

—Tu padre está pasando por un momento difícil. La situación mejorará y ha demostrado que lamentaba mucho olvidar mi cumpleaños —explicó la madre—. No creo que vuelva a ocurrir.

Teri escuchó a su madre pero no comprendió sus argumentos ni estaba de acuerdo con ella. Al cabo de unas semanas, la situación mejoró en la oficina de su padre y él regresó a casa de mejor humor. La madre de Teri le recordó entonces a su hija la conversación que las dos habían mantenido.

—¿Lo ves? A eso me refería cuando te dije que lo del estrés era temporal. El matrimonio tiene sus altibajos, pero merece la pena.

La madre de Teri comprendió que el padre estaba atravesando un momento difícil en la oficina y le hizo saber que quería que recordara su cumpleaños. Son dos mensajes distintos que la madre supo transmitir en su comunicación con el padre. No renunció a sus necesidades, olvidadas por el problema laboral que experimentaba el padre, pero se mostró comprensiva con su situación. La madre representa un excelente modelo para Teri, demostrando al mismo tiempo firmeza y comprensión.

Cuando el padre olvidó el cumpleaños de la madre, enseguida se percató de su fallo y lo subsanó con un regalo al cabo de unos días. Su sensibilidad hizo que a la madre le resultara más fácil perdonarle y olvidar la ofensa. El amor incluye capear juntos los temporales y perdonarse mutuamente. Los adolescentes necesitan ver esto para aprender a dejar a un lado sus sentimientos de dolor y rabia en sus relaciones sentimentales adultas.

Cambiar las necesidades

El amor debe formar una parte vital de la vida cotidiana, expresado a través de pequeños actos de consideración y cariño. La madre deja una nota de ánimo dentro del libro de matemáticas de su hijo. El padre se acuerda de preguntar a su hija cómo le fue el entrenamiento de hockey. La madre se detiene de regreso a casa para comprar unos lápices de colores que su hija necesita para un proyecto de la escuela. El padre incluye unas viñetas cómicas en los correos electrónicos que envía a diario a su hijo. Existe multitud de formas de conectar con nuestros adolescentes cada día si nos esforzamos en ello. Algunas de las formas en que expresamos nuestro amor son universales, como decir a nuestros hijos que les queremos. Pero también debemos prestar atención a los detalles de las vidas de nuestros adolescentes para expresarles nuestro cariño de la forma más apropiada para ellos, especialmente mientras evolucionan y maduran en la adolescencia.

Las formas en que expresamos nuestro cariño por nuestros hijos deben ser flexibles y responder a su rápido crecimiento, a sus estados de ánimo y a sus cambios. Podemos dedicar un buen rato a buscar el regalo perfecto para nuestro hijo de trece años, y comprar un cheque regalo para un adolescente de más edad. La solícita atención que dedicamos a un adolescente joven puede agobiarle al cabo de doce meses. Cambian emocionalmente con tanta rapidez y de manera tan espectacular como su talla de zapatos cuando son niños de corta edad.

A Roger, un chico de trece años, le gustaba que sus padres le acompañaran al instituto todas las mañanas. Eso fue en mayo. Al cabo de unos meses, en septiembre, Roger cambió radicalmente de actitud.

—Déjame aquí, papá —dijo Roger una mañana a pocas manzanas de su instituto—. Luego puedes tomar directamente la autovía.

Su padre aminoró la marcha.

—No me importa dejarte delante del instituto.

—Por favor —contestó Roger, aterrorizado.

—Ya. —Su padre captó el problema y se detuvo junto al bordillo—. ¿Te avergüenzas de tu padre? —preguntó en broma.

—No es eso, papá —balbució Roger.

—De acuerdo, Roger. Que te diviertas.

—Gracias —respondió Roger colgándose la mochila del hombro y adentrándose en su mundo.

Nuestros adolescentes experimentan con su independencia y desean sentirse «emancipados» siquiera durante unas manzanas. Roger quiere dar la impresión de que llega solo al instituto, aunque en realidad sigue necesitando a su padre y esos diez minutos a solas con él cada mañana. Ser flexibles en la forma cómo expresamos nuestro cariño por nuestros adolescentes significa aceptar y mostrarnos receptivos al hecho de que se hacen mayores y cada vez necesitan más independencia. Esto significa que no debemos tomarnos como algo personal que a nuestro hijo adolescente le horrorice que le vean en público con nosotros o retroceda cuando le damos un abrazo de despedida, y que comprendemos que nuestros adolescentes siguen necesitándonos aunque no en público. Existe un delicado equilibrio entre conceder progresivamente mayor libertad a nuestros adolescentes a medida que maduran y concederles la misma cariñosa y solícita atención que les dábamos cuando eran más pequeños. A veces debemos tener presente ambos aspectos: «Mi hija tiene quince años. Puedo dejar que vuelva un poco más tarde», y «aunque sea diez centímetros más alta que yo, todavía necesita que la apoye y la tranquilice».

La pasión no es lo mismo que el amor

La pasión no es lo mismo que el amor, pese a la descripción que hacen en Hollywood del romanticismo, el deseo y el amor. Si creyéramos todo lo que vemos en la gran pantalla, pensaríamos que el amor es aventura, riesgo y ambientes lujosos. Deberíamos imaginar lo que ocurre cinco años después del supuesto final feliz. Pero los adolescentes no tienen esa perspectiva a largo plazo, y para ellos la euforia y la pasión del momento puede confundirse fácilmente con amor.

Es una distinción particularmente complicada para los adolescentes cuando actúan movidos por sus hormonas, no han aprendido a controlar sus impulsos y se dejan seducir por sus conceptos románticos. Queremos que nuestros hijos aprendan a diferenciar entre la pasión y el amor para que puedan tomar decisiones sensatas en sus relaciones sentimentales. Dentro de unos pocos años nuestros adolescentes serán adultos jóvenes y muchos de ellos empezarán a tomar importantes decisiones sobre la persona que elijan para compartir con ella su vida. Queremos que conozcan la diferencia entre la química y el amor duradero.

La madre de Denis le vigilaba de cerca. Sabía que su hijo, de dieciséis años, salía con Bethany, una de las chicas más populares y experimentadas del instituto, y no quería que saliera malparado. Pero no podía hacer nada para impedir ni frenar esa relación. La mutua atracción que sentían los jóvenes era más poderosa que lo que pudiera decir la madre de Denis.

Cuando él y su chica rompieron al cabo de un mes, Denis se mostró inconsolable. El aspecto positivo fue que pasaba más rato en casa que antes e incluso acompañaba a veces a su madre a hacer recados. Mientras iban en el coche, ella trató de entablar conversación.

—Me alegro de que últimamente pases más tiempo conmigo —comentó su madre.

—Ya —respondió Denis sin mucho entusiasmo.

—Sé que ya no sales con Bethany —prosiguió su madre.

—Así es —suspiró Denis.

—No ha sido una relación muy larga —observó su madre.

—A ella no le gustan las relaciones largas —dijo Denis—, sino la ilusión de los primeros momentos.

—Ya —contestó ella, pues comprendía que su hijo había hecho una observación valiosa, aunque dolorosa.

Su madre se abstuvo de criticar a Bethany, aunque se sintió tentada a hacerlo, y procuró hacer comentarios breves y objetivos. No quería caer en suposiciones ni interpretaciones a fin de dar a su hijo la oportunidad de compartir con ella lo que deseara contarle. Por lo demás, no presionó a Denis para que le revelara más detalles, sino que escuchó con atención lo que él tenía que decirle.

Tras una larga pausa, su madre dijo:

—Lo siento.

—Gracias —respondió Denis—. La próxima vez iré más despacio.

—Es una buena idea —dijo su madre—. Así podrás averiguar si la chica desea las mismas cosas que tú de una relación.

—Sí.

Denis, al igual que muchos adolescentes, no dice mucho, pero esta breve conversación es muy importante. Su madre consigue exponer lo que piensa a partir de un comentario que hace su hijo («es una buena idea»). Por medio de este enfoque logra que su hijo le preste atención.

Aparte de aprender sobre el amor a través del ejemplo que les ofrecemos, es indudable que nuestros adolescentes aprenden sobre el amor como lo hacemos todos: gracias a la experiencia. Lo cual conlleva como mínimo un desengaño. Por difícil que sea, experimentar un desengaño amoroso durante la adolescencia mientras nuestros hijos siguen todavía bajo el paraguas protector de sus familias puede resultar una experiencia valiosa. En todo caso, aprenden que las heridas del corazón pueden sanar y que la vida continúa. Si su hijo adolescente se ha llevado un desengaño amoroso, conviene que usted se tome en serio sus sentimientos aunque crea que fue un enamoramiento de adolescente y la relación durara sólo tres meses.

Los adolescentes son vulnerables a la pasión y el romanticismo. El deseo de hallar un amor verdadero en el que perderse y encontrarse es irresistible, pero el amor necesita tiempo para crecer y hacerse profundo y ellos necesitan tiempo para madurar lo suficiente como para reconocer esto en sí mismos y en otras personas. A partir de cada experiencia aprenden más sobre las cualidades que deben buscar en un compañero o compañera. Debemos ofrecerles cariño y atención durante este proceso, junto con palabras de consejo justas y atinadas.

El amor juvenil

Aunque la mayoría de relaciones adolescentes duran unas pocas semanas, unos meses o a veces unos años, algunos adolescentes se enamoran y permanecen juntos toda la vida. La lección, por tanto, es que jamás debemos subestimar el poder del amor, por más que nuestros hijos nos parezcan jóvenes e inexpertos. Es cierto que la mayoría son efímeras, pero algunas relaciones adolescentes se prolongan a lo largo de toda la vida y nos sobreviven. Estos jóvenes consiguen madurar al mismo tiempo como individuos y como pareja, superando largas distancias, tentaciones inevitables y transformaciones personales. Como adultos probablemente todos conocemos alguna pareja semejante de nuestros años adolescentes.

Dierdre y Todd habían sido amigos desde la escuela primaria y cuando cumplieron dieciséis años se enamoraron. Los padres de Dierdre siempre habían sentido simpatía por Todd, pero a partir de entonces adoptaron un punto de vista distinto. A medida que la relación se hacía más seria y formal, el padre de Dierdre empezó a interrogar a su hija.

—¿Qué ocurrirá cuando los dos empecéis a estudiar en la universidad? —le preguntó de sopetón un domingo por la tarde.

Dierdre miró a su padre sorprendida.

—No lo sé. Faltan aún dos años. Eso no me preocupa ahora.

—Ya, pero tienes que pensar en esas cosas —insistió él.

—No —se apresuró a responder Dierdre—. Además, Todd y yo ya lo resolveremos cuando llegue el momento.

Silenciado por la respuesta de su hija, el padre de Dierdre cejó en su intento, pero no estaba satisfecho. Le preocupaba su hija; no quería que resultara herida ni que se comprometiera tan joven. No comprendía cómo unos críos tan jóvenes podían saber lo que deseaban en el futuro. ¡Si apenas sabían aparcar en paralelo!

Si su padre hubiera comentado de pasada «Todd me cae bien y a veces me preocupa un poco vuestra relación», seguramente hubiera logrado entablar una conversación más satisfactoria.

—¿A qué te refieres? —hubiera respondido Dierdre, sorprendida y picada por la curiosidad.

—No me gustaría que os llevarais un desengaño —podía haber contestado su padre, haciendo una pausa para que Dierdre llenara la laguna.

—Ya hemos hablado de eso —quizás hubiera asegurado Dierdre a su padre—. No debes preocuparte.

Aunque parezca una conversación ambigua e intrascendente, lo cierto es que con ella se conseguiría un par de cosas. En primer lugar, conectar a Dierdre con su padre en lugar de alejarlos, como había ocurrido con la conversación anterior. En segundo lugar, hubiera permitido al padre expresar su afecto por el novio de Dierdre y su apoyo a la relación, manifestando al mismo tiempo su preocupación. Esta breve charla puede sentar la pauta para que el padre comente más adelante «confío en que tú y Todd reflexionéis sobre los aspectos más importantes de las universidades que elijáis respectivamente, aparte del hecho de que estén lejos o cerca para veros con frecuencia». Con ese comentario el padre de Dierdre habría demostrado interés tanto por su hija como por Todd, que se tomaba en serio la relación y que los dos le preocupaban.

Debemos andarnos con cautela en lo referente a las relaciones adolescentes. A menos que creamos que existe algún problema con la relación, conviene que aceptemos la posibilidad de que sea seria. Es posible que el padre de Dierdre tenga que pasar las Navidades con Todd durante los próximos cuarenta años. Lo más sensato es respetar las relaciones de nuestros adolescentes y tomarnos en serio su capacidad de amar y madurar juntos en el amor que se profesan. El cariño y el interés que sentimos por nuestros hijos puede extenderse de forma natural a los compañeros o compañeras que elijan. Así es cómo se amplían las familias.

Sexo y amor

Las relaciones sentimentales incluyen, por supuesto, la intimidad sexual. Por más que nos disguste pensar que nuestros adolescentes practican el sexo, debemos empezar a prepararnos. Tengamos en cuenta que empiezan a aprender lo que significa una relación sentimental, que la expresión física del afecto, desde tomarse de la mano hasta practicar el coito, forma parte de una relación y, con suerte, que no es un fin en sí mismo. Debemos exponer con claridad a nuestros adolescentes nuestros valores: el sexo forma parte de una relación basada en el cariño y no conviene tomárselo a la ligera.

Si queremos que nuestros hijos sepan lo que esperamos de ellos en lo referente a cómo afrontan su incipiente sexualidad, debemos hablar con ellos honesta y sinceramente. Por ejemplo, no basta con decir «quiero que conserves tu virginidad hasta que dejes el instituto». Muchos adolescentes, varones y mujeres, acceden a ello y cumplen su promesa al tiempo que practican sexo oral.

Por otra parte, a medida que nuestros hijos maduran, sus circunstancias cambian. La forma en que hablamos con ellos sobre el amor y el sexo debe corresponderse con su fase de desarrollo y ser pertinente y resultar práctica según su experiencia en aquel momento. Podemos decirle a nuestra hija de trece años «no quiero que te quedes a solas con ningún chico en la fiesta». Pero a una hija de dieciséis años que hace seis que sale con un chico debemos decirle una frase distinta, acorde con nuestros valores familiares. Algunos padres dirían «sé que es tentador, pero eres aún muy joven para mantener relaciones sexuales», o «no sé lo que piensas hacer, pero debemos hablar de las enfermedades de transmisión sexual y métodos anticonceptivos».

La madre de Judy le transmitió un mensaje muy concreto aplicable a toda su adolescencia: «No hagas nada que no estés preparada para hacer y de lo que puedas arrepentirte al día siguiente». Judy siguió este consejo cuando tenía trece años, mientras sus compañeros y compañeras se emparejaban y mantenían relaciones sexuales pese a llevar todavía aparatos de ortodoncia. Y lo siguió cuando cumplió quince y el chico con el que salía insistió en que se acostara con él. También la ayudó a los diecisiete años, cuando al parecer era la única chica de su instituto que no «se lo montaba». Con la ayuda y el consejo de su madre de que se respetara y confiara en sus propias decisiones, Judy decidió cuándo y con quién quería mantener relaciones sexuales.

Si no somos capaces de hablar con franqueza con nuestros adolescentes, podemos llevarnos alguna sorpresa, desde encontrar preservativos y píldoras anticonceptivas en la habitación de nuestra hija hasta un embarazo no deseado. Es de esperar que hayamos hablado con nuestros hijos sobre el sexo como parte de una relación basada en el cariño desde el momento en que ellos empezaron a preguntarnos de dónde venían los bebés. Hay dos objetivos que nos obligan a hablar con nuestros adolescentes sobre el sexo y el amor. En primer lugar, debemos ser francos con nuestros hijos para que puedan decirnos o preguntarnos lo que quieran. En segundo lugar, debemos explicarles nuestros valores y lo que esperamos de ellos con respecto a su conducta.

Lo importante a este respecto es que el sexo y el amor están entrelazados y forman parte de un todo. El sexo indiscriminado, incluso el sexo oral y otros sustitutos del coito, no es una conducta aceptable fuera de una relación basada en el amor. Por supuesto, los adolescentes experimentan con el sexo, pero debemos mantener la postura de que el sexo forma parte de una relación íntima basada en el cariño. Debemos transmitir este mensaje a nuestros adolescentes de una forma que esté en consonancia con su fase de desarrollo y adecuándolo a su experiencia. Posteriormente, cuando crezcan y sus circunstancias cambien, nuestras conversaciones deben ir evolucionando para adecuarse a su madurez.

La relación padre-hijo

Al inicio de la adolescencia, nuestros papeles aún están claramente definidos como el de padre e hijo. Pero con cada año que pasa, y a veces cada mes, nuestros hijos pueden rebelarse contra nosotros. El cariño que les profesamos sigue intacto, pero la relación experimenta un cambio importante. A medida que adquieren experiencia e independencia, podemos perder nuestra posición como expertos y máximas autoridades. Al término de la adolescencia, la relación es totalmente distinta. Cuando nuestros adolescentes se convierten en jóvenes adultos, desarrollamos una relación más adulta y un cariño mutuo distinto.

El cariño que les profesamos debe perdurar a lo largo de estas transformaciones, a veces dolorosas. En ocasiones tendremos la sensación de que no nos tienen simpatía, y menos aún cariño. A medida que maduren y abandonen gradualmente su necesidad adolescente de apartarnos de su lado, aprenderán a expresar su cariño hacia nosotros de un modo totalmente distinto.

La madre de Dawn, una joven de diecinueve años, tomó el avión para ir a visitarla a su universidad. Dawn fue a recibirla al aeropuerto y esperaron juntas para recoger el equipaje. Cuando su madre se disponía a tomar la maleta de la cinta transportadora, Dawn se le adelantó.

—Yo la cogeré, mamá —dijo—. Es muy grande.

Su madre retrocedió y dejó que su hija la ayudara.

—Como no sabía qué traer, me lo he traído todo —le explicó a Dawn mientras ella recogía la maleta. En aquel momento, su madre comprendió que sus papeles habían cambiado, siquiera momentáneamente. Mientras Dawn acarreaba la maleta, su madre la tomó del brazo y dijo—: Gracias, es muy pesada.

Dawn sonrió.

—No te preocupes, mamá. —Y echaron a andar dispuestas a disfrutar de su fin de semana en la universidad.

Hace tiempo, cuando decidimos tenerlos, lógicamente confiábamos y esperábamos mantener una buena relación con nuestros hijos y gozar de ellos durante toda nuestra vida. Dawn y su madre están iniciando el cambio natural en su relación, que se produce cuando nuestros adolescentes se aproximan a la madurez. En esa etapa, nosotros nos hacemos mayores y nuestros adolescentes más maduros. Los papeles padre-hijo empiezan a ser más flexibles cuando nuestros adolescentes comprenden que pueden confiar más en sí mismos y se hacen independientes de verdad. Cuando la relación padre-hijo alcanza la madurez, ambas partes se tratan mutuamente como adultos, capaces de dar y recibir ternura, cariño y amistad.

Nada es más importante que el amor

Expresar el amor que profesamos a nuestros adolescentes ofreciéndoles constantemente cariño y atención es nuestra responsabilidad parental más importante durante toda su infancia y adolescencia. Es cierto que nuestros hijos no siempre nos facilitan esta tarea, pero debemos expresar con claridad que les queremos, aunque no nos guste lo que hacen. Los adolescentes que se sienten queridos, atendidos y conectados con sus padres son capaces de tomar decisiones más acertadas sobre los temas que presentan un mayor riesgo en la adolescencia: las drogas, el alcohol, conducir y el sexo.

Crecer con la seguridad de que son queridos les permite convertirse en jóvenes adultos capaces de empezar a construir sus vidas con optimismo y confianza. Estarán más capacitados para abrirse camino en el mundo, y descubrirán al mismo tiempo cómo pueden triunfar y contribuir. Estarán más capacitados para darse a sí mismos en sus relaciones sentimentales y es más probable que elijan a compañeros o compañeras que les correspondan y les quieran con generosidad. Es indudable que el hecho de sentirse querido constituye la esencia de los cimientos psicológicos de nuestros adolescentes para toda su vida.

Si los adolescentes viven con expectativas positivas, aprenden a construir un mundo mejor

Las expectativas que albergamos con respecto a nuestros adolescentes determinan su futuro. Tanto si las expresamos abiertamente como si nos las reservamos, lo que esperamos de nuestros adolescentes incide mucho en lo que piensan de sí mismos. Nuestras esperanzas y nuestros sueños para ellos, junto con las decepciones y las frustraciones, influyen en las expectativas que tienen nuestros hijos con respecto a sí mismos, su vida y su mundo.

El reto que se nos plantea, como padres, es que el listón de nuestras expectativas no esté ni demasiado alto ni demasiado bajo, que sean realistas y estimulantes, adecuadas a nuestros hijos y al mismo tiempo significativas. Si esperamos demasiado de ellos, nuestros hijos crecerán sintiéndose unos fracasados, y si esperamos demasiado poco, quizá no lleguen a desarrollar todo su potencial. No es fácil conseguirlo, pero debemos tratar de ver a nuestros adolescentes tal como son, aceptar sus limitaciones y fomentar sus cualidades. Es casi imposible que no alberguemos ciertas expectativas con respecto a nuestros hijos adolescentes. Aunque no lo manifestemos de palabra, tenemos esperanzas y sueños sobre la clase de vida que anhelamos para ellos y el tipo de mundo que deseamos para su futuro.

Asimismo, nuestras expectativas sobre la vida en general marcan la pauta para nuestros adolescentes. En fin de cuentas, al principio contemplan el mundo a través de nuestros ojos. La forma en que vivimos la vida y nuestras creencias, ya sean optimistas o pesimistas, constituyen el modelo con el que nuestros adolescentes crecen y que dan por supuesto. Aunque en última instancia desarrollan su propia actitud ante la vida, las nuestras ante el mundo y su futuro pueden limitarles o darles fuerza durante su adolescencia.

Brooke, una joven de quince años, y sus amigas íntimas decidieron recaudar dinero para una compañera que debía someterse a un trasplante de médula. Brooke le propuso a su madre la idea de vender comida preparada en casa.

—No sé —contestó su madre—. Con ese tipo de ventas sólo se consigue recaudar unos centenares de dólares. No podréis ayudar mucho a vuestra amiga.

—Tienes razón —respondió Brooke, y se olvidó del tema.

Su madre sabía que tenía un concepto realista sobre la venta de comida preparada en casa, pero no quería desanimar a su hija. Al día siguiente volvió a sacar la conversación.

—¿Se te ha ocurrido alguna otra forma de recaudar dinero? —le preguntó a Brooke.

—Sí, pero no sé sí lograremos recaudar suficiente.

La respuesta de Brooke reflejaba el pesimismo de su madre. Esta vez, sin embargo, su madre dejó a un lado su cinismo para fomentar el optimista entusiasmo de su hija.

—¿Qué has pensado? —preguntó la madre.

—Aún me gusta la idea de vender comida preparada en casa —respondió Brooke mientras su madre escuchaba en prudente silencio—. He pensado que podríamos combinarlo con el lavado de coches. La gente podría tomar un bocado mientras espera que le laven el coche. Si les gusta lo que comen, comprarán más para llevarlo a casa.

—Y podéis cobrar mucho dinero por lavar el coche porque la gente querrá contribuir a una buena causa.

Después de esa breve conversación Brooke llamó a sus amigas para organizarlo todo. La venta de comida preparada en casa y el lavado de coches se celebró a lo largo de tres días de un fin de semana y recaudaron casi cinco mil dólares. Todo el mundo aportó su granito de arena, preparando algún plato en su casa y llevando su coche a lavar, para contribuir a recaudar los fondos para la intervención.

La madre de Brooke comprendió que debía centrarse en algo más importante que el aspecto económico. La idea de Brooke de organizar una venta de comida preparada en casa era una expresión de su compasión y de su deseo de contribuir a la recuperación de su compañera de instituto. Después de pensar en ello, su madre comprendió que lo más importante era fomentar la preocupación de su hija por su compañera de clase. Como padres, debemos mantener una amplia perspectiva con respecto a los proyectos que emprendan nuestros hijos. Debemos formularnos preguntas como: «¿Cómo crecerá nuestro hijo o nuestra hija adolescente a partir de esta situación? ¿Cómo incidirá esta experiencia en su evolución como persona? ¿Qué aprenderá a raíz de sus iniciativas?»

Los afanes altruistas de nuestros adolescentes son juveniles e idealistas. Algunos proyectos darán mejor resultado que otros, y algunos no funcionarán. Al margen de los resultados, nuestro deber como padres es apoyar sus buenas intenciones. Debemos evitar que las experiencias o los conocimientos que nosotros hayamos acumulado limiten su inspiración. Debemos creer en las visiones de nuestros adolescentes y en su capacidad para hacer el bien, pues están construyendo un futuro para sí mismos y el mundo.

Adapte sus expectativas a su hijo

Comoquiera que a menudo parece que su único propósito es desafiarnos, debemos tener presente que nuestros adolescentes no quieren vivir a la altura de nuestras expectativas. No quieren decepcionarnos e incluso quizá teman fallarnos. Por tanto, no debemos fijarnos expectativas demasiado elevadas y poco realistas. Ni tampoco debemos dejar que se conviertan en personas perfeccionistas y obsesionadas con complacernos. En muchos casos, cuando los objetivos que les marcamos son demasiado altos, es nuestro problema y no el suyo. Debemos ser muy sinceros con nosotros mismos y no esperar que nuestros adolescentes cumplan nuestras necesidades egoístas.

El otro aspecto de mantener nuestras expectativas dentro de unos límites realistas es que quizá nos llevemos algunos desengaños muy reales. Es posible que nuestros adolescentes no lleguen a ser todo lo que habíamos confiado que serían, un hecho que tendremos que aceptar. Si aceptamos con naturalidad las cualidades y los defectos de nuestros adolescentes, nos será más fácil renunciar a nuestras expectativas poco realistas.

Darlene, una joven de diecisiete años, era una magnífica atleta, destinada a jugar en la selección estatal de baloncesto y obtener una beca universitaria. Su madre se sentía orgullosa de ella y asistía a todos sus partidos, pero albergaba una frustración personal.

Darlene no era una intelectual como ella. No leía nada que no tuviera que leer para el instituto, no pensaba de forma conceptual ni cuestionaba las tesis filosóficas de los demás. A su madre le costaba desistir de su empeño de tener una hija que pensara como ella y compartiera sus aficiones. Todos los años le regalaba un libro para su cumpleaños, aunque ella no parecía leerlos. De un tiempo a esta parte su madre había desistido de regalarle libros y se dedicaba a pegar recortes de artículos publicados en periódicos y revistas para su hija.

—¿Has leído el artículo que te recorté de la sección de los deportes del dominical? —le preguntó un día—. Describe la preparación mental de los atletas olímpicos. Supuse que te interesaría.

—Aún no, pero gracias, mamá —respondió Darlene alegremente antes de ir a entrenarse.

Su madre pensaba que Darlene probablemente ni siquiera se leía los breves artículos que ella le daba. Siempre estaba entrenándose y no parecía tener tiempo para detenerse a leerlos. Por eso su madre se sentía decepcionada y frustrada.

Albergar expectativas absurdas con respecto a nuestros adolescentes sólo crea frustraciones. En este ejemplo, Darlene se limita a mostrarse como es. Su madre debería tener expectativas más realistas y gozar de su hija tal como es, una chica alegre y optimista que además es una destacada atleta.

Renunciar a nuestras expectativas

Cuanto más adaptemos nuestras expectativas a nuestros adolescentes, más capaces seremos de reconocer y apreciar su personalidad natural y singular. Incluso podremos imaginarlos en el futuro como jóvenes adultos en lugar de simplemente nuestros hijos.

Imaginar cómo serán de jóvenes adultos nos permite, en primer lugar, darnos cuenta del escaso tiempo que nos queda para gozar de ellos. Una vez que comprendamos esto, nos percataremos de lo mucho que deseamos enseñarles antes de que se independicen. Asimismo, imaginarlos a los veintitantos años nos ayudará a reconocer y desarrollar sus aficiones y talentos potenciales ahora.

Dimitrios, un chico de catorce años, era un empresario nato. Cuando estudiaba octavo curso compró recuerdos y pequeños objetos relacionados con los deportes y los vendió en una subasta de una página web, obteniendo unos buenos beneficios. Empezó con tarjetas de béisbol y poco a poco fue ampliando el negocio. Sus padres fueron incapaces de ver su habilidad para los negocios y no entendían el entusiasmo que ponía en ello. Siempre habían soñado con tener un médico en la familia, pues a Dimitrios se le daban bien las ciencias. Desgraciadamente para ellos, la medicina no le interesaba.

—¿Por qué pierdes el tiempo con Internet? —le preguntó su padre una noche.

—No estoy perdiendo el tiempo. Estoy trabajando —replicó Dimitrios, dándose la importancia propia de los adolescentes.

—¿Trabajando? —preguntó su padre con tono burlón.

—Sí. Llevo ganados unos mil quinientos dólares en lo que va de año —respondió, consciente de que eso impresionaría a su padre y haría que se lo tomara en serio.

Aquella noche su padre le escuchó y recibió toda una lección sobre la nueva economía. Lo cierto era que no daba crédito a lo que hacía su hijo y la cantidad de dinero que ganaba. Su padre comprendió entonces que Dimitrios dirigía un negocio a través de Internet y empezó a verle tal como era en lugar de como una extensión de él mismo y sus sueños.

Ése ha sido el primer paso que han dado los padres de Dimitrios, los cuales deberán renunciar a sus sueños y adaptar sus expectativas a los talentos y aficiones de su hijo. Quizá no les resulte fácil, por más que a Dimitrios le vayan muy bien sus negocios. Nada impide que los padres deseen que su hijo alcance unas metas y unos objetivos, pero deben ajustarlos para que sean pertinentes y adecuados a él.

Como padres, debemos renunciar a nuestros planes específicos para nuestros adolescentes y respetar su derecho a determinar su propio destino. No obstante, podemos albergar esperanzas y expectativas más generales, como que nuestros adolescentes ejerzan unas carreras que les satisfagan, que gocen de relaciones basadas en el cariño, que formen sus propias familias y que contribuyan a su modo a crear un mundo mejor.

Esperar lo mejor

Debemos mantener nuestra fe en nuestros adolescentes y mantener nuestras visiones positivas de ellos al margen de lo que hagan. Es preciso reconocer que esto no siempre es fácil, sobre todo cuando su comportamiento o su actitud nos disgustan.

Una tarde de verano un vecino se presentó en casa de Doug, un muchacho de trece años, para hablar con sus padres. Según les explicó, Doug y sus amigos habían estado jugando al béisbol y habían pisoteado en más de una ocasión sus macizos de flores. El padre de Doug respondió con una mezcla de turbación y de disculpa y esperó a que Doug regresara a casa por la noche.

Cuando así lo hizo, su padre le recibió en la puerta con una linterna en la mano.

—Vamos a dar un breve paseo —le dijo.

Sorprendido e intrigado, Doug siguió a su padre.

—¿Adónde vamos? —preguntó.

—Tengo entendido que este verano has disputado con tus amigos unos partidos de béisbol bastante violentos en el barrio —respondió su padre.

Doug empezó a sospechar que estaba en serios apuros. Cuando su padre iluminó con la linterna el parterre pisoteado, Doug comprendió de qué iba la cosa.

—Procuramos tener cuidado, papá —protestó Doug—, pero la pelota cayó ahí un par de veces.

En esos momentos, su padre pudo haberle pegado una bronca, amenazarle con un castigo e imaginar que su hijo acabaría metiéndose en problemas más graves. Pero lo que decidió hacer es considerar a su hijo un joven adolescente bienintencionado que tenía que aprender a respetar la propiedad ajena. Teniendo eso presente, le ofreció a su hijo consejo y orientación, confiando en que Doug estuviera a la altura de sus expectativas.

—Creo que debemos plantar otras flores para nuestro vecino —propuso el padre—. Podrías pedir a tus amigos que te ayuden.

—De acuerdo —respondió Doug, contemplando los macizos de flores.

—No creo que las maravillas sean muy caras —dijo su padre intencionadamente.

—Llamaré a mis amigos esta noche —respondió Doug, que ya pensaba en repartir los gastos y el trabajo con sus compañeros.

Es más sencillo guiar a nuestros adolescentes para que hagan lo que deben hacer cuando esperamos de ellos lo mejor, que ponernos a pensar en lo peor. Tienden a mostrarse a la altura de nuestras expectativas tanto si éstas son positivas como negativas, por lo que debemos esperar lo mejor y hacer cuanto podamos para ayudarles a satisfacer nuestras expectativas positivas.

El fin de semana siguiente el padre llevó a Doug y a sus amigos en coche a un invernadero para comprar plantas nuevas. Mientras los chicos trabajaban en el jardín, el padre conversó con el vecino al tiempo que observaba lo que ellos hacían. Cuando los chicos terminaron y se pusieron a regar las plantas nuevas, llegó una furgoneta de reparto para entregarles una pizza que su padre había pedido. Invirtió tiempo y esfuerzo, pero creó una situación en la que su hijo pudo comportarse de forma responsable y al mismo tiempo estar a la altura de las expectativas de su padre. Al mantener su fe en su hijo y proporcionarle consejo, supervisión y apoyo, transformó un problema en potencia en un divertido picnic en el barrio.

Nuestras expectativas se convierten en las suyas

Dentro de unos años, cuando volvamos la vista atrás y recordemos la adolescencia de nuestros hijos sabiendo lo que sabemos ahora, comprenderemos la influencia que hemos ejercido sobre ellos. A pesar de que se separen de nosotros y parezcan contradecir todo lo que decimos, siguen siendo sensibles a nuestras expectativas. Esto es difícil de percibir cuando estamos en medio de una turbulenta adolescencia. Algunas cosas sólo podemos verlas más tarde.

Lucy abandonó la universidad para recorrer el mundo al estilo *hippy*. Sus padres se llevaron un disgusto monumental. Estaban dispuestos a pagarle el billete de una prolongada gira por el mundo como regalo de graduación, pero Lucy se mantuvo en sus trece. Sus padres confiaban en que en un plazo de un semestre o dos Lucy se habría cansado de viajar y regresaría a la universidad. Al cabo de unos años, en vista de que seguía recorriendo mundo, se preguntaron seriamente en qué se habían equivocado.

Al cabo de un tiempo Lucy regresó a Estados Unidos y terminó sus estudios universitarios, a los veinticinco años. A esas alturas ella y sus padres eran capaces de comentar lo sucedido con una perspectiva distinta.

—Tu madre y yo habíamos dejado de confiar en que retomaras tus estudios universitarios —dijo su padre la noche en que fueron a cenar para celebrar su graduación.

Lucy se mostró sorprendida.

—Siempre supe que terminaría mis estudios superiores.

—Nosotros no —dijo su madre.

—Para mí era inimaginable no obtener mi licenciatura —dijo ella.

Fue entonces cuando sus padres se percataron del efecto que sus expectativas habían tenido sobre Lucy. Siempre habían dado por supuesto que su hija terminaría sus estudios, y a Lucy le resultaba inimaginable no hacerlo. Mucho antes de que renunciaran a sus expectativas, éstas habían pasado a formar parte de Lucy. Para ella, la decisión de graduarse en la universidad había sido tomada hacía tiempo. Pero quería hacerlo cuando le pareciera oportuno.

Las expectativas que albergamos con respecto a nuestros adolescentes les marcan el rumbo de su vida incluso después de que abandonen el hogar. Nuestros hijos incorporan nuestras expectativas y con frecuencia las aceptan como propias. De esta forma, nuestra influencia les sigue marcando hasta que alcanzan la madurez y siguen incidiendo en las decisiones que toman a lo largo de su vida. Debemos esperar a que dejen atrás la adolescencia para que reconozcan que siempre nos han hecho caso. Cuando nuestros hijos adultos tienen aproximadamente veinticinco años y se abren camino en la vida, empiezan a confesarse a sí mismos y a nosotros lo importante que nuestra influencia fue para ellos.

El servicio de la comunidad

Nuestras expectativas para nuestros hijos incluyen la forma en que los imaginamos como futuros ciudadanos en relación con la comunidad en la que vivan. Para ellos representa un salto enorme en su proceso de maduración ampliar su foco de interés más allá de sus propias vidas y tener en cuenta las necesidades de los demás. Los adolescentes suelen ser egocéntricos, obsesionados y preocupados con su aspecto, por sus amigos, por si están a la altura de sus compañeros y por la forma en que se desarrolla su vida sentimental. Ese egocentrismo forma parte de su creciente sentido de identidad, y no significa que siempre serán así. Lo cierto es que a menudo junto con su egocentrismo coexiste una auténtica preocupación por temas como los derechos humanos, el respeto por los animales y el medio ambiente.

Una de las mejores maneras de animar a nuestros adolescentes a participar activamente en el servicio a la comunidad es implicarlos, cuando se hallan todavía en las primeras fases de la adolescencia, en un proyecto en el que nosotros participemos. De este modo aprenderán lo satisfactorio y grato que resulta contribuir a su comunidad local. Queremos que crezcan sabiendo que son capaces de ejercer una influencia positiva y hacer que las cosas cambien a mejor.

—Te recomiendo que esta noche te acuestes más temprano —le dijo su madre a Tobin, un chico de catorce años, un viernes por la tarde—. Debemos salir cuando todavía esté oscuro para ver el amanecer.

—¿Para qué? —preguntó Tobin, que quería averiguar el motivo de que tuviera que levantarse tan temprano un sábado por la mañana.

—Prometiste tomar fotografías del terreno que queremos salvar para una reserva —le recordó su madre—. Tus fotografías harán que las personas de la comunidad firmen la petición de proteger los espacios naturales.

—Ah, sí —dijo Tobin, recordando su promesa de colaborar en ese proyecto.

—¿Sabes?, mi abuelo, es decir, tu bisabuelo, contribuyó a crear el parque junto al río —le explicó su madre—. Como ves, es una tradición familiar.

—Vale —respondió Tobin algo más convencido—. Comprobaré si tengo suficientes carretes para mi cámara.

—Buena idea —dijo su madre con calma. Estaba preparada para una contingencia de última hora sobre la falta de carretes y había comprado unos cuantos. Sus expectativas con respecto a Tobin eran realistas. Sabía que a la mañana siguiente tendría que arrancarlo de la cama, pero que cuando llegaran al terreno de la reserva se mostraría entusiasmado.

Al hacer que nuestros adolescentes participen con nosotros en proyectos de la comunidad, les demostramos que de alguna manera pueden influir en el mundo. Las fotografías de Tobin se convirtieron en una parte importante de la campaña para la conservación de espacios naturales. Tobin las vio en unos pósters pegados por toda la ciudad y en los periódicos locales.

La madre de Tobin tuvo éxito en varios aspectos en este ejemplo. Transmitió unos valores familiares que abarcaban varias generaciones, de forma que Tobin se sintió conectado con la tradición familiar de servicio a la comunidad. Asimismo consiguió que su hijo tuviera una participación destacada. Y la campaña dio resultado. El espacio natural está protegido y la madre de Tobin puede empezar a pensar en su próximo proyecto medioambiental. Tobin ha aprendido que prestar su tiempo y su esfuerzo para una buena causa es divertido y satisfactorio. Pero quizá lo más importante es que ha averiguado que puede influir en el mundo y que el servicio a la comunidad, sobre todo en materia de conservación de los espacios naturales, constituye un proyecto interminable.

Asumir una postura

Durante la adolescencia los jóvenes descubren sus propias formas de relacionarse con el mundo. Son más conscientes de los temas globales y los problemas sociales y buscan el modo de ser útiles. A medida que su conciencia se amplía, empiezan a cuestionarse muchos de los conceptos con los que crecieron. Como parte de este proceso, sus ideas, sus creencias y su forma de enfocar la vida puede empezar a discrepar de los de su familia. En ocasiones los padres reaccionan exageradamente a las exploraciones y los interrogantes que se plantean sus hijos, casi como si les hubieran traicionado a ellos y a todo cuanto les es importante.

Si esperamos que asuman nuevas formas de pensar y cuestionen los conceptos en los que habían creído, aplaudiremos sus exploraciones como un jalón en su proceso de maduración en lugar de considerarlo una muestra de rebeldía o rechazo. Nuestros adolescentes deben descubrir por sí mismos en qué creen y cómo desean vivir. La mejor actitud que podemos adoptar es mostrarnos abiertos e interesados por lo que piensan, hacerles preguntas y escucharles con respeto. Hasta podemos mantener con ellos algunas discusiones, pero no con el fin de demostrarles que están equivocados. Podemos mantener con ellos un animado debate sin dejar de aceptar su derecho a sacar sus propias conclusiones.

Un día en que fueron a comprar un par de zapatos, la madre de Helena observó que su hija, de quince años, se mostraba más interesada en el material de los zapatos que en el estilo.

—No quiero unos zapatos de cuero —afirmó Helena—. O que estén hechos con piel de animal.

A su madre le sorprendió tanto la declaración de Helena como la seriedad con que lo dijo.

—¿Por qué?

—No quiero que maten animales para llevar unos zapatos bonitos —respondió ella.

—Tú no matas a los animales —señaló su madre.

—No quiero contribuir a su muerte comprando ese tipo de zapatos —aclaró entonces Helena.

—Ya —dijo su madre, pensando en ese nuevo decreto—. ¿Y qué me dices del nuevo bolso?

—Eso fue antes de que tomara esta decisión —respondió Helena—. Lo he pensado y no puedo hacer nada al respecto, pero a partir de ahora...

—¿Y las hamburguesas? —preguntó su madre, consciente de que eran una de las comidas preferidas de su hija.

—Se acabaron las hamburguesas —respondió Helena sin vacilar—. Me he convertido en vegetariana.

La madre miró a su hija como si no diera crédito a lo que oía.

—De acuerdo... En fin, tendremos que pensar qué compramos para comer.

Helena ha asumido una postura filosófica sobre los derechos de los animales y está dispuesta a hacer sacrificios personales como parte de su compromiso. Su madre, aunque sorprendida, se muestra receptiva y acepta la novedosa declaración de su hija. Helena ha elegido esta forma para influir en el mundo. Es algo que está a su alcance, que puede controlar y en lo que cree. Su madre no está de acuerdo con Helena, pero se siente orgullosa de la integridad y determinación de su hija de vivir de acuerdo con sus valores.

Lo que nosotros debemos hacer, como padres, es considerar las exploraciones filosóficas de nuestros adolescentes como su manera de tratar de construir un mundo mejor. Tanto si expresan su protesta contra la pena de muerte o contra el aborto, según sean liberales o conservadores, si están de acuerdo con nuestro punto de vista o se oponen a él, debemos tener en cuenta que tratan de conseguir que el mundo sea un lugar mejor.

El espíritu de la generosidad

Entre los regalos de vacaciones que recibió Janelle, una chica de catorce años, había un sencillo sobre enviado por correo que le sorprendió. Su madre observó mientras Janelle, picada por la curiosidad, examinaba el sobre. Leyó la tarjeta que decía que se había hecho un donativo en su nombre para apoyar una industria de tejido a mano en Centroamérica. En la tarjeta aparecía un grupo de aldeanas vestidas con prendas tejidas a mano, sonriendo a Janelle desde otro mundo.

Janelle miró a su madre sin comprender.

—Este donativo que hice ayudará a que las tejedoras adquieran telares —le explicó su madre—. Su industria crecerá y podrán contratar a otras mujeres que las ayuden a ganar dinero.

—¿E hiciste ese donativo en mi nombre? —preguntó Janelle, contemplando los rostros risueños de la tarjeta.

—Sí —respondió su madre sencillamente.

Cuando Janelle comprendió el significado del regalo, se mostró entusiasmada.

—¡Qué idea tan estupenda!

El espíritu de generosidad debe transmitirse con delicadeza. No podemos obligar a nuestros adolescentes a que sean generosos forzándoles a donar su dinero, pero podemos ayudarles a apreciar la experiencia de la generosidad y a comprender lo que significa para otros. La madre de Janelle ha hecho un donativo que permite que su hija experimente lo que significa ayudar a los demás. Sirve para ampliar la visión de Janelle sobre lo que es posible y la conecta con las aldeanas de Centroamérica. Este tipo de regalos es una forma magnífica de introducir a nuestros adolescentes en la experiencia de la generosidad.

Si queremos que nuestros hijos desarrollen una profunda generosidad, debemos ser generosos con ellos, no necesariamente con dinero o cosas materiales, sino con nosotros mismos. Debemos lograr que se sientan llenos emocionalmente para crecer con un sentido de la abundancia personal. Debemos darles nuestro tiempo, nuestra atención y nuestros esfuerzos, y responder a sus cambiantes necesidades a fin de guiarlos a través de la adolescencia. Darnos a nosotros mismos es el mejor modelo que podemos ofrecer a nuestros adolescentes. A través de nuestro ejemplo aprenderán a responder con generosidad cuando perciban una necesidad, dando su tiempo y sus recursos.

Oportunidades para influir

Es muy importante que nuestros adolescentes crezcan con la esperanza de que podrán influir en el mundo. Influir no siempre significa participar en un proyecto importante y a largo plazo. Incluso las cosas pequeñas realizadas a diario pueden tener un impacto constructivo. Por ejemplo, mostrarse amable con un vecino anciano, más benevolente con un hermano pequeño, reciclar la basura y evitar desperdiciar el agua son algunas de las cosas que pueden hacer a diario los adolescentes.

Como padres, debemos hacer que nuestros adolescentes valoren sus aportaciones individuales tomando nota y reconociendo las pequeñas cosas que hacen, especialmente si ellos no le dan importancia. A menudo subestiman lo que pueden aportar, sobre todo en el contexto de todo lo que se necesita para mejorar el mundo.

Connor, un chico de trece años, y su padre fueron un día a pescar a la ribera del río de la localidad. De vez en cuando se desplazaban río abajo en busca de un lugar más propicio. Cada vez que se trasladaban, Connor recogía los desperdicios que veía. Al final de la jornada, había acumulado una bolsa llena de papeles de caramelos, botellas de agua y latas de cerveza.

Cuando fueron a recoger el coche, el padre se volvió hacia Connor y dijo:

—Deja que yo la lleve.

—No, ya la llevo yo —respondió Connor.

—Ya has trabajado suficiente recogiendo toda esa basura —insistió su padre—. Lo menos que puedo hacer es ayudarte a transportarla.

—De acuerdo. —A Connor no se le había ocurrido eso. Había recogido los desperdicios para que su padre y él pasaran un rato agradable pescando. No había pensado que estaba limpiando la ribera. Los comentarios de su padre le ayudaron a ver el contexto y su papel en él.

Cuando nuestros adolescentes hacen algo positivo, debemos reconocerlo y ayudarles a ver sus actos en un contexto más amplio. Al darse cuenta de que están haciendo algo importante, sienten deseos de hacer más cosas. De esta forma, aprenden a desarrollar la confianza que necesitan para creer que pueden construir un mundo mejor.

La comunidad global

Nuestros adolescentes crecen en un mundo en el que los cambios se producen a un ritmo cada vez más acelerado. Cuesta imaginar cómo será el mundo cuando nuestros adolescentes tengan nuestra edad. No obstante, podemos tener la certeza de que seguirá necesitando que ellos contribuyan a mejorarlo. Algunas cosas no cambian, y la mejora que se produzca en el futuro será sin duda definida como la comunidad global.

El mundo necesitará nuevas generaciones que hayan crecido con una visión humanitaria, que comprendan que es preciso dar de comer y atender a los más pobres para que todos vivamos en paz. Conviene que valoremos y fomentemos esta visión global cuando observemos que nuestros hijos la desarrollan.

Los jóvenes de todas las edades se identifican de manera natural con otros jóvenes en todo el mundo. Las fronteras nacionales y las diferencias culturales no les impiden sentir el hambre, el dolor y la soledad de otros jóvenes. Los adolescentes jóvenes no entienden por qué no podemos enviar comida y medicinas a los lugares donde las necesitan. Creen ingenuamente en soluciones simples: puesto que tenemos más de lo que necesitamos, podemos compartirlo. Los adolescentes de más edad empiezan a pensar en ir a otros países para trabajar allí e influir en la suerte de esos pueblos. Saben que no basta con enviar comida y medicinas; también tenemos que enseñarles y hacer que prosperen de aldea en aldea.

Si escuchamos en serio a nuestros adolescentes, comprobaremos que cuestionan conceptos filosóficos sobre la justicia y la igualdad. Se esfuerzan en comprender la dinámica

366   CÓMO CONVIVIR CON HIJOS ADOLESCENTES

de las dicotomías que nos confunden a todos: destino y autodeterminación, desarrollo y protección de los recursos, riqueza y pobreza. Debemos animarles a seguir planteándose esos interrogantes sobre el statu quo a fin de fomentar sus deseos de construir un mundo mejor.

Debemos ser sensibles a cada fase de las visiones de nuestros hijos con respecto al futuro. Son sus sueños acerca de la época en que ellos empuñarán las riendas, una época que nos cuesta imaginar. Debemos evitar que nuestros puntos de vista, nuestros temores o expectativas negativas limiten los sueños de nuestros hijos de construir un mundo mejor.

Dean, un chico de dieciséis años, quería inscribirse en un programa de verano de trabajo voluntario en Perú. El grupo de adolescentes se proponía recaudar dinero durante el curso escolar para sufragarse el viaje en verano. A los padres de Dean les preocupaban varias cosas, desde las enfermedades tropicales a un posible secuestro.

—Este grupo ha trabajado en la aldea desde hace muchos años —les explicó Dean—, y nunca han tenido problemas.

—Pero te vas muy lejos —dijo su madre.

—No tanto, mamá —respondió Dean—. Podré enviaros correos electrónicos.

—Eso sólo significa que me enteraré antes cuando te pongas enfermo —comentó su madre.

Dean se echó a reír.

—Para mí significa que no estaré tan lejos.

Ésta es una diferencia generacional en la percepción del mundo. La madre de Dean ve el mundo en términos de kilómetros lineales, y para ella la distancia es enorme. Dean ve el mundo desde el punto de vista electrónico, y para él no hay distancias.

Debemos tener en cuenta y respetar este cambio de percepción. Nuestros adolescentes crecerán y contemplarán su comunidad como una aldea global, más allá de nuestra limitada identificación. Se verán a sí mismos como parte de la humanidad y, en este aspecto, constituyen nuestra esperanza para el futuro.

La generación que viene

Mientras observamos cómo avanzan nuestros hijos por la adolescencia y alcanzan los primeros años de madurez, comprendemos que dentro de poco el mundo estará en sus manos. La próxima generación será la que se haga cargo del planeta, y procurará instaurar la paz y crear abundancia para todos. Quizá nos cueste imaginarlo mientras ellos siguen peleando con el álgebra, pero en el breve espacio de una década comenzarán su mandato.

Posiblemente nuestra mayor aportación a la construcción de un mundo mejor sean nuestros hijos. Las personas en quienes se conviertan nuestros adolescentes, sus valores, su integridad y su compasión contribuirán a crear una nueva visión del futuro. Cada adolescente aportará una perspectiva propia y original. Debemos darles todo cuanto necesiten para desarrollar su potencial al máximo, vivir una vida gratificante y convertirse en la clase de personas capaces de construir un mundo mejor.

Debemos tener fe en ellos y en su generación, y confiar en la posibilidad de un mundo mejor. Debemos aceptar airosamente nuestras limitaciones y nuestros fallos y confiar en que las próximas generaciones desarrollen una mayor capacidad de amor y compasión.

Transmitimos nuestras expectativas positivas a través de las esperanzas y los sueños que albergamos con respecto a nuestros adolescentes y el mundo que consigan crear. Éste es uno de los regalos que ofrecemos a la siguiente generación; nuestras expectativas pasarán a formar parte de quiénes son y les ayudarán a construir un mundo mejor.